Mary G. Woolfin.
Radcliffe College.

entrance underneath
boxes
stairs
steps
musicians
pit of old theatre
= stage of modern

A SELECTION

FROM THE

POETRY AND COMEDIES

OF

ALFRED DE MUSSET

EDITED WITH AN INTRODUCTION AND NOTES

BY

L. OSCAR KUHNS
PROFESSOR OF ROMANCE LANGUAGES IN WESLEYAN UNIVERSITY

BOSTON, U.S.A.
GINN & COMPANY, PUBLISHERS
1895

The Athenæum Press
Ginn & Company

DEDICATED TO THE MEMORY

OF

Rev. George Prentice, D.D.

LATE PROFESSOR OF THE

GERMAN LANGUAGE AND LITERATURE IN WESLEYAN UNIVERSITY

PREFACE.

The aim of this book is to aid the student of French literature to form a just estimate of Alfred de Musset as man and poet. It is not designed primarily to be a text for the acquisition of a vocabulary or as affording material for drill in the elements of the language. Hence the notes are almost entirely of a literary and historical character. It is taken for granted that the student is able to read French with more or less fluency, — or at least that he is able to use the grammar and dictionary for himself. The selections contained in the volume, with two exceptions, are complete in themselves and represent the very best work of Musset in those branches of literature in which he excelled. The parallel passages given in the notes find their justification in the fact that Alfred de Musset was always strongly influenced by the great writers and shows this influence constantly in his own works. It is hoped, moreover, that in this way the student may receive an impulse toward that comparative study of literature, which alone makes it the object of scholarly research, in contradistinction to its function as a means of aesthetic enjoyment.

It has long been the conviction of the editor that more attention should be paid in our colleges and universities to the purely literary side of modern language teaching, and that there is need of text-books prepared with this object in view. This volume is offered as a slight contribution toward that end.

In the preparation of the book I have been under constant obligations to Professor A. N. van Daell for advice and suggestion, and I take pleasure in expressing thus publicly my earnest thanks for his invaluable assistance. I would likewise express my thanks to Mr. F. W. Nicolson, of Wesleyan University, who has kindly looked over the proofs with me and offered many suggestions.

Wesleyan University, Middletown, Conn.

November 7, 1894.

CONTENTS.

INTRODUCTION.

In the heart of the Latin Quarter at Paris, a stone's throw from the Collège de France, there still stands one of the most picturesque buildings of the Middle Ages, the Hôtel de Cluny, built above some old Roman baths, and containing an interesting collection of various antiquities. Close by this building, in the Rue des Noyers, number 33, was born, December 11, 1810, Louis Charles Alfred de Musset.

Young Alfred received an excellent education. When nine years old he was sent to the Lycée Henri IV as an *externe.* The first visit to school was full of disaster. His long curls and white collar were received with hoots and jeers on the part of the boys, and Alfred came home in tears. He easily rose to first place, and was so ambitious that if he failed to reach the seat of honor he cried. This superiority in one who was the smallest in the class did not please the other boys, and they took their revenge in a cowardly manner. Every day he had to run the gauntlet on leaving school, and reached the servant, sent to bring him home, with torn clothes and bleeding face. This lasted until one day his friend, Léon Gobert, put a stop to it by threatening to thrash any one who should thereafter torment Alfred.

Musset took many prizes in school, and was looked upon as one of the brightest scholars. As he grew older, however, he followed no special plan of study, and tried one thing after another. He read foreign authors, studied law, drawing, and even medicine, — soon becoming disgusted with the latter. Once, in despair at his own changeableness, he burst out, "I shall never be good for anything."

In 1828 the family went to live in Auteuil, a suburb of Paris. One day Alfred took a walk in the Bois de Boulogne with a volume of André Chénier in his hand. He returned later than usual. Under the charm of Chénier's elegiac poetry, he had been led to woo the Muses himself. With the exception of a song made for his mother when he was fourteen years old, this is the first fruits of his poetic genius :

> "Il vint sous les figuiers une vierge d'Athènes,
> Douce et blanche, puiser l'eau pure des fontaines,
> De marbre pour les bras, d'ébène pour les yeux,"

and so on for a hundred lines, describing a scene of early, pastoral love,

> "Fresh with the youth of the world and recalling Rebecca and Isaac."

His second trial in literature was entirely in the Romantic vein. He had already been introduced by Paul Foucher to Victor Hugo, who was chief of the literary coterie called the *Cénacle*, and Victor Hugo, in his turn, introduced him to de Vigny, Mérimée, Sainte-Beuve, and others.

Alfred was at first filled with enthusiasm for the new school. He used to accompany his friends in their trips to watch the sunset, and to look down upon the great city from the towers of Notre Dame. After one of these meetings, while walking in the Bois de Boulogne, he began to compose a ballad and a small drama, the scene of which was laid in Spain. This latter work, which he afterward burnt, is said to have shown, to a marked degree, the strong influence exerted over the young poet by Victor Hugo.

At that time there was a journal called *Le Provincial* published three times a week at Dijon. In the number for August 31, 1828, appeared a poem, entitled *Un Rêve*, and signed with the initials "A. D. M." This was the young poet's first appearance in print, and it goes without saying that he was happy and excited over it.

A story is told of Correggio, that one day looking on a picture by one of the great masters, and feeling the stirring of genius in his heart, he cried out, "*Anch' io son pittore.*" In similar manner, Alfred de Musset called on Sainte-Beuve one day, and said to him with a smile, "Moi aussi, je fais des vers." He then recited an elegy and some ballads to the illustrious critic, who a few days after said to the members of the *Cénacle*, "We have among us a child of genius." The new poems of Alfred were received with a burst of enthusiasm on the part of the Romantic school.

Musset took all this praise with becoming modesty, which forms a refreshing contrast with the excessive vanity of Victor Hugo. "One would do me a bad service," said he, "in persuading me that I was a great man."

It was about this time that he blossomed out into a dandy's existence. He frequented the society of the rich, was dressed by the best tailors of Paris, bought horses, gambled, and passed many *nuits blanches*.

One day, in 1828, Prosper Chasles, the editor of the *Temps*, took Paul de Musset by the arm, and said:

"Your brother is destined to be a great poet; but when I see that face of his, his eagerness for the pleasures of life, the glances he casts at the women, and those he receives in return, I am very much afraid of the Delilahs on his account." Paul, in telling this story, adds, "the prophecy came true; the Delilahs came, but the poet was only the greater for it."

Alfred de Musset now began to be known as a writer of great promise. He received marked attention in society, and plunged headlong into the brilliant social life of the day, with its balls and operas, and its *grandes dames* resplendent in lace and jewels. But he did not neglect his reading and writing for all that, and these early days were among the most earnest and industrious of his life.

His first volume, the *Contes d'Espagne*, almost entirely in the Romantic style, appeared in 1829, — the year of the famous "Battle of Hernani." It made a great stir in the world of letters, and excited the instant admiration of all young men and women. The following incident, which occurred a little later, will illustrate his popularity with young men. Soon after the appearance of *Rolla* in 1833, the poet was entering the Opera one evening and threw away his cigar. Immediately a well-dressed young man picked it up, and wiping it off, carefully put it in his pocket, — evidently to keep it as a relic of the poet.

With women he was not only popular as a writer, but all his life he had the gift of making them love him. As many love-stories are told of him as of Goethe, and we have a long list of women, young and middle-aged, grisette and high-born dame, with whom he formed more or less enduring ties of love.[1] This fickleness of his, this proneness to fall in

[1] This is what Paul says about his *amours*:

"Bientôt Alfred eut à me raconter quantité d'aventures. Il y en avait de boccaciennes et de romanesques, quelques-unes approchant du drame. En plusieurs occasions je fus réveillé au milieu de la nuit pour donner mon avis sur quelque grave question de haute prudence. Toutes ces historiettes m'ayant été confiées sous le sceau du secret, j'ai dû les oublier; mais je puis affirmer que plus d'une aurait fait envie aux Bassompierre et aux Lauzun." — *Biog. de A. de Musset*, pp. 95–96.

In regard to this whole matter, however, Professor A. N. van Daell writes as follows: "Without being positive about it, I mistrust Paul de Musset's stories about his brother. The family have been trying to

love with every woman he became acquainted with, makes us more lenient to George Sand when she afterwards deserted him.

After the publication of the *Contes d'Espagne* Musset began to see the extravagances of the Romantic school, and gradually to detach himself from it. He studied Shakspere, Racine, and Boileau, and finally broke entirely with the *Cénacle.* He declared that the true theory of modern art was to combine the freedom of Romanticism with the elegance and perfect form of the classics, and he illustrated this in his own works. He had a great deal of common-sense in literary matters,—if not in worldly affairs,—and hereafter he avoids completely the extravagances and breaches of good taste that mar the works of Victor Hugo, and often make him ridiculous.

Musset's first dramatic venture—*La Nuit Vénitienne*—was produced at the Odéon in 1830; it was unmercifully hissed. So deeply was he offended by this that, as Racine had done before him, under somewhat similar circumstances, he refused for years to have anything to do with the stage.

The death of his father, in 1832, left the family in rather straitened circumstances. Alfred had for a short time been a clerk, but soon gave up his position. Now that financial embarrassment was upon him, he set about preparing a second volume for the press. "If that is not a success," he said, "I shall become a soldier." Often, when satisfied with some piece of work, he would rub his hands gleefully, and say archly,—"I'm not yet a soldier, am I?" This second volume, which contains

belittle George Sand's influence over Alfred, to the point of inventing, or at least magnifying, other adventures. It is only the publication of Alfred's correspondence with G. Sand, which is withheld for the time, that can clear up the mist that has been purposely thrown around the history of his life."

some of his best work, was called *Un Spectacle dans un Fauteuil*, — a very evident allusion to his recent dramatic fiasco.

It was not nearly so popular, however, as the *Contes d'Espagne* had been. The public, still under the spell of Romanticism, thought they discovered evidences of decadence in these works, which are now looked upon as masterpieces. His former friends accused him of plagiarism, and pointed out many resemblances to Byron, Victor Hugo, La Fontaine, and others. Yet Prosper Mérimée said that Musset had made enormous progress, and Sainte-Beuve declared that "many Academicians had not made such fine verses." This commendation by the greatest critic of his day gained for the young poet an *entrée* to the *Revue des Deux Mondes*, for which he henceforth wrote nearly all his works.

And now we come to an event which, like a dark abyss, divides Alfred de Musset's life into two parts. He had made the acquaintance of George Sand through M. Buloz, the editor of the *Revue des Deux Mondes*. In 1834 they planned to visit Italy together. Alfred's mother heard this announcement with deep sorrow, and said she would never consent to so dangerous and fatal a thing. Alfred partly yielded, but when George Sand came in person and begged his mother's consent the latter finally gave in. Paul de Musset will not name the woman who, as he believes, wrecked his brother's life, and refuses to go over the details of the story.[1]

Suffice to say that Alfred de Musset left Paris with George Sand, a happy youth, full of eager anticipations,

[1] To know the truth in regard to Musset's relations with George Sand, we must await the publication of their correspondence. The novels *Elle et Lui*, by G. Sand, and Paul de Musset's answer thereto, *Lui et Elle*, are manifestly untrustworthy.

and returned broken in health of mind and body, and began the descent of what he himself calls

" Le spirale sans fin de *son* long suicide."

Letters were received from Marseilles, Genoa, Florence, Venice, full of enthusiasm and joy. He was happy as a child in Venice ; he told how he took notes on the customs, dialect, life ; how he talked with the gondoliers, and gathered materials which afterwards were used in his comedies, dramas, and *nouvelles*.

About the middle of February the letters stopped, and for six weeks not a word was received from Italy. At last, in despair, Paul and his mother were about to start out in search of the lost one, when a letter came, full of the deepest dejection ; it told them that he had been down with the fever, and expressed his eagerness to leave Venice as soon as his strength would allow. "I shall bring home," he said pathetically, "a sick body, a despairing soul, and a heart, bleeding, but which loves you still."

On April 10th he arrived, pale and thin. The first time he tried to tell his story he fainted, and a month elapsed before he could speak of it again. He seldom left his room, and the only amusement he took was in music and in playing chess. Paul and his friend, Tattet, alone knew his secret, and alone were admitted to his room. His character was completely changed ; he became suspicious, nervous, easily angered. And yet, with a gentlemanliness which wins our admiration, he denied all the stories which were afloat to the discredit of George Sand in this affair. He himself tells us the state of his mind during those days :

" Je fus saisi d'une souffrance inattendue. Il me semblait que toutes mes pensées tombaient comme des feuilles sèches, tandis que je ne sais quel sentiment inconnu, horriblement triste et tendre, s'élevait dans mon âme. Dès que je vis que je ne pouvais lutter, je m'abandonnai à la douleur en désespéré. Je rompis avec toutes mes habitudes. Je m'enfermai dans ma chambre; j'y passai quatre mois à pleurer sans cesse, ne voyant personne et n'ayant pour toute distraction qu'une partie d'échecs que je jouais machinalement les soirs."[1]

Gradually he began to take more interest in life. He had relegated to the garret many of his books, but he still kept Homer, Sophocles, Aristophanes, Dante, Boccaccio, Tasso, Rabelais, Montaigne, Shakspere, and Byron. This list is interesting as showing the high quality of his literary tastes. He began to go out into society; to form plans for the future. Speaking of what he was going to write, he said: "I shall be more severe with myself hereafter." The traces of this tragic journey to Italy are seen in most of his best work after this. Although he resumed his old life, although he made love to other women, and plunged into dissipation, the wound had been deep, and it is evident that he had loved George Sand as he loved no other woman.

The works which are especially influenced by that event are the four *Nights*, the *Lettre à Lamartine*, *On ne badine pas avec l'Amour*, and *Souvenir*.

Musset had written but little since his return from Italy, when one night his friend, Tattet, asked him what would be the fruit of his long silence. His answer was as follows:

"Après avoir consulté la douleur jusqu'au point où elle ne peut plus répondre, après avoir bu et goûté mes larmes, tantôt seul, tantôt avec vous, mes amis, qui croyez en moi, j'ai fini par me sentir plus fort qu'elle et par me dégager de tout mon passé. Aujourd'hui, *j'ai cloué de mes propres mains, dans la bière, ma première jeunesse, ma paresse et ma vanité.* Je crois sentir enfin que ma pensée, comme une plante qui a été longtemps arrosée, a puisé dans la terre assez de sucs

[1] P. de Musset, *Biog. de A. de Musset*, p. 136.

found Alfred on his death-bed.[1] The last scene is very touching:

"Nous causions encore paisiblement ensemble à une heure après minuit, lorsque je le vis tout à coup se dresser sur son séant, la main droite posée sur sa poitrine et cherchant la place du cœur, comme s'il eût senti dans cet organe quelque trouble extraordinaire. Son visage prit une expression étrange d'étonnement et d'attention. Ses yeux s'ouvrirent démesurément. Je lui demandai s'il souffrait, il me fit signe que non. À mes autres questions il ne répondit que ces mots, en remettant sa tête sur l'oreiller: 'Dormir! Enfin je vais dormir!'"[2]

From what has already been said the character of Alfred de Musset can easily be seen. He was a man endowed by nature as few men have been; beauty, noble lineage, kind and generous heart, loving and admiring friends, all these he had, and, in addition, a genius which, if rightly fostered, would have made him one of the greatest of modern poets. But he dissolved in the wine of debauch the pearl of his genius, and drained the cup at one draught, leaving naught but the bitter dregs behind.

He was weak and vacillating, given to dissipation and

[1] He had for years been affected with heart disease, and this was the final cause of his death.

[2] P. de Musset, *Biog. de A. de Musset*, p. 333. Alfred de Musset and Alfred Tennyson were born almost at the same time, and it is of melancholy interest to compare the last scene of Musset's life with that supremely beautiful death of the poet laureate, lying in the stately mansion, surrounded by loving friends, with the whole world hanging breathless on his fate, and as the moonlight floods in through the window, passing up to the other world. And yet if Alfred de Musset had had the strong, clean, pure life of Lord Tennyson, his moral force and his devotion to his art, he had genius enough to lift him to a place in the world's literature not far below him

"Who uttered nothing base."

debauch, yet ever filled with remorse and disgust at his own way of living. "Can you see a worse sight," he said once, "than a libertine who suffers?" And yet his heart and his head were sound; it was the will and reason which were wrong. In his views of life, literature, and art he had unusual common-sense; only when he came to act did he lack the power to carry out the dictates of his reason.[1] One thing about Victor Hugo, with all his faults, is that he was always manly, energetic, aggressive. Musset was effeminate, easily crushed, of no especial use to himself or others. We pity him, are deeply interested in the study of his heart-history as shown in his poetry, but we are not inspired with an added respect for mankind. Our feelings are like those of a physician who sees the weak and querulous side of a great man's life. In a fragment of a lost poem called *Le Poète déchu*, Alfred de Musset speaks as follows of his hero, who, in reality, is himself: "I am either deceived or he is a true poet; that is, a child incapable of forming his own destiny. His joy or his sorrow, his future or his misery, depend on circumstances and not on his will. He sings the air which nature has taught him, as the nightingale; if you wish to make him sing like a blackbird he is silent or dies."

And yet Alfred de Musset possessed nearly all the minor graces and virtues. He was frank, generous, sincere, and hated deceit. We are told that in the houses where he lived, the places he visited regularly, he was loved with a sort of adoration, not merely for his poetry or literary reputation, for many who worshiped him were servants who could not read. They loved him for his gentle and modest bearing, for his kindness and generosity, and even his handsome, slender figure; his expressive face, with its bright

[1] Coleridge once said, "As soon as anything presents itself to me as a duty, I feel myself impotent to do it."

blue eyes and fine nose, inspired all who knew him with a kindly interest in him.[1]

The tragedy of Musset's life was sure to come. It is no use blaming George Sand. We have no reason to believe he would have been faithful to her. He made love to a number of women after the Italian trip, and abandoned them as George Sand had abandoned him. Just as we see from the beginning the fatal weakness of Hamlet's character, and know that inevitably the catastrophe must come, so we see already in the early years of Alfred de Musset's life the germs of that terrible disease of will and character which slowly, but surely, will grow and develop, until death alone will bring relief.

To speak of Alfred de Musset's religion is to speak after the manner of *lucus a non lucendo*. In *Rolla* and in *La Confession d'un Enfant du Siècle* he shows the reaction against the atheism of the 18th century as well as Chateaubriand and Lamartine had done, but in a different way. He is in despair, and says that Voltaire has driven out God forever; and yet without a belief in Him life is dark and devoid of hope. A longing after the unseen world is seen in many of his poems. Naturally inclined to scepticism, his life of dissipation made faith impossible to him. Yet ever and anon, in sadness and solitude, his heart goes out to the unknown God. He cannot believe, and yet curses his age and education for taking Christ from him.

[1] The following anecdote illustrates the kindness and generosity of Musset's character. One cold winter night returning home towards eleven o'clock he passed a poor old blind beggar. He felt a movement of pity, but did not stop. When he reached the door of his house his conscience smote him, and he returned to the beggar and gave him five francs. When some one remarked that it was a pretty large sum, — "Do you count for nothing," said he, "the sleepless nights I should have had thinking of the poor devil shivering on the Pont des Arts?" See *Étude et Récits sur A. de Musset*, par la Vicomtesse de Janzé, p. 226.

Paul de Musset claims that Alfred might have been a great philosopher. In his school days he took a prize in this subject, and during his whole life he read more or less in the great philosophers. And yet his philosophy was not very deep, or even accurate.[1] It consists largely in the analysis of his own heart, the disgust of himself and life; in the description of the various sensations of morbid love, and in bitter, hopeless reflections on the "*maladie du siècle.*" There were no broad views on the great problems of human existence, only a fretful lamentation on the borders of the sea of life.

Musset had an intense love for art and literature. He read and studied a great deal during his whole life. He was certainly a very cultivated man. While he was too idle and too superficial to become a learned man, in the true sense of the word, he was far more of a scholar than his contemporary, Victor Hugo, who took vague, general ideas for profundity of thought, and verbosity for scholarship. Musset's works abound in references to famous writers and artists, — Homer, Dante, Shakspere, Molière, were his constant companions, and influenced strongly his own style and work. His interest in the painters of Italy caused him to take Andrea del Sarto and Tizianello for subjects of a play and a story. He was passionately fond of music and the opera, and this love inspired one of his most beautiful poems, *À la Malibran.* In this love for art, and the use of it in his works, he reminds us of Browning.

The literary work of Alfred de Musset consists of dramatic proverbs, comedies, dramas, stories and poetry in its strict sense.

The dramatic proverbs of Musset are the best in any language. They are short, consisting only of a scene or two, and are almost entirely made up of dialogue, the subject of

[1] See what he says of Kant in the *Espoir en Dieu.*

which is suggested by some well-known proverb. They are really the modern form of the classic eclogue and idyll, — of Vergil, for instance, or Theocritus. We have the same grace and lightness, the same delicate sentiment. The differences are due largely to the difference in time and manners. We have no longer shepherds and shepherdesses, the Phyllises and Corydons have become countesses and marquises. The "*proverbes*" of Musset bear the same relation to serious drama that society-verse does to serious poetry, — the same relation that Herrick bears to Milton, or Frederick Locker does to Tennyson and Browning. And yet there is real poetry in these dainty pieces. One cannot fail to catch the charm of the changing play, light and airy though it be. There is something so capricious, so sudden, something so evanescent about them, that we never tire of reading them. The sentiment is genuine and not overdrawn. An air of high-breeding, a tone of good society is over it all. Good sense prevents the high-bred lady from falling into flat commonplace. The gay badinage and light jest serve only to render more delicate these idylls of Parisian drawing-rooms. Musset in his youth had a light heart, a lively disposition; he was handsome, graceful, and had elegant manners. A favorite in society, he knew well the life he describes. In these proverbs he shows his ease and lightness of touch, his power over animated dialogue. And yet beneath the jesting and gossip of fashions, theatre, and balls, there is a subdued sentiment, a longing for real affection, which gives a certain quality of strength to them. The best of the proverbs are *Il faut qu'une porte soit ouverte ou fermée*, and *Il ne faut jurer de rien*.[1]

The next step in the dramatic scale of Musset's works are

[1] The nearest thing in English are Austin Dobson's *Proverbs in Porcelain*, especially the one that has for motto that most pathetic of all French proverbs, "Si jeunesse savait, si vieillesse pouvait."

the *Comédies;*[1] in these he is seen at his best. Some of them are exquisitely beautiful, — such as *À quoi rêvent les jeunes Filles*, and *On ne badine pas avec l'Amour;* — and all of them are brilliant, gay, and interesting.

One is not always in the mood to enjoy these comedies, just as (though in a different sense) the "dullard mind," according to Charles Lamb, is only equal to the "celestial pastime" of reading Milton at rare intervals. When the seriousness of life weighs down upon us, we do not turn to them as we do to deeper and greater works for strength and comfort. But at other times, when the heart is light and we seek for amusement, we find them full of enjoyment. Musset is always good in dialogue, and the conversations in the comedies are true, natural, interesting to the last degree. The characters are mostly of the same type in all of them, members of the nobility or the upper *bourgeoisie*, men of the world and *grandes dames.* They have nothing to do in life but to eat, drink, and be merry; to frequent balls and the opera, and their spare time is spent in flirtation. We have no glimpse of the world of labor, aspiration, toil, and accomplishment; none of the homely joys and sorrows of humble humanity. The world here is like a hot-house, and the atmosphere is for the most part close and stifling. The plots are generally the same. A man is attracted by some woman and neglects his wife. Hence all sorts of misunderstandings which finally are patched up "tant bien que mal." Take, for instance, the Count in *Un Caprice*, who finding himself alone with his wife's friend proceeds to make love to her. Then suddenly his conscience smites him and he declares his intention to become a different man in the future. Why? We know not. All is caprice and whim;

[1] The distinction between the *Proverbes* and the *Comédies* of Musset is often difficult to make. Hence what is said of the one is true, to a certain degree, of the other.

love is changing and fickle, based on the beauty of face or form, or it may be simply on opportunity.

There is a group of comedies, however, represented by *Carmosine*, or *On ne badine pas avec l'Amour*, which form an exception to what is said above. These are untouched by the impurity that taints most of the others. They are full of innocent charm and beauty. In them we find an atmosphere that reminds us irresistibly of Shakspere. The scenes are laid in that land of poetry and fancy made familiar to us by *Twelfth Night* and *As You Like It.*

In the gallery of women characters some shine forth beautiful and attractive, such as Carmosine, with her melancholy poetic love for the king, reminding us of Elaine or Viola; or Bettine, charming, bright, pure, and true. But most of his women are light, fickle, weak, or frivolous. There is a world of difference between these *Parisiennes*, living amid scenes of ill-regulated life, and the exquisite sweetness of Desdemona, Perdita, or even Gretchen, "more sinned against than sinning."

In the daintiest of Musset's comedies, *À quoi rêvent les jeunes Filles*, he has succeeded to perfection in rendering all the poetry of a young girl's first dream of love. His longest comedy, *Carmosine*, has really no plot, properly so-called. It is no drama in the true sense of the word. There are no deep passions involved, no intricate situations, no continuous action; it consists mostly of dialogue and descriptions. The characters are all vague and dimly outlined, seen faintly through the poetic, love-sick atmosphere that envelops the story. We can best designate it perhaps as a dramatic idyll. Yet there are many beautiful passages in it and the whole is redolent with the true breath of poetry. It is the purest and the sweetest of all Musset's works, absolutely free from the contaminating breath which blights so many of his productions.

On ne badine pas avec l'Amour is called a comedy, but has a tragic ending. It shows very evident traces of the deep sorrow that came into Musset's life after the Italian journey, and is a pathetic protest against the practice of lightly playing with a human heart. Similar to this is *Le Chandelier*, the plot of which, however, is not very savory.

To appreciate fully these comedies of Musset one should see them on the stage. French comedians are the most accomplished actors of the world, and they render dialogue to perfection. By mere reading we are apt to underestimate the talent that produced these fine works of art. After the fiasco at the Odéon when *La Nuit Vénitienne* was hissed, Musset made no more efforts to have his works produced on the stage. The way in which they were introduced to Parisian audiences is singular. Mme. Allan Despréaux, a French actress of note, was enjoying great favor with Russian audiences, when she was told of a very popular little play which was having a run in one of the small Russian theatres, and in which there was a rôle which might suit her. She went, was pleased, and asked for a French translation; this piece turned out to be Alfred de Musset's *Caprice.* When Mme. Allan returned to Paris and the *Théâtre Français*, she opened her engagement in the rôle of Madame de Léry. The production of this piece, November 27, 1847, was a dramatic event, and did more for the reputation of the author than all the rest of his works. Since then the comedies and *proverbes* of Musset have formed part of the regular *répertoire* of the French theatres.

In spite of the charm and the success of his comedies, however, true dramatic talent in a larger sense was denied Alfred de Musset. He lacked the theatrical feeling, the power of producing striking situations, a well-conceived plot, and advancing action; more than all this he lacked that indescribable something which makes a drama a real representation of life. *André del Sarto*, while of interest to the educated reader as a picture of the days of Florentine supremacy in art, and on account of the pathetic story of the "faultless painter," which has formed the subject of one of Browning's noblest poems, is yet awkward in movement and not well-adapted for the stage. *Lorenzaccio*, with all its Websterian terror and early-Elizabethan-like power, is still crude, resembling in this respect Schiller's *Räuber*. Lorenzaccio is a blood-thirsty monster, who Brutus-like undertakes to free Florence from the tyranny of the Medici. He is a madman, and blood, revenge, and lust stalk darkly through these pages. Unity of plot is wanting, and the murder scene lacks impressiveness. Musset considered Lorenzaccio equal to Hamlet as a dramatic subject. If this be true, what a vast difference there is between the genius of Shakspere and that of Alfred de Musset. Contrast the infinite depth and truth of the knowledge of human life as seen in *Hamlet*, the poetry, the wisdom, the pathos, the ever-living characters that seem more real than our own flesh and blood, with *Lorenzaccio*, clumsy, awkward, a mere sketch beside Shakspere's drama. We doubt the goodness of Lorenzaccio's character ; it is not in accordance with our ideas of right and wrong to have him pander to the vices of the Duke, even for his country's sake. If such a man ever did exist, he is abnormal, and the abnormal has no place in the drama, which ought to give us a well-proportioned picture of human life. Hamlet, individual as he is, is yet universal ; every one of us, having his peculiar organization, might have done as he did. To repeat, then, Alfred de Musset was not a great dramatist. He could paint certain types of society men and women, but he has invented no real, living characters, to take their place beside the immortal figures created by Shakspere, Schiller, Molière, and Lope de Vega.

Alfred de Musset's longest prose work, *La Confession*

d'un Enfant du Siècle, appeared in 1836, although he had begun to write it two years earlier. It is hard to classify satisfactorily this book; loose and lacking organic completeness as it is, we can hardly call it a novel. In the first part the author describes the state of moral weakness and wretchedness that brooded over France at the beginning of the century, during the period of transition between the old and the new order of society. Although Paul de Musset warns us not to look for an autobiography in this book, we cannot help feeling that the hero, Octave, is none other that Alfred de Musset himself; at least the thoughts and feelings are his. The ending of the book is weak. The sudden change and resignation in Octave forces us to believe that all his previous tears, jealousy, and rage were insincere. Then too Brigitte, who takes another lover, forfeits our respect. She cannot be a truly virtuous woman. The elements of a great tragedy are here, but they are unskillfully handled, and the ending produces the effect of an anticlimax. False and weak sentiment, morbid, degraded views of life, together with beautiful descriptions and deeply pathetic passages mark the book.

About the time Musset finished *La Confession*, he began to read Boccaccio, and became desirous to add a volume of stories to his works. On the 18th of August, 1836, he was engaged to write a novel of contemporary life and manners for the *Revue des Deux Mondes*. Probably finding that he had not the necessary energy to bring a long novel to a successful completion, he changed his plan and wrote a *nouvelle*, — *Emmeline*. The success of this story led him to write others, which were published at intervals during the next few years.

Musset's stories hold a place quite by themselves in modern literature. They have none of the thrilling narrative and cunningly devised situations of Dumas, nor do they resemble Victor Hugo's staccato style, with its leaps forward and great gaps choked with verbiage. So, too, he differs from Balzac and the doctrine of the *milieu.* His stories are, for the most part, analyses of love in its various aspects, — a love generally passionate and guilty. We find evidence of a deep knowledge of the human heart in all that pertains to love, and there is an abundance of acute observations which are almost always true and just. He had studied long in the school of passion, and his own experience taught him the heart of others. The characters are mostly gay, reckless young men who ruin women without thinking of doing harm. Most of his stories are hardly fit for the general public. Musset always considered *Le fils du Titien* his best story, and there are some things in it that make us admire it more than the others. It is of higher dignity and interest. We see a young man giving up his ideal of art for love ; and a woman using her power to inspire her lover to make the most of his genius. It is well told, full of descriptions of singular felicity, of fine figures and keen observations on art. Love here is ennobled by being true and faithful, while art and poetry add a charm and dignity. Musset's style is seen admirably in this story, — clear, full of metaphors and beautiful descriptions.

Perhaps the best of these short stories, however, is *Frédéric et Bernerette.* It is profoundly sad. Bernerette is a type of the true grisette, so characteristic once of the Latin Quarter in Paris ; gay, good-hearted, thoughtless, with graceful, pretty ways. Her life is summed up in these pathetic words, written just before an attempt at suicide : "Ma vie s'est passée à tâcher de vivre et finalement à voir qu'il faut mourir."

Alfred de Musset's fame must finally rest on his poetry, and here he reached a height which gives him an honorable rank among the greatest poets of France. One thing he possesses more than any other French poet, except poor, vagabond Villon away back in the 15th century, and that is the deep, sincere personal tone, the genuine unaffected emotion which permeates all that he wrote. The French character is not naturally given to revealing the deeper feelings, and when a French poet does open the windows of his soul and invite the world to look in, the result is often sentimentality and affectation. We can never be very deeply stirred by the feelings we find in Lamartine or Chateaubriand.[1]

Musset differs from most of these writers, however, in the utter sincerity of his emotion. He speaks straight from the heart. We may blame him for revealing too readily his sorrows and sins, and the lamentable weakness of his character; but sincerity is so rare and precious a quality among poets that it covers a multitude of sins.

Musset wins our admiration further by his unusual genius for form, that distinctive trait of all true French poetry. He possesses almost all the external qualities of poetry, grace and lightness of touch, fancy, beautiful and apt figures and metaphors, exquisite taste, moderation (that quality which Goethe calls the mark of genius), and felicity of diction.

The most famous of his metaphors, that of the pelican in the *Nuit de Mai*, is unsurpassed in the whole range of literature. Beautiful lines abound in his works. Take this, for instance:

"Un jeune rossignol chante au fond de mon cœur,"

or this —

"Une immense espérance a traversé la terre."

Some of his lines haunt the memory for years. Who that has read it once can ever forget the strange, nameless charm of that matchless stanza of the poem on Malibran, —

[1] A few of Lamartine's poems, such as *Le Lac*, *L'Automne*, and some passages of *Jocelyn* must be excepted from this statement.

"Une croix ! et l'oubli, la nuit et le silence !
Écoutez ! c'est le vent, c'est l'océan immense ;
C'est un pêcheur qui chante au bord du grand chemin."

But in spite of the many great and enduring qualities that render Alfred de Musset's poetry of unfailing interest and charm for the lover of true poetry, we must feel that he lacks those profounder qualities which make the mighty poets of the world: broad and deep power of sustained thought, the insight into the mysteries of life, the knowledge of human character in all its bewildering variety, the wide and accurate observation of nature, and that creative imagination which broods over the formless void of human experience and calls forth visions of truth and beauty that live forever. In addition to this we must add also the lack of strong, sound moral purpose and of a robust manly character. No man can be truly great who burns out the torch of life in debauchery and vice.

Alfred de Musset was always influenced by the great poets, and no one was better acquainted than he with all that is greatest and best in literature. It is not surprising that a young man should be under the influence of the prevailing taste of his day, and so we see in the *Contes d'Espagne* constant imitation of Victor Hugo and the *Cénacle.* In *Don Paez* we meet all the literary material of the Romantic school, Spanish pride, jealousy, dueñas, rope-ladders, duels, murders, love-philtres, and poison. And yet even thus early, Musset's exquisite poetic touch is seen in the beautiful description of a woman asleep in a richly furnished chamber, with the moonlight streaming in through the Gothic window,—a description the picturesque beauty of which, and the glamour that hovers about it, make it equal to a similar scene by Keats in the *Eve of St. Agnes.* In *Portia* we have reminiscences of *Hernani.*

But Musset's literary good sense soon made him recover

from this unhealthy Romantic fever. In the *Ballade à la Lune* he ridiculed the extravagances of the times,—a poem, by the way, which has excited far more discussion than its importance warrants.

The one thing that gives unity to all Musset wrote and that explains his life also, is his view of love. "Shut them in," says Browning,

> "With their triumphs and their glory, and the rest,
> Love is best."

But this tender romantic love is not Musset's. There is no such thing to him as pure, faithful, enduring love; this is only a beautiful dream of the poets. For him all is fickleness, passion, betrayal, and man is doomed to disappointment and despair. Here is his idea of woman:—

"Qu'est-ce après tout qu'une femme? L'occupation d'un moment, une coupe fragile qui renferme une goutte de rosée qu'on porte à ses lèvres et qu'on jette par-dessus son épaule. Une femme! c'est une partie de plaisir."[1]

This love, false and fickle as it is, fated to end in grief and sorrow, is to him the only thing worth living for. The earth and sea and sky and all that in them is throbs with love. And yet by that eternal conflict between the real and the ideal which forms the very bitterness of life to sensitive hearts, this universal love is at the same time a universal evil that eats into the very soul. "Un mal le plus cruel de tous, car c'est un mal sans espérance; le plus terrible, car c'est un mal qui se chérit lui-même et repousse la coupe salutaire jusque dans la main de l'amitié; un mal qui fait pâlir les lèvres sous des poisons plus doux que l'ambroisie, et qui fond en une pluie de larmes le cœur le plus dur, comme la perle de Cléopatre; un mal que tous les aromates, toute la science humaine ne sauraient sou-

[1] *Les Caprices de Marianne*, II, 1.

lager,[1] et qui se nourrit du vent qui passe, du parfum d'une rose fanée, du refrain d'une chanson, et qui suce l'éternel aliment de ses souffrances dans tout ce qui l'entoure, comme une abeille son miel dans tous les buissons d'un jardin."[2]

It is this love and this evil that wrecked Musset's life, and whose blighting effects are seen in the group of poems which forms the best of his poetry, — the four *Nuits*, the *Lettre à Lamartine*, *Souvenir*, and the *Espoir en Dieu*. To judge Musset we must forget all the extravagances of his early work, all the weakness and immorality of his character, and form our opinion on these few poems. They are enough to lift him to an equal place among the greatest of his countrymen of the 19th century, and to stamp him in the world's literature as a poet of the most genuine sort.

Musset was always sensitive at being accused of plagiarism and indignantly denies the accusation. "Je hais," he says,

> "Je hais comme la mort l'état de plagiaire ;
> Mon verre n'est pas grand, mais je bois dans mon verre."

He is right ; no one can justly call him a plagiarist, for whatever he takes from others he assimilates so thoroughly that it bears the stamp of his own peculiar style. It is true we meet throughout all his works reminiscences and memories of almost all the great writers. Boccaccio influenced his prose, Shakspere his drama, and Byron and Lamartine his lyrical poetry, to say nothing of André Chénier, Regnier, Racine, and others. But this imitation may be characterized as reminiscential rather than direct ; we are reminded

[1] Cf. Shakspere, —

> Not poppy, nor mandragora,
> Nor all the drowsy syrups of the world,
> Shall ever medicine thee to that sweet sleep
> Which thou ow'dst yesterday. *Othello*, III, 3.

[2] *Les Caprices de Marianne*, I, 1.

of things and scenes we have seen before, while often unable to put our finger on the exact spot. This is the explanation of the Shaksperian quality we feel in many of his comedies.[1]

With his love for society, for beautiful women, his dislike for business and politics, and his feeling for what is refined, elegant, and dainty, Alfred de Musset is akin to the artists of the age of Louis XV. His proverbs are Boucher's and Fragonard's done into words, resembling paintings on fans and porcelain. He was

"Born too late in a world too old."

The Revolution with its mighty upheaval intervened between him and the golden, dreamy age of folly and voluptuous gaiety of the court of Louis XV. The terrible questions of life came to mingle with the dreams of poetry and pleasure. The times were out of joint and Alfred de Musset, delicate, aristocratic, effeminate, was not the man to set them right.

NOTE. — Through the kindness of Professor Van Daell, I have just received a volume by the Vicomte de Spoelberch de Lovenjoul, entitled *Les Lundis d'un Chercheur*, which contains an important article on Alfred de Musset's relations with George Sand. In this article — *À propos de lettres inédites de George Sand* — the author mentions some unpublished letters of Musset, which he says "sont des plus importantes pour la défense de George Sand dans ce grand drame mal connu." p. 175. On p. 178 he says further, — "Il est juste de reconnaître que les lettres inédites du poète à Sainte-Beuve dont nous avons parlé . . . semblent justifier complètement George Sand des reproches dont on l'a si souvent accablée à propos d'Alfred de Musset."

[1] We see this resemblance to others especially in *Les Marrons du feu*, which reminds us of Racine's *Andromaque ; Lorenzaccio* is evidently suggested by Shakspere's *Julius Cesar*, and the wager in *Bettine* is the same as that in *Cymbeline*. The list of verbal resemblances would be long.

BIBLIOGRAPHY.

WORKS.

Œuvres Complètes d'Alfred de Musset. Édition ornée de 28 gravures. 11 volumes. Paris, Édition Charpentier, L. Hébert, Libraire, 1884. [The best edition; includes the Biography by Paul de Musset. The complete works are also published by Charpentier in the well-known Bibliothèque Charpentier.]

The *Poésies*, *Comédies et Proverbes*, *Contes et Nouvelles*, and *La Confession d'un Enfant du Siècle* are published in the dainty Petite Bibliothèque Charpentier. The same publisher has issued a popular edition of the works in one volume.

BIOGRAPHY.

BARINE, ARVÈDE. Alfred de Musset. Les Grands Écrivains Français. Paris, Hachette & Cie. 1893.

JANZE, LA VICOMTESSE DE. Étude et Récits sur Alfred de Musset. Paris, Librairie Plon. 1891.

JAUBERT, MADAME (godmother of Musset), Souvenirs de. Paris, Hetzel, 1879. [Gives about twenty of his letters.]

LINDAU, PAUL. Alfred de Musset. Berlin, A. Hofmann & Co. 1877.

MUSSET, PAUL DE. Biographie d'Alfred de Musset, sa Vie et ses Œuvres. Paris, Charpentier. 1874. (Also vol. XI of *Œuvres Complètes*, above.) [The standard life, yet it must be read with caution. The author's love and admiration for his brother prevent him from being an impartial biographer. A translation of this work has been made by Harriet W. Prescott. Boston. 1877.]

OLIPHANT, CYRIL FRANCIS. Alfred de Musset. Foreign Classics for English Readers. Edinburgh and London, Wm. Blackwood & Sons. 1890.

The following semi-biographical novels refer to Musset's relations with George Sand :

Elle et Lui, par George Sand. Paris, Hachette & Cie. 1859. [Many times reprinted.]

Lui et Elle, par Paul de Musset. Paris, Charpentier. 1860. [Answer to Elle et Lui.]

Lui, Roman Contemporain par Mme. Louise Colet. Paris, Librairie Nouvelle et A. Bourdillat. 1860.

Eux et Elles, histoire d'un scandale, par M. De Lescure, Paris, Poulet-Malassis et De Broise. 1860.

CRITICISM.

BRUNETIÈRE, FERDINAND. L'Évolution de la poésie lyrique en France au dix-neuvième siècle, Tome I. Paris, Hachette & Cie. 1894.

FAGUET, ÉMILE. Études littéraires sur le dix-neuvième siècle, 3me édition. Paris, H. Lecène et H. Oudin. 1887.

GAUTIER, T. (and others). Famous French Authors.

JAMES, HENRY. French Poets and Novelists. London and New York, Macmillan & Co. 1893.

MIRECOURT, EUGÈNE DE. Les Contemporains. Alfred de Musset. Paris, Havard, 1855.

MONTÉGUT, ÉMILE. Nos morts contemporains, première série. Paris, Hachette & Cie. 1883.

PALGRAVE, F. T. Oxford Essays, 1855.

SAINTE-BEUVE, C. A. Portraits contemporains, vol. 2.

SECRETAN, HENRI. Alfred de Musset. Étude littéraire présentée au concours pour la chaire de littérature française à l'Académie de Lauzanne. Lauzanne, Howard-Delisle and F. Regamey. 1875.

TAINE, H. A. Histoire de la littérature anglaise. English translation by H. Van Laun. New York, H. Holt & Co. 1885. [End of last chapter. Compares Musset with Lord Tennyson.]

UJFALVY, KARL EUGEN VON. Alfred de Musset, Eine Studie. Leipzig, Brockhaus. 1870.

Besides the above there are a number of *brochures* and lectures by Perreau, Lissagaray, Paul Stapfer, Lucien Degron, Charles de Lovenjoul, and others.

For further details see Maurice Clouard, Bibliographie des Œuvres d'Alfred de Musset. Paris, P. Rouquette, 1883.

POÉSIES.

POÉSIES.

AU LECTEUR.

Ce livre est toute ma jeunesse ;
Je l'ai fait sans presque y songer.
Il y paraît, je le confesse,
Et j'aurais pu le corriger.

Mais quand l'homme change sans cesse,
Au passé pourquoi rien changer ?
Va-t'en, pauvre oiseau passager ;
Que Dieu te mène à ton adresse !

Qui que tu sois, qui me liras,
Lis-en le plus que tu pourras,
Et ne me condamne qu'en somme.

Mes premiers vers sont d'un enfant,
Les seconds d'un adolescent,
Les derniers à peine d'un homme.

ROLLA.

I.

Regrettez-vous le temps où le ciel sur la terre
Marchait et respirait dans un peuple de dieux ;
Où Vénus Astarté,[1] fille de l'onde amère,
Secouait, vierge encor, les larmes de sa mère,
Et fécondait le monde en tordant ses cheveux ?

Regrettez-vous le temps où les Nymphes lascives
Ondoyaient au soleil parmi les fleurs des eaux,
Et d'un éclat de rire agaçaient sur les rives
Les Faunes indolents couchés dans les roseaux ;
Où les sources tremblaient des baisers de Narcisse ;[2]
Où du nord au midi, sur la création,
Hercule[3] promenait l'éternelle justice,
Sous son manteau sanglant taillé dans un lion ;
Où les Sylvains[4] moqueurs, dans l'écorce des chênes,
Avec les rameaux verts se balançaient au vent,
Et sifflaient dans l'écho la chanson du passant ;
Où tout était divin, jusqu'aux douleurs humaines ;
Où le monde adorait ce qu'il tue aujourd'hui ;
Où quatre mille dieux n'avaient pas un athée ;
Où tout était heureux, excepté Prométhée,[5]
Frère aîné de Satan, qui tomba comme lui ?
— Et quand tout fut changé, le ciel, la terre et l'homme,
Quand le berceau du monde[6] en devint le cercueil,
Quand l'ouragan du Nord[7] sur les débris de Rome
De sa sombre avalanche étendit le linceul, —

Regrettez-vous le temps où d'un siècle barbare
Naquit un siècle d'or, plus fertile et plus beau ?
Où le vieil univers fendit avec Lazare
De son front rajeuni la pierre du tombeau ?
Regrettez-vous le temps où nos vieilles romances
Ouvraient leurs ailes d'or vers leur monde enchanté ;
Où tous nos monuments et toutes nos croyances
Portaient le manteau blanc de leur virginité ;
Où, sous la main du Christ, tout venait de renaître,
Où le palais du prince et la maison du prêtre,
Portant la même croix sur leur front radieux,
Sortaient de la montagne en regardant les cieux ;
Où Cologne[8] et Strasbourg, Notre-Dame et Saint-Pierre,

S'agenouillant au loin dans leurs robes de pierre,
Sur l'orgue universel des peuples prosternés
Entonnaient l'hosanna des siècles nouveau-nés ;
Le temps où se faisait tout ce qu'a dit l'histoire ;
Où sur les saints autels les crucifix d'ivoire
Ouvraient des bras sans tache et blancs comme le lait ;
Où la Vie était jeune, — où la Mort espérait?

Ô Christ ![9] je ne suis pas de ceux que la prière
Dans tes temples muets amène à pas tremblants ;
Je ne suis pas de ceux qui vont à ton Calvaire,
En se frappant le cœur, baiser tes pieds sanglants ;
Et je reste debout sous tes sacrés portiques,
Quand ton peuple fidèle, autour des noirs arceaux,
Se courbe en murmurant sous le vent des cantiques,
Comme au souffle du nord un peuple de roseaux.
Je ne crois pas, ô Christ ! à ta parole sainte :
Je suis venu trop tard[10] dans un monde trop vieux.
D'un siècle sans espoir naît un siècle sans crainte ;[11]
Les comètes du nôtre ont dépeuplé les cieux.
Maintenant le hasard promène au sein des ombres
De leurs illusions les mondes réveillés ;
L'esprit des temps passés, errant sur leurs décombres,
Jette au gouffre éternel tes anges mutilés.
Les clous du Golgotha te soutiennent à peine ;
Sous ton divin tombeau le sol s'est dérobé :
Ta gloire est morte, ô Christ! et sur nos croix d'ébène
Ton cadavre céleste en poussière est tombé !

Eh bien ! qu'il soit permis d'en baiser la poussière
Au moins crédule enfant[12] de ce siècle sans foi,
Et de pleurer, ô Christ ! sur cette froide terre
Qui vivait de ta mort, et qui mourra sans toi !
Oh ! maintenant, mon Dieu, qui lui rendra la vie ?

Du plus pur de ton sang tu l'avais rajeunie ;
Jésus, ce que tu fis, qui jamais le fera ?
Nous, vieillards [13] nés d'hier, qui nous rajeunira ?

Nous sommes aussi vieux qu'au jour de ta naissance.
Nous attendons autant, nous avons plus perdu.
Plus livide et plus froid, dans son cercueil immense
Pour la seconde fois Lazare [14] est étendu.
Où donc est le Sauveur pour entr'ouvrir nos tombes ?
Où donc le vieux saint Paul haranguant les Romains,
Suspendant tout un peuple à ses haillons divins ?
Où donc est le Cénacle ? [15] où donc les Catacombes ? [16]
Avec qui marche donc l'auréole de feu ? [17]
Sur quels pieds tombez-vous, parfums de Madeleine ? [18]
Où donc vibre dans l'air une voix plus qu'humaine ?
Qui de nous, qui de nous va devenir un Dieu ?
La Terre est aussi vieille, aussi dégénérée,
Elle branle une tête aussi désespérée
Que lorsque Jean [19] parut sur le sable des mers,
Et que la moribonde,[20] à sa parole sainte
Tressaillant tout à coup comme une femme enceinte,
Sentit bondir en elle un nouvel univers.
Les jours sont revenus de Claude [21] et de Tibère ; [22]
Tout ici, comme alors, est mort avec le temps,
Et Saturne [23] est au bout du sang de ses enfants ;
Mais l'espérance humaine est lasse d'être mère,
Et, le sein tout meurtri d'avoir tant allaité,
Elle fait son repos de sa stérilité.

. . . .

Dors-tu content,[24] Voltaire,[25] et ton hideux sourire
Voltige-t-il encor sur tes os décharnés ?
Ton siècle était, dit-on, trop jeune pour te lire ;
Le nôtre doit te plaire, et tes hommes sont nés.

Il est tombé sur nous, cet édifice immense
Que de tes larges mains tu sapais nuit et jour.
La Mort devait t'attendre avec impatience,
Pendant quatre-vingts ans que tu lui fis ta cour ;
Vous devez vous aimer d'un infernal amour.
Ne quittes-tu jamais la couche nuptiale
Où vous vous embrassez dans les vers du tombeau,[26]
Pour t'en aller tout seul promener ton front pâle
Dans un cloître désert ou dans un vieux château ?
Que te disent alors tous ces grands corps sans vie,
Ces murs silencieux, ces autels désolés,
Que pour l'éternité ton souffle a dépeuplés ?
Que te disent les croix ? que te dit le Messie ?
Oh ! saigne-t-il encor, quand, pour le déclouer,
Sur son arbre tremblant, comme une fleur flétrie,
Ton spectre dans la nuit revient le secouer ?
Crois-tu ta mission dignement accomplie,
Et comme l'Éternel, à la création,
Trouves-tu que c'est bien, et que ton œuvre est bon ?
Au festin de mon hôte alors je te convie.
Tu n'as qu'à te lever ; — quelqu'un soupe ce soir
Chez qui le Commandeur[27] peut frapper et s'asseoir.

. . . .

Voilà pourtant ton œuvre, Arouet, voilà l'homme
Tel que tu l'as voulu. — C'est dans ce siècle-ci,
C'est d'hier seulement qu'on peut mourir ainsi.
Quand Brutus[28] s'écria sur les débris de Rome :
"Vertu, tu n'es qu'un nom !"[29] il ne blasphéma pas.
Il avait tout perdu, sa gloire et sa patrie,
Son beau rêve adoré, sa liberté chérie,
Sa Portia, son Cassius, son sang et ses soldats ;
Il ne voulait plus croire aux choses de la terre.
Mais, quand il se vit seul, assis sur une pierre,

En songeant à la mort, il regarda les cieux.[30]
Il n'avait rien perdu dans cet espace immense ;
Son cœur y respirait un air plein d'espérance :
Il lui restait encor son épée et ses dieux.
Et que nous reste-t-il, à nous, les déicides ?[31]
Pour qui travailliez-vous, démolisseurs stupides,
Lorsque vous disséquiez le Christ sur son autel ?
Que vouliez-vous semer sur sa céleste tombe,
Quand vous jetiez au vent la sanglante colombe
Qui tombe en tournoyant dans l'abîme éternel ?
Vous vouliez pétrir l'homme à votre fantaisie ;
Vous vouliez faire un monde. — Eh bien, vous l'avez fait ;
Votre monde est superbe, et votre homme est parfait !
Les monts sont nivelés, la plaine est éclaircie ;
Vous avez sagement taillé l'arbre de vie ;
Tout est bien balayé sur vos chemins de fer,
Tout est grand, tout est beau, mais on meurt dans votre air.
Vous y faites vibrer de sublimes paroles ;
Elles flottent au loin dans les vents empestés.
Elles ont ébranlé de terribles idoles ;
Mais les oiseaux du ciel en sont épouvantés.
L'hypocrisie est morte ; on ne croit plus aux prêtres ;
Mais la vertu se meurt, on ne croit plus à Dieu.
Le noble n'est plus fier du sang de ses ancêtres ;
Mais il le prostitue au fond d'un mauvais lieu.
On ne mutile plus la pensée et la scène,
On a mis au plein vent l'intelligence humaine ;
Mais le peuple voudra des combats de taureau.
Quand on est pauvre et fier, quand on est riche et triste,
On n'est plus assez fou pour se faire trappiste ;[32]
Mais on fait comme Escousse, on allume un réchaud.[33]

LA COUPE ET LES LÈVRES.

DÉDICACE.

À M. ALFRED T***[1]

Voici mon cher ami, ce que je vous dédie :
Quelque chose approchant comme une tragédie,
Un spectacle ; en un mot, quatre mains de papier.
J'attendrai là-dessus que le diable m'éveille.
Il est sain de dormir, — ignoble de bâiller.
J'ai fait trois mille vers : allons, c'est à merveille.
Baste ![2] il faut s'en tenir à sa vocation.
Mais quelle singulière et triste impression
Produit un manuscrit ! — Tout à l'heure, à ma table,
Tout ce que j'écrivais me semblait admirable.
Maintenant, je ne sais, — je n'ose y regarder.
Au moment du travail,[3] chaque nerf, chaque fibre
Tressaille comme un luth que l'on vient d'accorder.
On n'écrit pas un mot que tout l'être ne vibre.
(Soit dit sans vanité, c'est ce que l'on ressent.)
On ne travaille pas, — on écoute, — on attend.
C'est comme un inconnu qui vous parle à voix basse.
On reste quelquefois une nuit sur la place,
Sans faire un mouvement et sans se retourner.
On est comme un enfant dans ses habits de fête,
Qui craint de se salir et de se profaner ;
Et puis, — et puis, — enfin ! — on a mal à la tête.
Quel étrange réveil ! — comme on se sent boiteux ![4]
Comme on voit que Vulcain[5] vient de tomber des cieux !
C'est le cercueil humain, un moment entr'ouvert,
Qui, laissant retomber son couvercle débile,
Ne se souvient de rien, sinon qu'il a souffert.
Si tout finissait là ! voilà le mot terrible.
C'est Jésus, couronné d'une flamme invisible,[6]

Venant du Pharisien[7] partager le repas.
Le Pharisien parfois voit luire une auréole
Sur son hôte divin, — puis, quand elle s'envole,
Il dit au fils de Dieu : Si tu ne l'étais pas ?
Je suis le Pharisien, et je dis à mon hôte :
Si ton démon céleste était un imposteur ?
Il ne s'agit pas là de reprendre une faute,
De retourner un vers comme un commentateur,
Ni de se remâcher comme un bœuf qui rumine.
Il est assez de mains chercheuses de vermine,
Qui savent éplucher un récit malheureux,
Comme un pâtre espagnol épluche un chien lépreux.
Mais croire que l'on tient les pommes d'Hespérides[8]
Et presser tendrement un navet sur son cœur !
Voilà, mon cher ami, ce qui porte un auteur
À des auto-da-fés,[9] — à des infanticides.
Les rimeurs, vous voyez, sont comme les amants
Tant qu'on n'a rien écrit, il en est d'une idée
Comme d'une beauté qu'on n'a pas possédée.
On l'adore, on la suit, — ses détours sont charmants.
Pendant que l'on tisonne en regardant la cendre,
On la voit voltiger ainsi qu'un salamandre ;[10]
Chaque mot fait pour elle est comme un billet doux ;
On lui donne à souper ; — qui le sait mieux que vous ?
(Vous pourriez au besoin traiter une princesse.)
Mais dès qu'elle se rend, bonsoir, le charme cesse.
On sent dans sa prison l'hirondelle mourir.
Si tout cela, du moins, vous laissait quelque chose !
On garde le parfum[11] en effeuillant la rose ;
Il n'est si triste amour qui n'ait son souvenir.
Lorsque la jeune fille,[12] à la source voisine,
A sous les nénuphars lavé ses bras poudreux,
Elle reste au soleil, les mains sur sa poitrine,
À regarder longtemps pleurer ses beaux cheveux,

Elle sort, mais pareille aux rochers de Borghèse,[13]
Couverte de rubis comme un poignard persan, —
Et sur son front luisant sa mère qui la baise
Sent du fond de son cœur la fraîcheur de son sang.
Mais le poète, hélas ! s'il puise à la fontaine,
C'est comme un braconnier poursuivi dans la plaine,
Pour boire dans sa main et courir se cacher, —
Et cette main brûlante est prompte à se sécher.
Je ne fais pas grand cas, pour moi, de la critique ;
Toute mouche qu'elle est,[14] c'est rare qu'elle pique.
On m'a dit l'an passé que j'imitais Byron :
Vous qui me connaissez, vous savez bien que non.
Je hais comme la mort l'état de plagiaire ;
Mon verre n'est pas grand, mais je bois dans mon verre.
C'est bien peu, je le sais, que d'être homme de bien,
Mais toujours est-il vrai que je n'exhume rien.

Je ne me suis pas fait écrivain politique,[15]
N'étant pas amoureux de la place publique.
D'ailleurs, il n'entre pas dans mes prétentions
D'être l'homme du siècle et de ses passions.
C'est un triste métier[16] que de suivre la foule,
Et de vouloir crier plus fort que les meneurs,
Pendant qu'on se raccroche au manteau des traîneurs.
On est toujours à sec, quand le fleuve s'écoule.
Que de gens aujourd'hui chantent la liberté,
Comme ils chantaient les rois, ou l'homme de brumaire ![17]
Que de gens vont se pendre au levier populaire,
Pour relever le dieu qu'ils avaient souffleté !
On peut traiter cela du beau nom de rouerie,
Dire que c'est le monde et qu'il faut qu'on en rie.
C'est peut-être un métier charmant, mais tel qu'il est,
Si vous le trouvez beau, moi, je le trouve laid.
Je n'ai jamais chanté ni la paix ni la guerre ;

Si mon siècle se trompe, il ne m'importe guère :
Tant mieux s'il a raison, et tant pis s'il a tort ;
Pourvu qu'on dorme encore au milieu du tapage,
C'est tout ce qu'il me faut, et je ne crains pas l'âge
Où les opinions deviennent un remord.

Vous me demanderez si j'aime ma patrie.
Oui ; — j'aime fort aussi l'Espagne et la Turquie.
Je ne hais pas la Perse et je crois les Indous
De très honnêtes gens qui boivent comme nous.
Mais je hais les cités, les pavés et les bornes,
Tout ce qui porte l'homme à se mettre en troupeau.
Pour vivre entre deux murs et quatre faces mornes,
Le front sous un moellon, les pieds sur un tombeau.

Vous me demanderez si je suis catholique.
Oui ; — j'aime fort aussi les dieux Lath [18] et Nésu ;
Tartak et Pimpocau me semblent sans réplique ;
Que dites-vous encor de Parabavastu ?
J'aime Bidi, — Khoda me paraît un bon sire ;
Et quant à Kichatan, je n'ai rien à lui dire.
C'est un bon petit dieu que le dieu Michapous.
Mais je hais les cagots, les robins [19] et les cuistres,
Qu'ils servent Pimpocau, Mahomet, ou Vishnou.
Vous pouvez de ma part répondre à leurs ministres
Que je ne sais comment je vais je ne sais où.

Vous me demanderez si j'aime la sagesse.
Oui, — j'aime fort aussi le tabac à fumer.
J'estime le bordeaux, surtout dans sa vieillesse ;
J'aime tous les vins francs, parce qu'ils font aimer.
Mais je hais les cafards, et la race hypocrite
Des tartufes [20] de mœurs, comédiens insolents,
Qui mettent leurs vertus en mettant leurs gants blancs.

Le diable était bien vieux lorsqu'il se fit ermite.
Je le serai si bien, quand ce jour-là viendra,
Que ce sera le jour où l'on m'enterrera.

Vous me demanderez si j'aime la nature,
Oui ; — j'aime fort aussi les arts et la peinture.
Le corps de la Vénus [21] me paraît merveilleux.
La plus superbe femme est elle préférable ?
Elle parle, il est vrai, mais l'autre est admirable,
Et je suis quelquefois pour les silencieux.
Mais je hais les pleurards,[22] les rêveurs à nacelles,
Les amants de la nuit, des lacs, des cascatelles,
Cette engeance sans nom, qui ne peut faire un pas
Sans s'inonder de vers, de pleurs et d'agendas.
La nature, sans doute, est comme on veut la prendre.
Il se peut, après tout, qu'ils sachent la comprendre,
Mais eux, certainement, je ne les comprends pas.

Vous me demanderez si j'aime la richesse.
Oui ; j'aime aussi parfois la médiocrité.
Et surtout, et toujours, j'aime mieux ma maîtresse ;
La fortune, pour moi, n'est que la liberté.
Elle a cela de beau, de remuer le monde,
Que, dès qu'on la possède, il faut qu'on en réponde,
Et que, seule, elle met à l'air la volonté.
Mais je hais les pieds plats,[23] je hais la convoitise.
J'aime mieux un joueur, qui prend le grand chemin ;
Je hais le vent doré qui gonfle la sottise,
Et, dans quelque cent ans, j'ai bien peur qu'on ne dise
Que notre siècle d'or fut un siècle d'airain.
Vous me demanderez si j'aime quelque chose.
Je m'en vais vous répondre à peu près comme Hamlet :
Doutez, Ophélia,[24] de tout ce qui vous plaît,
De la clarté des cieux, du parfum de la rose ;

Doutez de la vertu, de la nuit et du jour ;
Doutez de tout au monde, et jamais de l'amour.
Tournez-vous là, mon cher, comme l'héliotrope[25]
Qui meurt les yeux fixés sur son astre chéri,[26]
Et préférez à tout, comme le Misanthrope,[27]
La chanson de ma mie, et du Bon roi Henri.
Doutez, si vous voulez, de l'être qui vous aime,
D'une femme ou d'un chien, mais non de l'amour même.
L'amour est tout, — l'amour, et la vie au soleil.
Aimer est le grand point, qu'importe la maîtresse ?
Qu'importe le flacon,[28] pourvu qu'on ait l'ivresse ?
Faites-vous de ce monde un songe sans réveil.[29]
S'il est vrai que Schiller n'ait aimé qu'Amélie,[30]
Goethe que Marguerite,[31] et Rousseau que Julie,[32]
Que la terre leur soit légère ![33] — Ils ont aimé.[34]

Vous trouverez, mon cher, mes rimes bien mauvaises ;
Quant à ces choses-là, je suis un réformé.[35]
Je n'ai plus de système, et j'aime mieux mes aises ;
Mais j'ai toujours trouvé honteux de cheviller.[36]
Je vois chez quelques-uns, en ce genre d'escrime,
Des rapports trop exacts avec un menuisier.
Gloire aux auteurs nouveaux, qui veulent à la rime
Une lettre de plus qu'il n'en fallait jadis !
Bravo ! c'est un bon clou de plus à la pensée.
La vieille liberté par Voltaire laissée
Était bonne autrefois pour les petits esprits.

Un long cri[37] de douleur traversa l'Italie
Lorsqu'au pied des autels Michel-Ange[38] expira.
Le siècle se fermait, — et la mélancolie,
Comme un pressentiment, des vieillards s'empara.
L'art, qui sous ce grand homme avait quitté la terre
Pour se suspendre au ciel, comme le nourrisson

Se suspend et s'attache aux lèvres de sa mère,
L'art avec lui tomba. — Ce fut le dernier nom
Dont le peuple toscan[39] ait gardé la mémoire.
Aujourd'hui l'art n'est plus, — personne n'y veut croire.
Notre littérature a cent mille raisons
Pour parler de noyés, de morts, et de guenilles,
Elle-même est un mort que nous galvanisons.
Elle entend son affaire en nous peignant des filles,
En tirant des égoûts les muses de Régnier.[40]
Elle-même en est une, et la plus délabrée
Qui de fard et d'onguents ne soit jamais plâtrée.
Nous l'avons tous usée, — et moi tout le premier.
Est-ce à moi, maintenant, au point où nous en sommes,
De vous parler de l'art et de le regretter?
Un mot pourtant encore avant de vous quitter.
Un artiste est un homme, — il écrit pour des hommes.
Pour prêtresse du temple, il a la liberté;
Pour trépied,[41] l'univers; pour éléments, la vie;
Pour encens, la douleur, l'amour et l'harmonie;
Pour victime, son cœur, — pour dieu, la vérité.
L'artiste est un soldat, qui des rangs d'une armée
Sort, et marche en avant, — ou chef, — ou déserteur,
Par deux chemins divers il peut sortir vainqueur.
L'un, comme Calderon[42] et comme Mérimée,[43]
Incruste un plomb brûlant sur la réalité,
Découpe à son flambeau la silhouette humaine,
En emporte le moule, et jette sur la scène
Le plâtre de la vie avec sa nudité.
Pas un coup de ciseau sur la sombre effigie,
Rien qu'un masque d'airain, tel que Dieu l'a fondu.
Cherchez-vous la morale et la philosophie?
Rêvez si vous voulez, — voilà ce qu'il a vu.
L'autre, comme Racine et le divin Shakspeare,
Monte sur le théâtre, une lampe à la main,

Et de sa plume d'or[44] ouvre le cœur humain.
C'est pour vous qu'il y fouille, afin de vous redire
Ce qu'il aura senti, ce qu'il aura trouvé,
Surtout, en le trouvant, ce qu'il aura rêvé.
L'action n'est pour lui qu'un moule à sa pensée.
Hamlet tuera Clodius.[45] — Joad[46] tuera Mathan ; —
Qu'importe le combat, si l'éclair de l'épée
Peut nous servir dans l'ombre à voir les combattants ?
Le premier sous les yeux vous étale un squelette :
Songez, si vous voulez, de quels muscles d'athlète,
De quelle chair superbe, et de quels vêtements
Pourraient être couverts de si beaux ossements.
Le second vous déploie une robe éclatante,
Des muscles invaincus, une chair palpitante,
Et vous laisse à penser quels sublimes ressorts
Impriment l'existence à de pareils dehors.
Celui-là voit l'effet, — et celui-ci la cause.
Sur cette double loi le monde entier repose :
Dieu seul (qui se connaît) peut tout voir à la fois.

Quant à moi, Petit-Jean,[47] quand je vois, — quand je vois,
Je vous préviens, mon cher, que ce n'est pas grand'chose ;
Car, pour y voir longtemps, j'aime trop à voir clair :
Man delights not me, sir, nor woman neither.[48]
Mais s'il m'était permis de choisir une route,
Je prendrais la dernière, et m'y noierais sans doute.
Je suis passablement en humeur de rêver,
Et je m'arrête ici, pour ne pas le prouver.

Je ne sais trop[49] à quoi tend tout ce bavardage.
Je voulais mettre un mot sur la première page ;
À mon très honoré, très honorable ami,
Monsieur — et cœtera, — comme on met aujourd'hui,
Quand on veut proprement faire une dédicace.

Je l'ai faite un peu longue, et je m'en aperçois.
On va s'imaginer que c'est une préface.
Moi qui n'en lis jamais ! — ni vous non plus, je crois.

LUCIE.

ÉLÉGIE.

Mes chers amis,[1] quand je mourrai,
Plantez un saule au cimetière.
J'aime son feuillage éploré,
La pâleur m'en est douce et chère,
Et son ombre sera légère
À la terre où je dormirai.

Un soir, nous étions seuls, j'étais assis près d'elle,
Elle penchait la tête, et sur son clavecin
Laissait, tout en rêvant, flotter sa blanche main.
Ce n'était qu'un murmure : on eût dit les coups d'aile
D'un zéphyr éloigné glissant sur des roseaux,
Et craignant en passant d'éveiller les oiseaux.
Les tièdes voluptés des nuits mélancoliques
Sortaient autour de nous du calice des fleurs.
Les marronniers du parc et les chênes antiques
Se berçaient doucement sous leurs rameaux en pleurs.
Nous écoutions la nuit ;[2] la croisée entr'ouverte
Laissait venir à nous les parfums du printemps ;
Les vents étaient muets, la plaine était déserte ;
Nous étions seuls, pensifs, et nous avions quinze ans.
Je regardais Lucie. — Elle était pâle et blonde.
Jamais deux yeux plus doux n'ont du ciel le plus pur
Sondé la profondeur et réfléchi l'azur.

Sa beauté m'enivrait ; je n'aimais qu'elle au monde.[3]
Mais je croyais l'aimer comme on aime une sœur,
Tant ce qui venait d'elle était plein de pudeur !
Nous nous tûmes longtemps ; ma main touchait la sienne,
Je regardais rêver son front triste et charmant,
Et je sentais dans l'âme, à chaque mouvement,
Combien peuvent sur nous, pour guérir toute peine,
Ces deux signes jumeaux de paix et de bonheur,
Jeunesse de visage et jeunesse de cœur.
La lune, se levant dans un ciel sans nuage,
D'un long réseau d'argent tout à coup l'inonda.
Elle vit dans mes yeux resplendir son image ;
Son sourire semblait d'un ange : elle chanta.

. . . .

Fille de la douleur, Harmonie ! Harmonie !
Langue que pour l'amour inventa le génie !
Qui nous vins d'Italie, et qui lui vins des cieux !
Douce langue du cœur, la seule où la pensée,
Cette vierge craintive et d'une ombre offensée,
Passe en gardant son voile et sans craindre les yeux !
Qui sait ce qu'un enfant peut entendre et peut dire
Dans tes soupirs divins, nés de l'air qu'il respire,
Tristes comme son cœur et doux comme sa voix?
On surprend un regard, une larme qui coule ;
Le reste est un mystère ignoré da la foule,
Comme celui des flots, de la nuit et des bois !
Nous étions seuls, pensifs ; je regardais Lucie.
L'écho de sa romance en nous semblait frémir.
Elle appuya sur moi sa tête appesantie.
Sentais-tu dans ton cœur Desdemona[4] gémir,
Pauvre enfant? Tu pleurais ; sur ta bouche adorée
Tu laissas tristement mes lèvres se poser,
Et ce fut ta douleur qui reçut mon baiser.

Telle je t'embrassai, froide et décolorée,
Telle, deux mois après, tu fus mise au tombeau ;
Telle, ô ma chaste fleur ! tu t'es évanouie.
Ta mort fut un sourire aussi doux que ta vie,
Et tu fus rapportée à Dieu dans ton berceau.

. . . .

Doux mystère du toit que l'innocence habite,
Chansons, rêves d'amour, rires, propos d'enfant,
Et toi, charme inconnu dont rien ne se défend,
Qui fis hésiter Faust[5] au seuil de Marguerite,
Candeur des premiers jours, qu'êtes-vous devenus?
Paix profonde à ton âme, enfant ! à ta mémoire !
Adieu ! ta blanche main sur le clavier d'ivoire,
Durant les nuits d'été, ne voltigera plus. . .

Mes chers amis, quand je mourrai,
Plantez un saule au cimetière.
J'aime son feuillage éploré,
La pâleur m'en est douce et chère
Et son ombre sera légère
À la terre où je dormirai.

LA NUIT DE MAI.

LA MUSE.

Poète, prends ton luth[1] et me donne un baiser ;
La fleur de l'églantier sent ses bourgeons éclore.
Le printemps naît ce soir ;[2] les vents vont s'embraser,
Et la bergeronnette, en attendant l'aurore,
Aux premiers buissons verts commence à se poser.
Poète, prends ton luth et me donne un baiser.

LE POÈTE.

Comme il fait noir dans la vallée !
J'ai cru qu'une forme voilée
Flottait là-bas sur la forêt.
Elle sortait de la prairie ;
Son pied rasait l'herbe fleurie :
C'est une étrange rêverie ;
Elle s'efface et disparaît.

LA MUSE.

Poète, prends ton luth ; la nuit, sur la pelouse,
Balance le zéphyr dans son voile odorant.
La rose, vierge encor, se referme jalouse
Sur le frelon nacré qu'elle enivre en mourant.
Écoute ! tout se tait ; songe à ta bien-aimée.
Ce soir, sous les tilleuls, à la sombre ramée
Le rayon du couchant laisse un adieu plus doux.
Ce soir, tout va fleurir : l'immortelle nature
Se remplit de parfums, d'amour et de murmure,
Comme le lit joyeux de deux jeunes époux.

LE POÈTE.

Pourquoi mon cœur bat-il si vite ?
Qu'ai-je donc en moi qui s'agite
Dont je me sens épouvanté ?
Ne frappe-t-on pas à ma porte ?
Pourquoi ma lampe à demi morte
M'éblouit-elle de clarté ?
Dieu puissant ! tout mon corps frissonne.
Qui vient ? qui m'appelle ? — Personne.
Je suis seul ; c'est l'heure qui sonne ;
Ô solitude ! ô pauvreté !

LA MUSE.

Poète, prends ton luth ;[3] le vin de la jeunesse
Fermente cette nuit dans les veines de Dieu.
Mon sein est inquiet ; la volupté l'oppresse,
Et les vents altérés m'ont mis la lèvre en feu.
Ô paresseux enfant ! regarde, je suis belle.
Notre premier baiser, ne t'en souviens-tu pas,
Quand je te vis si pâle au toucher de mon aile,
Et que, les yeux en pleurs, tu tombas dans mes bras ?
Ah ! je t'ai consolé d'une amère souffrance !
Hélas ! bien jeune encor, tu te mourais d'amour.
Console-moi ce soir, je me meurs d'espérance ;
J'ai besoin de prier pour vivre jusqu'au jour.

LE POÈTE.

Est-ce toi dont la voix m'appelle,
Ô ma pauvre Muse ! est-ce toi ?
Ô ma fleur ! ô mon immortelle !
Seul être pudique et fidèle
Où vive encor l'amour de moi !
Oui, te voilà, c'est toi, ma blonde,
C'est toi, ma maîtresse et ma sœur !
Et je sens, dans la nuit profonde,
De ta robe d'or qui m'inonde
Les rayons glisser dans mon cœur.

LA MUSE.

Poète, prends ton luth ; c'est moi, ton immortelle,
Qui t'ai vu cette nuit triste et silencieux,
Et qui, comme un oiseau que sa couvée appelle,[4]
Pour pleurer avec toi descends du haut des cieux.
Viens, tu souffres, ami. Quelque ennui solitaire
Te ronge, quelque chose a gémi dans ton cœur ;

Quelque amour[5] t'est venu, comme on en voit sur terre,
Une ombre de plaisir, un semblant de bonheur.[6]
Viens, chantons devant Dieu ; chantons dans tes pensées,
Dans tes plaisirs perdus, dans tes peines passées ;
Partons, dans un baiser, pour un monde inconnu.
Éveillons au hasard les échos de ta vie,
Parlons-nous de bonheur, de gloire et de folie,
Et que ce soit un rêve, et le premier venu.
Inventons quelque part des lieux où l'on oublie ;
Partons, nous sommes seuls, l'univers est à nous.[7]
Voici la verte Écosse et la brune Italie,
Et la Grèce, ma mère, où le miel est si doux,
Argos,[8] et Ptéléon,[9] ville des hécatombes ;
Et Messa[10] la divine, agréable aux colombes ;
Et le front chevelu du Pélion[11] changeant ;
Et le bleu Titarèse,[12] et le golfe d'argent
Qui montre dans ses eaux, où le cygne se mire,
La blanche Oloossone[13] à la blanche Camyre.[14]
Dis-moi, quel songe d'or nos chants vont-ils bercer?
D'où vont venir les pleurs que nous allons verser?
Ce matin, quand le jour a frappé ta paupière,
Quel séraphin pensif, courbé sur ton chevet,
Secouait des lilas dans sa robe légère,
Et te contait tout bas les amours qu'il rêvait?
Chanterons-nous l'espoir, la tristesse ou la joie?
Tremperons-nous de sang les bataillons d'acier?
Suspendrons-nous l'amant sur l'échelle de soie?
Jetterons-nous au vent l'écume du coursier?
Dirons-nous quelle main, dans les lampes sans nombre[15]
De la maison céleste, allume nuit et jour
L'huile sainte de vie et d'éternel amour?
Crierons-nous à Tarquin :[16] "Il est temps, voici l'ombre!"
Descendrons-nous cueillir la perle au fond des mers?
Mènerons-nous la chèvre[17] aux ébéniers amers?

Montrerons-nous le ciel[18] à la Mélancolie?
Suivrons-nous le chasseur sur les monts escarpés?
La biche le regarde ; elle pleure et supplie ;
Sa bruyère l'attend ;[19] ses faons sont nouveau-nés ;
Il se baisse, il l'égorge, il jette à la curée
Sur les chiens en sueur son cœur encor vivant.
Peindrons-nous une vierge[20] à la joue empourprée,
S'en allant à la messe, un page la suivant,
Et d'un regard distrait, à côté de sa mère,
Sur sa lèvre entr'ouverte oubliant sa prière?
Elle écoute en tremblant, dans l'écho du pilier,
Résonner l'éperon d'un hardi cavalier.
Dirons-nous aux héros[21] des vieux temps de la France
De monter tout armés aux créneaux de leurs tours,
Et de ressusciter la naïve romance
Que leur gloire oubliée apprit aux troubadours ?[22]
Vêtirons-nous de blanc une molle élégie?
L'homme de Waterloo[23] nous dira-t-il sa vie,
Et ce qu'il a fauché du troupeau des humains
Avant que l'envoyé de la nuit éternelle
Vînt sur son tertre vert[24] l'abattre d'un coup d'aile,
Et sur son cœur de fer lui croiser les deux mains?
Clouerons-nous au poteau d'une satire[25] altière
Le nom sept fois vendu d'un pâle pamphlétaire,
Qui, poussé par la faim, du fond de son oubli,
S'en vient, tout grelottant d'envie et d'impuissance,
Sur le front du génie insulter l'espérance,
Et mordre le laurier que son souffle a sali?
Prends ton luth ! prends ton luth ! je ne peux plus me taire ;
Mon aile me soulève au souffle du printemps.
Le vent va m'emporter ; je vais quitter la terre.
Une larme de toi ! Dieu m'écoute ; il est temps.

LE POÈTE.

S'il ne te faut, ma sœur chérie,
Qu'un baiser d'une lèvre amie
Et qu'une larme de mes yeux,
Je te les donnerai sans peine ;
De nos amours qu'il te souvienne,
Si tu remontes dans les cieux.
Je ne chante ni l'espérance,
Ni la gloire, ni le bonheur,
Hélas ! pas même la souffrance.
La bouche garde le silence
Pour écouter parler le cœur.

LA MUSE.

Crois-tu donc que je sois comme le vent d'automne,
Qui se nourrit de pleurs jusque sur un tombeau,
Et pour qui la douleur n'est qu'une goutte d'eau ?
Ô poète ! un baiser, c'est moi qui te le donne.
L'herbe que je voulais arracher de ce lieu,
C'est ton oisiveté ; ta douleur est à Dieu.
Quelque soit le souci que ta jeunesse endure,
Laisse-la s'élargir, cette sainte blessure
Que les noirs séraphins t'ont faite au fond du cœur ;
Rien ne nous rend si grands qu'une grande douleur.
Mais, pour en être atteint, ne crois pas, ô poète,
Que ta voix ici-bas doive rester muette.
Les plus désespérés [26] sont les chants les plus beaux,
Et j'en sais d'immortels qui sont de purs sanglots.
Lorsque le pélican,[27] lassé d'un long voyage,
Dans les brouillards du soir retourne à ses roseaux,
Ses petits affamés courent sur le rivage
En le voyant au loin s'abattre sur les eaux.
Déjà, croyant saisir et partager leur proie,

Ils courent à leur père avec des cris de joie
En secouant leurs becs sur leurs goîtres hideux.
Lui, gagnant à pas lents une roche élevée,
De son aile pendante abritant sa couvée,
Pêcheur mélancolique, il regarde les cieux.
Le sang coule à longs flots de sa poitrine ouverte ;
En vain il a des mers fouillé la profondeur :
L'Océan était vide et la plage déserte ;
Pour toute nourriture il apporte son cœur.
Sombre et silencieux, étendu sur la pierre,
Partageant à ses fils ses entrailles de père,
Dans son amour sublime il berce sa douleur,
Et, regardant couler sa sanglante mamelle,
Sur son festin de mort il s'affaisse et chancelle,
Ivre de volupté, de tendresse et d'horreur.
Mais parfois, au milieu du divin sacrifice,
Fatigué de mourir dans un trop long supplice,
Il craint que ses enfants ne le laissent vivant ;
Alors il se soulève, ouvre son aile au vent,
Et se frappant le cœur avec un cri sauvage,
Il pousse dans la nuit un si funèbre adieu,
Que les oiseaux des mers désertent le rivage,
Et que le voyageur attardé sur la plage,
Sentant passer la mort, se recommande à Dieu.
Poète, c'est ainsi que font les grands poètes.
Ils laissent s'égayer ceux qui vivent un temps ;
Mais les festins humains qu'ils servent à leurs fêtes
Ressemblent la plupart à ceux des pélicans.
Quand ils parlent ainsi d'espérances trompées,
De tristesse et d'oubli, d'amour et de malheur,
Ce n'est pas un concert à dilater le cœur.
Leurs déclamations sont comme des épées :
Elles tracent dans l'air un cercle éblouissant,
Mais il y pend toujours quelque goutte de sang.

LE POÈTE.

O Muse ! spectre insatiable,
Ne m'en demande pas si long.
L'homme n'écrit rien sur le sable
À l'heure où passe l'aquilon.
J'ai vu le temps où ma jeunesse
Sur mes lèvres était sans cesse
Prête à chanter comme un oiseau ;
Mais j'ai souffert[28] un dur martyre,
Et le moins que j'en pourrais dire,
Si je l'essayais sur ma lyre,
La briserait comme un roseau.

LA NUIT DE DÉCEMBRE.

LE POÈTE.

Du temps que j'étais écolier,
Je restais un soir à veiller
Dans notre salle solitaire.
Devant ma table vint s'asseoir
Un pauvre enfant vêtu de noir,
Qui me ressemblait comme un frère.

Son visage était triste et beau :
À la lueur de mon flambeau,
Dans mon livre ouvert il vint lire.
Il pencha son front sur ma main,
Et resta jusqu'au lendemain,
Pensif, avec un doux sourire.

Comme j'allais avoir quinze ans,
Je marchais un jour, à pas lents,
Dans un bois, sur une bruyère.

Au pied d'un arbre vint s'asseoir
Un jeune homme vêtu de noir,
Qui me ressemblait comme un frère.

Je lui demandai mon chemin ;
Il tenait un luth d'une main,
De l'autre un bouquet d'églantine.
Il me fit un salut d'ami,
Et, se détournant à demi,
Me montra du doigt la colline.

À l'âge où l'on croit à l'amour,[1]
J'étais seul dans ma chambre un jour,
Pleurant ma première misère.
Au coin de mon feu vint s'asseoir
Un étranger vêtu de noir,
Qui me ressemblait comme un frère.

Il était morne et soucieux ;
D'une main il montrait les cieux,
Et de l'autre il tenait un glaive.[2]
De ma peine il semblait souffrir,
Mais il ne poussa qu'un soupir,
Et s'évanouit comme un rêve.

À l'âge où l'on est libertin,
Pour boire un toast en un festin,
Un jour je soulevai mon verre.
En face de moi vint s'asseoir
Un convive vêtu de noir,
Qui me ressemblait comme un frère.

Il secouait sous son manteau
Un haillon de pourpre en lambeau.[3]
Sur sa tête un myrte stérile,

Son bras maigre cherchait le mien,
Et mon verre, en touchant le sien,
Se brisa dans ma main débile.

Un an après, il était nuit,
J'étais à genoux[4] près du lit
Où venait de mourir mon père.
Au chevet du lit vint s'asseoir
Un orphelin vêtu de noir,
Qui me ressemblait comme un frère.

Ses yeux étaient noyés de pleurs ;
Comme les anges de douleurs,
Il était couronné d'épine ;
Son luth à terre était gisant,
Sa pourpre de couleur de sang,
Et son glaive dans sa poitrine.

Je m'en suis si bien souvenu,
Que je l'ai toujours reconnu
À tous les instants de ma vie.
C'est une étrange vision ;
Et cependant, ange ou démon,
J'ai vu partout cette ombre amie.

Lorsque plus tard, las de souffrir,
Pour renaître ou pour en finir,
J'ai voulu m'exiler de France ;
Lorsqu'impatient de marcher,
J'ai voulu partir, et chercher
Les vestiges d'une espérance ;

À Pise, au pied de l'Apennin ;
À Cologne, en face du Rhin ;
À Nice, au penchant des vallées ;

À Florence, au fond des palais ;
À Brigues,[5] dans les vieux chalets ;
Au sein des Alpes désolées ;

À Gênes, sous les citronniers ;
À Vevay,[6] sous les verts pommiers ;
Au Havre, devant l'Atlantique ;
À Venise, à l'affreux Lido,[7]
Où vient sur l'herbe d'un tombeau
Mourir la pâle Adriatique ;

Partout où, sous ces vastes cieux,
J'ai lassé mon cœur et mes yeux,
Saignant d'une éternelle plaie ;[8]
Partout où le boîteux Ennui,[9]
Traînant ma fatigue après lui,
M'a promené sur une claie ;

Partout où, sans cesse altéré
De la soif d'un monde ignoré,
J'ai suivi l'ombre de mes songes ;
Partout où, sans avoir vécu,
J'ai revu ce que j'avais vu,
La face humaine et ses mensonges ;

Partout où, le long des chemins,
J'ai posé mon front dans mes mains,
Et sangloté comme une femme ;
Partout où j'ai, comme un mouton
Qui laisse sa laine au buisson,
Senti se dénuer mon âme ;

Partout où j'ai voulu dormir,
Partout où j'ai voulu mourir,
Partout où j'ai touché la terre,

Sur ma route est venu s'asseoir
Un malheureux vêtu de noir,
Qui me ressemblait comme un frère.

Qui donc es-tu, toi que dans cette vie
Je vois toujours sur mon chemin?
Je ne puis croire, à ta mélancolie,
Que tu sois mon mauvais Destin.
Ton doux sourire a trop de patience,
Tes larmes ont trop de pitié.
En te voyant, j'aime la Providence.
Ta douleur même est sœur de ma souffrance;
Elle ressemble à l'amitié.

Qui donc es-tu? — Tu n'es pas mon bon ange;
Jamais tu ne viens m'avertir.
Tu vois mes maux (c'est une chose étrange!)
Et tu me regardes souffrir.
Depuis vingt ans tu marches dans ma voie,
Et je ne saurais t'appeler.
Qui donc es-tu, si c'est Dieu qui t'envoie?
Tu me souris sans partager ma joie,
Tu me plains sans me consoler!

Ce soir encor je t'ai vu m'apparaître.
C'était par une triste nuit.
L'aile des vents battait à ma fenêtre;
J'étais seul, courbé sur mon lit.
J'y regardais une place chérie,
Tiède encor d'un baiser brûlant;
Et je songeais comme la femme oublie,
Et je sentais un lambeau de ma vie,
Qui se déchirait lentement.

Je rassemblais des lettres de la veille,
Des cheveux, des débris d'amour.

Tout ce passé me criait à l'oreille
Ses éternels serments d'un jour.
Je contemplais ces reliques sacrées,
Qui me faisaient trembler la main :
Larmes du cœur par le cœur dévorées,
Et que les yeux qui les avaient pleurées
Ne reconnaîtront plus demain !

J'enveloppais dans un morceau de bure[10]
Ces ruines des jours heureux.
Je me disais qu'ici-bas ce qui dure,
C'est une mèche de cheveux.
Comme un plongeur dans une mer profonde,
Je me perdais dans tant d'oubli.
De tous côtés j'y retournais la sonde,
Et je pleurais seul, loin des yeux du monde,
Mon pauvre amour enseveli.

J'allais poser le sceau de cire noire
Sur ce fragile et cher trésor.
J'allais le rendre, et, n'y pouvant pas croire,
En pleurant j'en doutais encor.
Ah ! faible femme,[11] orgueilleuse insensée,
Malgré toi tu t'en souviendras !
Pourquoi, grand Dieu ! mentir à sa pensée ?
Pourquoi ces pleurs, cette gorge oppressée,
Ces sanglots, si tu n'aimais pas ?

Oui, tu languis, tu souffres et tu pleures ;
Mais ta chimère est entre nous.
Eh bien, adieu ! Vous compterez les heures
Qui me sépareront de vous.
Partez, partez, et dans ce cœur de glace
Emportez l'orgueil satisfait.
Je sens encore le mien jeune et vivace,

Et bien des maux pourront y trouver place
Sur le mal que vous m'avez fait.

Partez, partez ! la Nature immortelle
N'a pas tout voulu vous donner.
Ah! pauvre enfant, qui voulez être belle,
Et ne savez pas pardonner !
Allez, allez, suivez la destinée ;
Qui vous perd n'a pas tout perdu.
Jetez au vent notre amour consumée ; —
Éternel Dieu ! toi que j'ai tant aimée,
Si tu pars, pourquoi m'aimes-tu ?

Mais tout à coup j'ai vu dans la nuit sombre
Une forme glisser sans bruit.
Sur mon rideau j'ai vu passer une ombre ;
Elle vient s'asseoir sur mon lit.
Qui donc es-tu, morne et pâle visage,
Sombre portrait vêtu de noir?
Que me veux-tu, triste oiseau de passage? [2]
Est-ce un vain rêve? est-ce ma propre image
Que j'aperçois dans ce miroir?

Qui donc es-tu, spectre de ma jeunesse,
Pèlerin que rien n'a lassé?
Dis-moi pourquoi je te trouve sans cesse
Assis dans l'ombre où j'ai passé.
Qui donc es-tu, visiteur solitaire,
Hôte assidu de mes douleurs?
Qu'as-tu donc fait pour me suivre sur terre?
Qui donc es-tu, qui donc es-tu, mon frère,
Qui n'apparais qu'au jour des pleurs ?

LA VISION.

— Ami, notre père est le tien.
Je ne suis ni l'ange gardien,
Ni le mauvais destin des hommes.
Ceux que j'aime, je ne sais pas
De quel côté s'en vont leurs pas
Sur ce peu de fange où nous sommes.

Je ne suis ni dieu ni démon,
Et tu m'as nommé par mon nom
Quand tu m'as appelé ton frère ;
Où tu vas, j'y serai toujours,
Jusques au dernier de tes jours,
Où j'irai m'asseoir sur ta pierre.

Le ciel m'a confié ton cœur.
Quand tu seras dans la douleur,
Viens à moi sans inquiétude,
Je te suivrai sur le chemin ;
Mais je ne puis toucher ta main ;
Ami, je suis la Solitude.

LETTRE À LAMARTINE.

LORSQUE le grand Byron [1] allait quitter Ravenne,
Et chercher sur les mers quelque plage lointaine
Où finir en héros [2] son immortel ennui,
Comme il était assis aux pieds de sa maîtresse,
Pâle, et déjà tourné du côté de la Grèce,
Celle qu'il appelait alors sa Guiccioli
Ouvrit un soir un livre [3] où l'on parlait de lui.
Avez-vous de ce temps conservé la mémoire,
Lamartine, et ces vers au prince des proscrits, [4]

Vous souvient-il encor qui les avait écrits?
Vous étiez jeune alors,[5] vous, notre chère gloire.
Vous veniez d'essayer pour la première fois[6]
Ce beau luth éploré[7] qui vibre sous vos doigts.
La Muse que le ciel vous avait fiancée
Sur votre front rêveur cherchait votre pensée,
Vierge craintive encore, amante des lauriers.
Vous ne connaissiez pas, noble fils de la France,[8]
Vous ne connaissiez pas, sinon par sa souffrance,
Ce sublime orgueilleux à qui vous écriviez.
De quel droit[9] osiez-vous l'aborder et le plaindre?
Quel aigle, Ganymède,[10] à ce Dieu vous portait?
Pressentiez-vous qu'un jour vous le pourriez atteindre,
Celui qui de si haut alors vous écoutait?
Non, vous aviez vingt ans,[11] et le cœur vous battait.
Vous aviez lu *Lara*,[12] *Manfred*[13] et *le Corsaire*,[14]
Et vous aviez écrit sans essuyer vos pleurs.
Le souffle de Byron vous soulevait de terre,
Et vous alliez à lui, porté par ses douleurs.
Vous appeliez de loin cette âme désolée;[15]
Pour grand qu'il vous parût, vous le sentiez ami,
Et, comme le torrent dans la verte vallée,
L'écho de son génie en vous avait gémi.

Et lui, lui dont l'Europe, encore toute armée,[16]
Écoutait en tremblant les sauvages concerts;
Lui qui depuis dix ans fuyait sa renommée,
Et de sa solitude emplissait l'univers;
Lui, le grand inspiré de la Mélancolie,[17]
Qui, las d'être envié, se changeait en martyr;[18]
Lui, le dernier amant de la pauvre Italie,[19]
Pour son dernier exil s'apprêtant à partir;
Lui qui, rassasié de la grandeur humaine,[20]
Comme un cygne[21] à son chant sentant sa mort prochaine,

Sur terre autour de lui cherchait pour qui mourir. . .
Il écouta ces vers [22] que lisait sa maîtresse,
Ce doux salut lointain d'un jeune homme inconnu.
Je ne sais si du style il comprit la richesse ;
Il laissa dans ses yeux sourire sa tristesse :
Ce qui venait du cœur lui fut le bienvenu.

Poète, maintenant que ta muse fidèle,
Par ton pudique amour sûre d'être immortelle,
De la verveine [23] en fleur t'a couronné le front,
À ton tour, reçois-moi comme le grand Byron.
De t'égaler [24] jamais je n'ai pas l'espérance ;
Ce que tu tiens du ciel, nul ne me l'a promis,
Mais de ton sort au mien plus grande est la distance,
Meilleur en sera Dieu qui peut nous rendre amis.
Je ne t'adresse pas d'inutiles louanges,
Et je ne songe point [25] que tu me répondras ;
Pour être proposés, ces illustres échanges
Veulent être signés d'un nom que je n'ai pas.
J'ai cru pendant longtemps que j'étais las du monde ;
J'ai dit que je niais, croyant avoir douté,
Et j'ai pris, devant moi, pour une nuit profonde
Mon ombre qui passait pleine de vanité.
Poète, je t'écris pour te dire que j'aime,
Qu'un rayon du soleil est tombé jusqu'à moi,
Et qu'en un jour de deuil et de douleur suprême,
Les pleurs que je versais m'ont fait penser à toi.

Qui de nous, Lamartine, et de notre jeunesse,
Ne sait par cœur ce chant,[26] des amants adoré,
Qu'un soir, au bord d'un lac, tu nous as soupiré ?
Qui n'a lu mille fois, qui ne relit sans cesse
Ces vers mystérieux où parle ta maîtresse,
Et qui n'a sangloté sur ces divins sanglots,

Profonds comme le ciel et purs comme les flots?
Hélas! ces longs regrets des amours mensongères,
Ces ruines du temps qu'on trouve à chaque pas,
Ces sillons infinis de lueurs éphémères,
Qui peut se dire un homme et ne les connaît pas?
Quiconque aima jamais porte une cicatrice;[27]
Chacun l'a dans le sein, toujours prête à s'ouvrir;
Chacun la garde en soi, cher et secret supplice,
Et mieux il est frappé, moins il en veut guérir.
Te le dirai-je, à toi, chantre de la souffrance,
Que ton glorieux mal, je l'ai souffert aussi?
Qu'un instant, comme toi, devant ce ciel immense,
J'ai serré dans mes bras la vie et l'espérance,
Et qu'ainsi que le tien, mon rêve s'est enfui?
Te dirai-je qu'un soir, dans la brise embaumée,
Endormi, comme toi, dans la paix du bonheur,
Aux célestes accents d'une voix bien-aimée,
J'ai cru sentir le temps s'arrêter dans mon cœur?[28]
Te dirai-je qu'un soir, resté seul sur la terre,
Dévoré, comme toi, d'un affreux souvenir,
Je me suis étonné de ma propre misère,
Et de ce qu'un enfant peut souffrir sans mourir?
Ah! ce que j'ai senti dans cet instant terrible,
Oserai-je m'en plaindre et te le raconter?
Comment exprimerai-je une peine indicible?
Après toi, devant toi, puis-je encor le tenter?
Oui, de ce jour fatal, plein d'horreur et de charmes,
Je veux fidèlement te faire le récit;
Ce ne sont pas des chants,[29] ce ne sont que des larmes,
Et je ne te dirai que ce que Dieu m'a dit.

Lorsque le laboureur,[30] regagnant sa chaumière,
Trouve le soir son champ rasé par le tonnerre,
Il croit d'abord qu'un rêve a fasciné ses yeux,

Et, doutant de lui-même, interroge les cieux.
Partout la nuit est sombre, et la terre enflammée.
Il cherche autour de lui la place accoutumée
Où sa femme l'attend sur le seuil entr'ouvert ;
Il voit un peu de cendre au milieu d'un désert.
Ses enfants demi-nus sortent de la bruyère,
Et viennent lui conter comme leur pauvre mère
Est morte sous le chaume avec des cris affreux ;
Mais maintenant au loin tout est silencieux.
Le misérable écoute et comprend sa ruine.
Il serre, désolé, ses fils sur sa poitrine ;
Il ne lui reste plus, s'il ne tend pas la main,
Que la faim pour ce soir et la mort pour demain.
Pas un sanglot ne sort de sa gorge oppressée ;
Muet et chancelant, sans force et sans pensée,[31]
Il s'assoit à l'écart, les yeux sur l'horizon,
Et, regardant s'enfuir sa moisson consumée,
Dans les noirs tourbillons de l'épaisse fumée
L'ivresse du malheur emporte sa raison.

Tel, lorsque abandonné d'une infidèle amante,[32]
Pour la première fois j'ai connu la douleur,
Transpercé tout à coup d'une flèche sanglante,
Seul, je me suis assis dans la nuit de mon cœur.
Ce n'était pas au bord d'un lac au flot limpide,[33]
Ni sur l'herbe fleurie au penchant des coteaux ;
Mes yeux noyés de pleurs ne voyaient que le vide,
Mes sanglots étouffés n'éveillaient point d'échos.
C'était dans une rue obscure et tortueuse
De cet immense égout qu'on appelle Paris ;
Autour de moi criait cette foule railleuse
Qui des infortunés n'entend jamais les cris.
Sur le pavé noirci les blafardes lanternes
Versaient un jour douteux plus triste que la nuit,

Et, suivant au hasard ces feux vagues et ternes,
L'homme passait dans l'ombre, allant où va le bruit.
Partout retentissait comme une joie étrange ;
C'était en février, au temps du carnaval.
Les masques avinés, se croisant dans la fange,
S'accostaient d'une injure ou d'un refrain banal.
Dans un carrosse ouvert une troupe entassée
Paraissait par moments sous le ciel pluvieux,
Puis se perdait au loin dans la ville insensée,
Hurlant un hymne impur sous la résine en feux.
Cependant des vieillards, des enfants et des femmes
Se barbouillaient de lie au fond des cabarets,
Tandis que de la nuit les prêtresses infâmes
Promenaient çà et là leurs spectres inquiets.
On eût dit un portrait de la débauche antique,
Un de ces soirs fameux chers au peuple romain,
Où des temples secrets la Vénus impudique
Sortait échevelée, une torche à la main.
Dieu juste ! pleurer seul par une nuit pareille !
Ô mon unique amour ! que vous avais-je fait ?
Vous m'aviez pu quitter, vous qui juriez la veille
Que vous étiez ma vie et que Dieu le savait ?
Ah ! toi, le savais-tu, froide et cruelle amie,
Qu'à travers cette honte et cette obscurité,
J'étais là, regardant de ta lampe chérie,
Comme une étoile au ciel, la tremblante clarté ?
Non, tu n'en savais rien, je n'ai pas vu ton ombre,
Ta main n'est pas venue entr'ouvrir ton rideau.
Tu n'as pas regardé si le ciel était sombre ;
Tu ne m'as pas cherché dans cet affreux tombeau !

Lamartine, c'est là, dans cette rue obscure,
Assis sur une borne, au fond d'un carrefour,
Les deux mains sur mon cœur, et serrant ma blessure,

Et sentant y saigner un invincible amour;
C'est là, dans cette nuit d'horreur et de détresse,
Au milieu des transports d'un peuple furieux
Qui semblait en passant crier à ma jeunesse :
"Toi qui pleures ce soir, n'as-tu pas ri comme eux?"
C'est là, devant ce mur, où j'ai frappé ma tête,
Où j'ai posé deux fois le fer sur mon sein nu;[34]
C'est là, le croiras-tu? chaste et noble poète,[35]
Que de tes chants divins je me suis souvenu.

O toi qui sais aimer, réponds, amant d'Elvire,[36]
Comprends-tu que l'on parte et qu'on se dise adieu?
Comprends-tu que ce mot la main puisse l'écrire,
Et le cœur le signer, et les lèvres le dire,
Les lèvres, qu'un baiser vient d'unir devant Dieu?
Comprends-tu qu'un lien qui, dans l'âme immortelle,
Chaque jour plus profond, se forme à notre insu;
Qui déracine en nous la volonté rebelle,
Et nous attache au cœur son merveilleux tissu;
Un lien tout-puissant dont les nœuds et la trame
Sont plus durs que la roche et que les diamants;
Qui ne craint ni le temps, ni le fer, ni la flamme,
Ni la mort elle-même, et qui fait des amants
Jusque dans le tombeau s'aimer les ossements;
Comprends-tu que dix ans ce lien nous enlace,
Qu'il ne fasse dix ans qu'un seul être de deux,
Puis tout à coup se brise, et, perdu dans l'espace,
Nous laisse épouvantés d'avoir cru vivre heureux?

O poète ! il est dur que la nature humaine,
Qui marche à pas comptés vers une fin certaine,[37]
Doive encor s'y traîner en portant une croix,
Et qu'il faille ici-bas mourir plus d'une fois.[38]
Car de quel autre nom peut s'appeler sur terre
Cette nécessité de changer de misère,

Qui nous fait, jour et nuit, tout prendre et tout quitter,
Si bien que notre temps[39] se passe à convoiter?
Ne sont-ce pas des morts, et des morts effroyables,
Que tant de changements d'êtres si variables,
Qui se disent toujours fatigués d'espérer,
Et qui sont toujours prêts à se transfigurer?
Quel tombeau que le cœur, et quelle solitude!
Comment la passion devient-elle habitude,
Et comment se fait-il[40] que, sans y trébucher,
Sur ses propres débris l'homme puisse marcher?
Il y marche pourtant; c'est Dieu qui l'y convie.
Il va semant partout et prodiguant sa vie:
Désir, crainte, colère, inquiétude, ennui,
Tout passe et disparaît, tout est fantôme en lui.
Son misérable cœur est fait de telle sorte,
Qu'il faut incessamment qu'une ruine en sorte;
Que la mort soit son terme, il ne l'ignore pas,
Et, marchant à la mort, il meurt à chaque pas.
Il meurt dans ses amis, dans son fils, dans son père.
Il meurt dans ce qu'il pleure et dans ce qu'il espère;
Et, sans parler des corps qu'il faut ensevelir,
Qu'est-ce donc qu'oublier, si ce n'est pas mourir?
Ah! c'est plus que mourir, c'est survivre à soi-même.
L'âme remonte au ciel quand on perd ce qu'on aime.
Il ne reste de nous qu'un cadavre vivant;[41]
Le désespoir l'habite, et le néant l'attend.

Eh bien! bon ou mauvais, inflexible ou fragile,
Humble ou fier, triste ou gai, mais toujours gémissant,
Cet homme, tel qu'il est, cet être fait d'argile,
Tu l'as vu, Lamartine, et son sang est ton sang.
Son bonheur est le tien, sa douleur est la tienne;
Et des maux qu'ici-bas il lui faut endurer,
Pas un qui ne te touche et qui ne t'appartienne;

Puisque tu sais chanter,[42] ami, tu sais pleurer.
Dis-moi, qu'en penses-tu dans tes jours de tristesse?
Que t'a dit le malheur, quand tu l'as consulté?
Trompé par tes amis, trahi par ta maîtresse,
Du ciel et de toi-même as-tu jamais douté?
Non, Alphonse, jamais. La triste expérience
Nous apporte la cendre, et n'éteint pas le feu.
Tu respectes le mal[43] fait par la Providence.
Tu le laisses passer, et tu crois à ton Dieu.
Quel qu'il soit, c'est le mien ; il n'est pas deux croyances.
Je ne sais pas son nom, j'ai regardé les cieux ;
Je sais qu'ils sont à lui, je sais qu'ils sont immenses,
J'ai connu, jeune encor, de sévères souffrances ;
J'ai vu verdir les bois, et j'ai tenté d'aimer.
Je sais ce que la terre engloutit d'espérances,
Et, pour y recueillir, ce qu'il y faut semer.
Mais ce que j'ai senti, ce que je veux t'écrire,
C'est ce que m'ont appris les anges de douleur ;
Je le sais mieux encore et puis mieux te le dire,
Car leur glaive, en entrant, l'a gravé dans mon cœur.

Créature d'un jour qui t'agites une heure,
De quoi viens-tu te plaindre et qui te fait gémir?
Ton âme t'inquiète, et tu crois qu'elle pleure :
Ton âme est immortelle, et tes pleurs vont tarir.

Tu te sens le cœur pris d'un caprice de femme,
Et tu dis qu'il se brise à force de souffrir.
Tu demandes à Dieu de soulager ton âme :
Ton âme est immortelle, et ton cœur va guérir.

Le regret d'un instant te trouble et te dévore ;
Tu dis que le passé te voile l'avenir.
Ne te plains pas d'hier ; laisse venir l'aurore :
Ton âme est immortelle, et le temps va s'enfuir.

Ton corps est abattu du mal de ta pensée ;
Tu sens ton front peser et tes genoux fléchir.
Tombe, agenouille-toi, créature insensée :
Ton âme est immortelle, et la mort va venir.

Tes os dans le cercueil vont tomber en poussière,
Ta mémoire, ton nom, ta gloire vont périr,
Mais non pas ton amour, si ton amour t'est chére :
Ton âme est immortelle, et va s'en souvenir.

LA NUIT D'AOÛT.

LA MUSE.

Depuis que le soleil, dans l'horizon immense,
A franchi le Cancer[1] sur son axe enflammé,
Le bonheur m'a quittée, et j'attends en silence
L'heure où m'appellera mon ami bien-aimé.
Hélas ! depuis longtemps sa demeure est déserte ;
Des beaux jours d'autrefois rien n'y semble vivant.
Seule, je viens encor, de mon voile couverte,
Poser mon front brûlant sur sa porte entr'ouverte,
Comme une veuve en pleurs au tombeau d'un enfant.

LE POÈTE.

Salut à ma fidèle amie !
Salut, ma gloire et mon amour !
La meilleure et la plus chérie
Est celle qu on trouve au retour.
L'opinion et l'avarice
Viennent un temps de m'emporter.
Salut, ma mère et ma nourrice !
Salut, salut, consolatrice !
Ouvre tes bras, je viens chanter.

LA MUSE.

Pourquoi, cœur altéré, cœur lassé d'espérance,
T'enfuis-tu si souvent pour revenir si tard?
Que t'en vas-tu chercher, sinon quelque hasard?
Et que rapportes-tu, sinon quelque souffrance?
Que fais-tu loin de moi, quand j'attends jusqu'au jour?
Tu suis un pâle éclair dans une nuit profonde.
Il ne te restera de tes plaisirs du monde
Qu'un impuissant mépris pour notre honnête amour.
Ton cabinet d'étude est vide quand j'arrive;
Tandis qu'à ce balcon, inquiète et pensive,
Je regarde en rêvant les murs de ton jardin,
Tu te livres dans l'ombre à ton mauvais destin.
Quelque fière beauté te retient dans sa chaîne,
Et tu laisses mourir cette pauvre verveine[2]
Dont les derniers rameaux, en des temps plus heureux,
Devaient être arrosés des larmes de tes yeux.
Cette triste verdure est mon vivant symbole;
Ami, de ton oubli nous mourrons toutes deux,
Et son parfum léger, comme l'oiseau qui vole,
Avec mon souvenir s'enfuira dans les cieux.

LE POÈTE.

Quand j'ai passé par la prairie,
J'ai vu, ce soir, dans le sentier,
Une fleur tremblante et flétrie,
Une pâle fleur d'églantier.
Un bourgeon vert à côté d'elle
Se balançait sur l'arbrisseau;
J'y vis poindre une fleur nouvelle;
La plus jeune était la plus belle:
L'homme est ainsi, toujours nouveau.

LA MUSE.

Hélas ! toujours un homme, hélas ! toujours des larmes !
Toujours les pieds poudreux et la sueur au front !
Toujours d'affreux combats et de sanglantes armes ;
Le cœur a beau mentir, la blessure est au fond.
Hélas ! par tous pays, toujours la même vie :
Convoiter, regretter, prendre et tendre la main ;
Toujours mêmes acteurs et même comédie,
Et, quoi qu'ait inventé l'humaine hypocrisie,
Rien de vrai là-dessous que le squelette humain.
Hélas ! mon bien-aimé, vous n'êtes plus poète.
Rien ne réveille plus votre lyre muette ;
Vous vous noyez le cœur dans un rêve inconstant ;
Et vous ne savez pas que l'amour de la femme
Change et dissipe en pleurs les trésors de votre âme
Et que Dieu compte plus les larmes que le sang.

LE POÈTE.

Quand j'ai traversé la vallée,
Un oiseau chantait sur son nid.
Ses petits, sa chère couvée,
Venaient de mourir dans la nuit.
Cependant il chantait l'aurore ;
O ma Muse ! ne pleurez pas :
À qui perd tout, Dieu reste encore,
Dieu là-haut, l'espoir ici-bas.

LA MUSE.

Et que trouveras-tu, le jour où la misère
Te ramènera seul au paternel foyer ?
Quand tes tremblantes mains essuieront la poussière
De ce pauvre réduit que tu crois oublier,

De quel front viendras-tu, dans ta propre demeure,
Chercher un peu de calme et d'hospitalité?
Une voix sera là pour crier à toute heure :
Qu'as-tu fait de ta vie et de ta liberté?
Crois-tu donc qu'on oublie autant qu'on le souhaite?
Crois-tu qu'en te cherchant tu te retrouveras?
De ton cœur ou de toi lequel est le poète?
C'est ton cœur, et ton cœur ne te répondra pas.
L'amour l'aura brisé ; les passions funestes
L'auront rendu de pierre[3] au contact des méchants ;
Tu n'en sentiras plus que d'effroyables restes,
Qui remueront encor, comme ceux des serpents.
Ô ciel ! qui t'aidera? que ferai-je moi-même,
Quand celui qui peut tout défendra que je t'aime,
Et quand mes ailes d'or, frémissant malgré moi,
M'emporteront à lui pour me sauver de toi?
Pauvre enfant ! nos amours n'étaient pas menacées,
Quand dans les bois d'Auteuil,[4] perdu dans tes pensées,
Sous les verts marronniers et les peupliers blancs,
Je t'agaçais le soir en détours nonchalants.
Ah ! j'étais jeune alors et nymphe, et les dryades
Entr'ouvraient pour me voir l'écorce des bouleaux.
Et les pleurs qui coulaient durant nos promenades
Tombaient, purs comme l'or, dans le cristal des eaux.
Qu'as-tu fait, mon amant, des jours de ta jeunesse?
Qui m'a cueilli mon fruit[5] sur mon arbre enchanté?
Hélas ! ta joue en fleur plaisait à la déesse
Qui porte[6] dans ses mains la force et la santé.
De tes yeux insensés les larmes l'ont pâlie ;
Ainsi que ta beauté, tu perdras ta vertu.
Et moi qui t'aimerai comme une unique amie,
Quand les dieux irrités m'ôteront ton génie,
Si je tombe des cieux, que me répondras-tu?

LE POÈTE.

Puisque l'oiseau des bois voltige et chante encore
Sur la branche où ses œufs sont brisés dans le nid ;
Puisque la fleur des champs entr'ouverte à l'aurore,
Voyant sur la pelouse une autre fleur éclore,
S'incline sans murmure et tombe avec la nuit ;

Puisqu'au fond des forêts, sous les toits de verdure,
On entend le bois mort craquer dans le sentier,
Et puisqu'en traversant l'immortelle nature,
L'homme n'a su trouver de science qui dure,
Que de marcher toujours et toujours oublier ;

Puisque, jusqu'aux rochers, tout se change en poussière,
Puisque tout meurt ce soir pour revivre demain ;
Puisque c'est un engrais que le meurtre et la guerre ;
Puisque sur une tombe on voit sortir de terre
Le brin d'herbe sacré qui nous donne le pain ;

O Muse ! que m'importe ou la mort ou la vie ?
J'aime, et je veux pâlir ; j'aime, et je veux souffrir ;
J'aime, et pour un baiser je donne mon génie ; [7]
J'aime, et je veux sentir sur ma joue amaigrie
Ruisseler une source impossible à tarir.

J'aime, et je veux chanter la joie et la paresse,
Ma folle expérience et mes soucis d'un jour,
Et je veux raconter et répéter sans cesse
Qu'après avoir juré de vivre sans maîtresse,
J'ai fait serment de vivre et de mourir d'amour.

Dépouille devant tous l'orgueil qui te dévore,
Cœur gonflé d'amertume et qui t'es cru fermé.
Aime, et tu renaîtras ; fais-toi fleur pour éclore.
Après avoir souffert, il faut souffrir encore ;
Il faut aimer sans cesse, après avoir aimé.

À LA MALIBRAN.

STANCES.

I.

Sans doute il est trop tard pour parler encor d'elle ;
Depuis qu'elle n'est plus quinze jours sont passés,
Et dans ce pays-ci quinze jours, je le sais,
Font d'une mort récente une vieille nouvelle.
De quelque nom d'ailleurs que le regret s'appelle,
L'homme, par tout pays, en a bien vite assez.

II.

O Maria-Félicia ! le peintre et le poète
Laissent, en expirant, d'immortels héritiers ;
Jamais l'affreuse nuit ne les prend tout entiers.
À défaut d'action, leur grande âme inquiète
De la mort et du temps entreprend la conquête,
Et, frappés dans la lutte, ils tombent en guerriers.

III.

Celui-là sur l'airain[1] a gravé sa pensée ;
Dans un rhythme doré l'autre l'a cadencée ;
Du moment qu'on l'écoute, on lui devient ami.
Sur sa toile, en mourant, Raphaël[2] l'a laissée ;
Et, pour que le néant ne touche point à lui,
C'est assez d'un enfant sur sa mère endormi.

IV.

Comme dans une lampe une flamme fidèle,
Au fond du Parthénon[3] le marbre inhabité
Garde de Phidias la mémoire éternelle,
Et la jeune Vénus, fille de Praxitèle,[4]
Sourit encor, debout dans sa divinité,
Aux siècles impuissants qu'a vaincus sa beauté.

V.

Recevant d'âge en âge une nouvelle vie,
Ainsi s'en vont à Dieu les gloires d'autrefois ;
Ainsi le vaste écho de la voix du génie
Devient du genre humain l'universelle voix . . .
Et de toi, morte hier, de toi, pauvre Marie,
Au fond d'une chapelle il nous reste une croix !

VI.

Une croix ! et l'oubli, la nuit et le silence !
Écoutez ! c'est le vent, c'est l'Océan immense ;
C'est un pêcheur qui chante au bord du grand chemin.
Et de tant de beauté, de gloire et d'espérance,
De tant d'accords si doux d'un instrument divin,
Pas un faible soupir, pas un écho lointain !

VII.

Une croix ! et ton nom écrit sur une pierre,
Non pas même le tien, mais celui d'un époux.[5]
Voilà ce qu'après toi tu laisses sur la terre ;
Et ceux qui t'iront voir à ta maison dernière,
N'y trouvant pas ce nom qui fut aimé de nous,
Ne sauront pour prier où poser les genoux.

VIII.

O Ninette ! où sont-ils, belle muse adorée,
Ces accents pleins d'amour, de charme et de terreur,
Qui voltigeaient le soir sur ta lèvre inspirée,
Comme un parfum léger sur l'aubépine en fleur?
Où vibre maintenant cette voix éplorée,
Cette harpe vivante attachée à ton cœur?

IX.

N'était-ce pas hier, fille joyeuse et folle,
Que ta verve railleuse animait Corilla,[6]
Et que tu nous lançais avec la Rosina[7]
La roulade amoureuse et l'œillade espagnole?
Ces pleurs sur tes bras nus, quand tu chantais *le Saule*,[8]
N'était-ce pas hier, pâle Desdemona?[9]

X.

N'était-ce pas hier qu'à la fleur de ton âge
Tu traversais l'Europe, une lyre à la main;
Dans la mer, en riant, te jetant à la nage,
Chantant la tarantelle[10] au ciel napolitain,
Cœur d'ange et de lion, libre oiseau de passage,[11]
Espiègle[12] enfant ce soir, sainte artiste demain?

XI.

N'était-ce pas hier qu'enivrée et bénie,
Tu traînais à ton char un peuple transporté,
Et que Londre[13] et Madrid, la France et l'Italie,
Apportaient à tes pieds cet or tant convoité
Cet or deux fois sacré qui payait ton génie,
Et qu'à tes pieds souvent laissa ta charité?

XII.

Qu'as-tu fait pour mourir, ô noble créature,
Belle image de Dieu, qui donnais en chemin
Au riche un peu de joie, au malheureux du pain?
Ah! qui donc frappe ainsi dans la mère nature,
Et quel faucheur aveugle,[14] affamé de pâture,
Sur les meilleurs de nous ose porter la main?

XIII.

Ne suffit-il donc pas à l'ange des ténèbres
Qu'à peine de ce temps il nous reste un grand nom?
Que Géricault,[15] Cuvier,[16] Schiller, Goethe et Byron
Soient endormis d'hier sous les dalles funèbres,
Et que nous ayons vu tant d'autres morts célèbres
Dans l'abîme entr'ouvert suivre Napoléon?

XIV.

Nous faut-il perdre encor nos têtes les plus chères,
Et venir en pleurant leur fermer les paupières,
Dès qu'un rayon d'espoir a brillé dans leurs yeux?
Le ciel de ses élus devient-il envieux?
Ou faut-il croire, hélas! ce que disaient nos pères,
Que lorsqu'on meurt si jeune[17] on est aimé des dieux?

XV.

Ah! combien, depuis peu, sont partis pleins de vie!
Sous les cyprès anciens que de saules nouveaux!
La cendre de Robert[18] à peine refroidie,
Bellini[19] tombe et meurt! — Une lente agonie
Traîne Carrel[20] sanglant à l'éternel repos.
Le seuil de notre siècle est pavé de tombeaux.

XVI.

Que nous restera-t-il, si l'ombre insatiable,
Dès que nous bâtissons, vient tout ensevelir?
Nous qui sentons déjà le sol si variable,
Et, sur tant de débris, marchons vers l'avenir,
Si le vent, sous nos pas, balaye ainsi le sable,
De quel deuil le Seigneur veut-il donc nous vêtir?

XVII.

Hélas ! Marietta,[21] tu nous restais encore.
Lorsque, sur le sillon, l'oiseau chante à l'aurore,
Le laboureur s'arrête, et, le front en sueur,
Aspire dans l'air pur un souffle de bonheur.
Ainsi nous consolait ta voix fraîche et sonore,
Et tes chants dans les cieux emportaient la douleur.

XVIII.

Ce qu'il nous faut pleurer sur ta tombe hâtive,
Ce n'est pas l'art divin, ni ses savants secrets :
Quelque autre étudiera cet art que tu créais :
C'est ton âme, Ninette, et ta grandeur naïve,
C'est cette voix du cœur [22] qui seule au cœur arrive,
Que nul autre, après toi, ne nous rendra jamais.

XIX.

Ah ! tu vivrais encor sans cette âme indomptable.
Ce fut là ton seul mal, et le secret fardeau
Sous lequel ton beau corps plia comme un roseau.
Il en soutint longtemps la lutte inexorable.
C'est le Dieu tout-puissant, c'est la Muse implacable
Qui dans ses bras en feu t'a portée au tombeau.

XX.

Que ne l'étouffais-tu, cette flamme brûlante
Que ton sein palpitant ne pouvait contenir !
Tu vivrais, tu verrais te suivre et t'applaudir
De ce public blasé la foule indifférente,
Qui prodigue aujourd'hui sa faveur inconstante
À des gens dont pas un, certes, n'en doit mourir.

XXI.

Connaissais-tu si peu l'ingratitude humaine?
Quel rêve as-tu donc fait de te tuer pour eux!
Quelques bouquets de fleurs te rendaient-ils si vaine,
Pour venir nous verser de vrais pleurs sur la scène,
Lorsque tant d'histrions et d'artistes fameux,
Couronnés mille fois, n'en ont pas dans les yeux?

XXII.

Que ne détournais-tu la tête pour sourire,
Comme on en use ici quand on feint d'être ému?
Hélas! on t'aimait tant, qu'on n'en aurait rien vu.
Quand tu chantais *le Saule*,[23] au lieu de ce délire,
Que ne t'occupais-tu de bien porter ta lyre?
La Pasta [24] fait ainsi : que ne l'imitais-tu?

XXIII.

Ne savais-tu donc pas, comédienne imprudente,
Que ces cris insensés qui te sortaient du cœur
De ta joue amaigrie augmentaient la pâleur?
Ne savais-tu donc pas que, sur ta tempe ardente,
Ta main de jour en jour se posait plus tremblante,
Et que c'est tenter Dieu que d'aimer la douleur?

XXIV.

Ne sentais-tu donc pas que ta belle jeunesse
De tes yeux fatigués s'écoulait en ruisseaux,
Et de ton noble cœur s'exhalait en sanglots?
Quand de ceux qui t'aimaient tu voyais la tristesse,
Ne sentais-tu donc pas qu'une fatale ivresse
Berçait ta vie errante à ses derniers rameaux?

XXV.

Oui, oui, tu le savais, qu'au sortir du théâtre,
Un soir dans ton linceul il faudrait te coucher.
Lorsqu'on te rapportait plus froide que l'albâtre,
Lorsque le médecin, de ta veine bleuâtre,
Regardait goutte à goutte un sang noir s'épancher,
Tu savais quelle main venait de te toucher.

XXVI.

Oui, oui, tu le savais, et que, dans cette vie,
Rien n'est bon que d'aimer, n'est vrai que de souffrir.
Chaque soir dans tes chants tu te sentais pâlir.
Tu connaissais le monde, et la foule, et l'envie,
Et, dans ce corps brisé concentrant ton génie,
Tu regardais aussi la Malibran mourir.

XXVII.

Meurs donc! ta mort est douce et ta tâche est remplie.
Ce que l'homme ici-bas appelle le génie,
C'est le besoin d'aimer; hors de là tout est vain.
Et, puisque tôt ou tard l'amour humain s'oublie,
Il est d'une grande âme et d'un heureux destin
D'expirer comme toi pour un amour divin!

LA NUIT D'OCTOBRE.

LE POÈTE.

Le mal dont j'ai souffert s'est enfui comme un rêve;
Je n'en puis comparer le lointain souvenir
Qu'à ces brouillards légers que l'aurore soulève,
Et qu'avec la rosée on voit s'évanouir.

LA MUSE.

Qu'aviez-vous donc, ô mon poète?
Et quelle est la peine secrète
Qui de moi vous a séparé?
Hélas! je m'en ressens encore.
Quel est donc ce mal que j'ignore
Et dont j'ai si longtemps pleuré?

LE POÈTE.

C'était un mal vulgaire et bien connu des hommes;
Mais, lorsque nous avons quelque ennui dans le cœur,
Nous nous imaginons, pauvres fous que nous sommes,
Que personne avant nous n'a senti la douleur.

LA MUSE.

Il n'est de vulgaire chagrin
Que celui d'une âme vulgaire.
Ami, que ce triste mystère
S'échappe aujourd'hui de ton sein.
Crois-moi, parle avec confiance;
Le sévère dieu du silence
Est un des frères de la Mort;
En se plaignant, on se console,
Et quelquefois une parole
Nous a délivrés d'un remord.

LE POÈTE.

S'il fallait maintenant parler de ma souffrance,
Je ne sais trop quel nom elle devrait porter,
Si c'est amour, folie, orgueil, expérience,
Ni si personne au monde en pourrait profiter.
Je veux bien toutefois t'en raconter l'histoire,
Puisque nous voilà seuls, assis près du foyer.

Prends cette lyre, approche, et laisse ma mémoire
Au son de tes accords doucement s'éveiller.

LA MUSE.

Avant de me dire ta peine,
Ô poète ! en es-tu guéri ?
Songe qu'il t'en faut aujourd'hui
Parler sans amour et sans haine.
S'il te souvient que j'ai reçu
Le doux nom de consolatrice,
Ne fais pas de moi la complice
Des passions qui t'ont perdu.

LE POÈTE.

Je suis si bien guéri de cette maladie,
Que j'en doute parfois lorsque j'y veux songer ;
Et quand je pense aux lieux où j'ai risqué ma vie,
J'y crois voir à ma place un visage étranger.
Muse, sois donc sans crainte ; au souffle qui t'inspire
Nous pouvons sans péril tous deux nous confier.
Il est doux de pleurer, il est doux de sourire
Au souvenir des maux qu'on pourrait oublier.

LA MUSE.

Comme une mère vigilante[1]
Au berceau d'un fils bien-aimé,
Ainsi je me penche tremblante
Sur ce cœur qui m'était fermé.
Parle, ami, — ma lyre attentive
D'une note faible et plaintive
Suit déjà l'accent de ta voix,
Et dans un rayon de lumière,
Comme une vision légère,
Passent les ombres d'autrefois.

LE POÈTE.

Jours de travail ! seuls jours où j'ai vécu !
Ô trois fois chère solitude !
Dieu soit loué, j'y suis donc revenu,
À ce vieux cabinet d'étude !
Pauvre réduit, murs tant de fois déserts,
Fauteuils poudreux, lampe fidèle,
Ô mon palais, mon petit univers,
Et toi, Muse, ô jeune immortelle,
Dieu soit loué, nous allons donc chanter !
Oui, je veux vous ouvrir mon âme,
Vous saurez tout, et je vais vous conter
Le mal que peut faire une femme ;
Car c'en est une, ô mes pauvres amis,
(Hélas ! vous le saviez peut-être !)
C'est une femme à qui je fus soumis
Comme le serf l'est à son maître.
Joug détesté ! c'est par là que mon cœur
Perdit sa force et sa jeunesse ; —
Et cependant, auprès de ma maîtresse,
J'avais entrevu le bonheur.
Près du ruisseau, quand nous marchions ensemble
Le soir sur le sable argentin,[2]
Quand devant nous le blanc spectre du tremble[3]
De loin nous montrait le chemin ;
Je vois encore, aux rayons de la lune,
Ce beau corps plier dans mes bras. . . .
N'en parlons plus . . . — je ne prévoyais pas
Où me conduirait la Fortune.
Sans doute alors la colère des dieux
Avait besoin d'une victime ;
Car elle m'a puni comme d'un crime
D'avoir essayé d'être heureux.

LA MUSE.

L'image d'un doux souvenir
Vient de s'offrir à ta pensée.
Sur la trace qu'il a laissée
Pourquoi crains-tu de revenir?
Est-ce faire un récit fidèle
Que de renier ses beaux jours?
Si ta fortune fut cruelle,
Jeune homme, fais du moins comme elle,
Souris à tes premiers amours.

LE POÈTE.

Non, c'est à mes malheurs que je prétends sourire.
Muse, je te l'ai dit: je veux, sans passion,
Te conter mes ennuis, mes rêves, mon délire,
Et t'en dire le temps, l'heure et l'occasion.
C'était, il m'en souvient, par une nuit d'automne
Triste et froide, à peu près semblable à celle-ci;
Le murmure du vent, de son bruit monotone,
Dans mon cerveau lassé berçait mon noir souci.[4]
J'étais à la fenêtre,[5] attendant ma maîtresse;
Et, tout en écoutant dans cette obscurité,
Je me sentais dans l'âme une telle détresse,
Qu'il me vint le soupçon d'une infidélité.
La rue où je logeais était sombre et déserte;
Quelques ombres passaient, un falot à la main;
Quand la bise soufflait dans la porte entr'ouverte,
On entendait de loin comme un soupir humain.
Je ne sais, à vrai dire, à quel fâcheux présage
Mon esprit inquiet alors s'abandonna.
Je rappelais en vain un reste de courage,
Et me sentis frémir lorsque l'heure sonna.

Elle ne venait pas. Seul, la tête baissée,
Je regardai longtemps les murs et le chemin, —
Et je ne t'ai pas dit quelle ardeur insensée
Cette inconstante femme allumait dans mon sein ;
Je n'aimais qu'elle au monde, et vivre un jour sans elle
Me semblait un destin plus affreux que la mort.
Je me souviens pourtant qu'en cette nuit cruelle
Pour briser mon lien je fis un long effort.
Je la nommai cent fois perfide et déloyale,
Je comptais tous les maux qu'elle m'avait causés.
Hélas ! au souvenir[6] de sa beauté fatale,
Quels maux et quels chagrins n'étaient pas apaisés !
Le jour parut enfin. — Las d'une vaine attente,
Sur le bord du balcon je m'étais assoupi ;
Je rouvris la paupière à l'aurore naissante,
Et je laissai flotter mon regard ébloui.
Tout à coup, au détour de l'étroite ruelle,
J'entends sur le gravier marcher à petit bruit . . .
Grand Dieu ! préservez-moi ! je l'aperçois, c'est elle ;
Elle entre. — D'où viens-tu ? qu'as-tu fait cette nuit ?

. . . .

. . . .

Va-t'en, retire-toi, spectre de ma maîtresse !
Rentre dans ton tombeau, si tu t'en es levé ;
Laisse-moi pour toujours oublier ma jeunesse,
Et, quand je pense à toi, croire que j'ai rêvé !

LA MUSE.

Apaise-toi, je t'en conjure,
Tes paroles m'ont fait frémir.
Ô mon bien-aimé ! ta blessure
Est encor prête à se rouvrir.

Hélas ! elle est donc bien profonde?
Et les misères de ce monde
Sont si lentes à s'effacer !
Oublie, enfant, et de ton âme
Chasse le nom de cette femme,[7]
Que je ne veux pas prononcer.

LE POÈTE.

Honte à toi qui la première
M'as appris la trahison,
Et d'horreur et de colère
M'as fait perdre la raison !
Honte à toi, femme à l'œil sombre,
Dont les funestes amours
Ont enseveli dans l'ombre
Mon printemps et mes beaux jours !
C'est ta voix, c'est ton sourire,
C'est ton regard corrupteur,
Qui m'ont appris à maudire
Jusqu'au semblant du bonheur ;
C'est ta jeunesse[8] et tes charmes
Qui m'ont fait désespérer,
Et si je doute des larmes,
C'est que je t'ai vu pleurer.
Honte à toi, j'étais encore
Aussi simple qu'un enfant ;
Comme une fleur à l'aurore,
Mon cœur s'ouvrait en t'aimant.
Certes, ce cœur sans défense
Put sans peine être abusé ;
Mais lui laisser l'innocence
Était encore plus aisé.
Honte à toi ! tu fus la mère

De mes premières douleurs,
Et tu fis de ma paupière
Jaillir la source des pleurs !
Elle coule, sois-en sure,
Et rien ne la tarira ;
Elle sort d'une blessure
Qui jamais ne guérira ;
Mais dans cette source amère
Du moins je me laverai,
Et j'y laisserai, j'espère,
Ton souvenir abhorré !

LA MUSE.

Poète, c'est assez. Auprès d'une infidèle,
Quand ton illusion n'aurait duré qu'un jour,
N'outrage pas ce jour lorsque tu parles d'elle ;
Si tu veux être aimé, respecte ton amour.[9]
Si l'effort est trop grand pour la faiblesse humaine
De pardonner les maux qui nous viennent d'autrui,
Épargne-toi du moins le tourment de la haine ;
À défaut du pardon, laisse venir l'oubli.
Les morts dorment en paix dans le sein de la terre :
Ainsi doivent dormir nos sentiments éteints.
Ces reliques du cœur ont aussi leur poussière ;
Sur leurs restes sacrés ne portons pas les mains.
Pourquoi, dans ce récit d'une vive souffrance,
Ne veux-tu voir qu'un rêve et qu'un amour trompé?
Est-ce donc sans motif[10] qu'agit la Providence?
Et crois-tu donc distrait le Dieu qui t'a frappé?
Le coup dont tu te plains t'a préservé peut-être,
Enfant ; car c'est par là que ton cœur s'est ouvert.
L'homme est un apprenti, la douleur est son maître,
Et nul ne se connaît[11] tant qu'il n'a pas souffert.

C'est une dure loi, mais une loi suprême,
Vieille comme le monde et la fatalité,
Qu'il nous faut du malheur recevoir le baptême,
Et qu'à ce triste prix tout doit être acheté.
Les moissons, pour mûrir, ont besoin de rosée ;
Pour vivre et pour sentir, l'homme a besoin des pleurs ;
La joie a pour symbole une plante brisée,
Humide encor de pluie et couverte de fleurs.
Ne te disais-tu pas guéri de ta folie?
N'es-tu pas jeune, heureux, partout le bienvenu,
Et ces plaisirs légers qui font aimer la vie,
Si tu n'avais pleuré, quel cas en ferais-tu?
Lorsqu'au déclin du jour, assis sur la bruyère,
Avec un vieil ami tu bois en liberté,
Dis-moi, d'aussi bon cœur lèverais-tu ton verre,
Si tu n'avais senti le prix de la gaîté?
Aimerais-tu les fleurs, les prés et la verdure,
Les sonnets de Pétrarque[12] et le chant des oiseaux,
Michel-Ange et les arts, Shakspeare et la nature,
Si tu n'y retrouvais quelques anciens sanglots?
Comprendrais-tu des cieux l'ineffable harmonie,
Le silence des nuits, le murmure des flots,
Si quelque part là-bas la fièvre et l'insomnie
Ne t'avaient fait songer à l'éternel repos?
N'as-tu pas maintenant une belle maîtresse?
Et, lorsqu'en t'endormant, tu lui serres la main,
Le lointain souvenir des maux de ta jeunesse
Ne rend-il pas plus doux son sourire divin?
N'allez-vous pas aussi vous promener ensemble
Au fond des bois fleuris, sur le sable argentin?
Et, dans ce vert palais, le blanc spectre du tremble
Ne sait-il plus, le soir, vous montrer le chemin?
Ne vois-tu pas alors, aux rayons de la lune,
Plier comme autrefois un beau corps dans tes bras?

Et, si dans le sentier tu trouvais la Fortune,
Derrière elle, en chantant, ne marcherais-tu pas?
De quoi te plains-tu donc? L'immortelle espérance
S'est retrempée en toi sous la main du malheur.
Pourquoi veux-tu haïr ta jeune expérience,
Et détester un mal qui t'a rendu meilleur?
Ô mon enfant! plains-la, cette belle infidèle,
Qui fit couler jadis les larmes de tes yeux;
Plains-la! c'est une femme, et Dieu t'a fait, près d'elle,
Deviner, en souffrant, le secret des heureux.
Sa tâche fut pénible; elle t'aimait peut-être;
Mais le destin voulait qu'elle brisât ton cœur.
Elle savait la vie, et te l'a fait connaître;
Une autre a recueilli le fruit de ta douleur.
Plains-la! son triste amour a passé comme un songe;
Elle a vu ta blessure et n'a pu la fermer.
Dans ses larmes, crois-moi, tout n'était pas mensonge.
Quand tout l'aurait été, plains-la! tu sais aimer.

LE POÈTE.

Tu dis vrai: la haine est impie,
Et c'est un frisson plein d'horreur,
Quand cette vipère assoupie[13]
Se déroule dans notre cœur.
Écoute-moi donc, ô déesse!
Et sois témoin de mon serment:
Par les yeux bleus de ma maîtresse,
Et par l'azur du firmament;
Par cette étincelle brillante
Qui de Vénus porte le nom,
Et, comme une perle tremblante,
Scintille au loin sur l'horizon;
Par la grandeur de la nature,

Par la bonté du Créateur,
Par la clarté tranquille et pure
De l'astre cher au voyageur,[14]
Par les herbes de la prairie,
Par les forêts, par les prés verts,
Par la puissance de la vie,
Par la sève de l'univers,[15]
Je te bannis de ma mémoire,
Reste d'un amour insensé,
Mystérieuse et sombre histoire
Qui dormiras dans le passé !
Et toi qui, jadis, d'une amie
Portas la forme et le doux nom,
L'instant suprême où je t'oublie
Doit être celui du pardon.
Pardonnons-nous ; — je romps le charme
Qui nous unissait devant Dieu.
Avec une dernière larme
Reçois un éternel adieu.
— Et maintenant, blonde rêveuse,
Maintenant, Muse, à nos amours !
Dis-moi quelque chanson joyeuse,
Comme au premier temps des beaux jours.
Déjà la pelouse embaumée
Sent les approches du matin ;
Viens éveiller ma bien-aimée
Et cueillir les fleurs du jardin.
Viens voir la nature immortelle
Sortir des voiles du sommeil ;
Nous allons renaître avec elle
Au premier rayon du soleil !

L'ESPOIR EN DIEU.

TANT que mon faible cœur, encor plein de jeunesse,[1]
À ses illusions n'aura pas dit adieu,
Je voudrais m'en tenir à l'antique sagesse,
Qui du sobre Épicure[2] a fait un demi-dieu.
Je voudrais vivre,[3] aimer, m'accoutumer aux hommes,
Chercher un peu de joie, et n'y pas trop compter,
Faire ce qu'on a fait, être ce que nous sommes,
Et regarder le ciel sans m'en inquiéter.

Je ne puis ; — malgré moi l'infini me tourmente.[4]
Je n'y saurais songer sans crainte et sans espoir ;
Et, quoi qu'on en ait dit, ma raison s'épouvante
De ne pas le comprendre, et pourtant de le voir.
Qu'est-ce donc que ce monde, et qu'y venons-nous faire,
Si, pour qu'on vive en paix, il faut voiler les cieux ?
Passer comme un troupeau[5] les yeux fixés à terre,
Et renier le reste, est-ce donc être heureux ?
Non, c'est cesser d'être homme et dégrader son âme.
Dans la création le hasard m'a jeté ;
Heureux ou malheureux, je suis né d'une femme,
Et je ne puis m'enfuir[6] hors de l'humanité.

Que faire donc ? "Jouis, dit la raison païenne ;
Jouis et meurs ;[7] les dieux ne songent qu'à dormir.
— Espère seulement,[8] répond la foi chrétienne ;
Le ciel veille sans cesse,[9] et tu ne peux mourir."
Entre ces deux chemins j'hésite et je m'arrête.
Je voudrais, à l'écart, suivre un plus doux sentier.
Il n'en existe pas, dit une voix secrète ;
En présence du ciel il faut croire ou nier.
Je le pense en effet ; les âmes tourmentées
Dans l'un et l'autre excès se jettent tour à tour.

Mais les indifférents ne sont que des athées ;
Ils ne dormiraient plus s'ils doutaient un seul jour.
Je me résigne donc, et puisque la matière
Me laisse dans le cœur un désir plein d'effroi,
Mes genous fléchiront ; je veux croire, et j'espère.
Que vais-je devenir, et que veut-on de moi?

Me voilà dans les mains d'un Dieu plus redoutable
Que ne sont à la fois tous les maux d'ici-bas ;
Me voilà seul, errant, fragile et misérable,
Sous les yeux d'un témoin[10] qui ne me quitte pas.
Il m'observe, il me suit. Si mon cœur bat trop vite,
J'offense sa grandeur et sa divinité.
Un gouffre est sous mes pas : si je m'y précipite,
Pour expier une heure, il faut l'éternité.
Mon juge est un bourreau qui trompe sa victime.
Pour moi, tout devient piège et tout change de nom ;
L'amour est un péché, le bonheur est un crime,
Et l'œuvre des sept jours n'est que tentation.
Je ne garde plus rien de la nature humaine ;
Il n'existe pour moi ni vertu ni remord.
J'attends la récompense et j'évite la peine ;
Mon seul guide est la peur, et mon seul but la mort.

On me dit cependant qu'une joie infinie
Attend quelques élus. — Où sont-ils, ces heureux?
Si vous m'avez trompé, me rendrez-vous la vie?
Si vous m'avez dit vrai, m'ouvrirez-vous les cieux?
Hélas ! ce beau pays dont parlaient vos prophètes,
S'il existe là-haut, ce doit être un désert.
Vous les voulez trop purs, les heureux que vous faites,
Et quand leur joie arrive, ils en ont trop souffert.
Je suis seulement homme, et ne veux pas moins être,
Ni tenter davantage. — À quoi donc m'arrêter?

Puisque je ne puis croire aux promesses du prêtre,
Est-ce l'indifférent que je vais consulter?

Si mon cœur, fatigué du rêve qui l'obsède,
À la réalité revient pour s'assouvir,
Au fond des vains plaisirs[11] que j'appelle à mon aide
Je trouve un tel dégoût,[12] que je me sens mourir.
Aux jours mêmes où parfois la pensée est impie,
Où l'on voudrait nier pour cesser de douter,
Quand je posséderais tout ce qu'en cette vie
Dans ses vastes désirs l'homme peut convoiter;
Donnez-moi le pouvoir, la santé, la richesse,
L'amour même, l'amour, le seul bien d'ici-bas![13]
Que la blonde Astarté,[14] qu'idolâtrait la Grèce,
De ses îles d'azur sorte en m'ouvrant les bras;
Quand je pourrais saisir dans le sein de la terre
Les secrets éléments de sa fécondité,
Transformer à mon gré la vivace matière,
Et créer pour moi seul une unique beauté;
Quand Horace,[15] Lucrèce[16] et le vieil Épicure,[17]
Assis à mes côtés, m'appelleraient heureux,
Et quand ces grands amants de l'antique nature
Me chanteraient la joie et le mépris des dieux,
Je leur dirais à tous: "Quoi que nous puissions faire,
Je souffre, il est trop tard; le monde s'est fait vieux.
Une immense espérance a traversé la terre;[18]
Malgré nous vers le ciel il faut lever les yeux!"

Que me reste-t-il donc? Ma raison révoltée
Essaye en vain de croire et mon cœur de douter.
Le chrétien m'épouvante, et ce que dit l'athée,
En dépit de mes sens je ne puis l'écouter.
Les vrais religieux me trouveront impie,
Et les indifférents me croiront insensé.

À qui m'adresserai-je, et quelle voix amie
Consolera ce cœur que le doute a blessé?

Il existe, dit-on, une philosophie
Qui nous explique tout sans révélation,
Et qui peut nous guider à travers cette vie
Entre l'indifférence et la religion.
J'y consens. — Où sont-ils, ces faiseurs de systèmes,[19]
Qui savent, sans la foi, trouver la vérité,
Sophistes impuissants qui ne croient qu'en eux-mêmes?
Quels sont leurs arguments et leur autorité?
L'un me montre[20] ici-bas deux principes en guerre,
Qui, vaincus tour à tour, sont tous deux immortels;
L'autre découvre, au loin, dans le ciel solitaire,
Un inutile Dieu qui ne veut pas d'autels.
Je vois rêver Platon et penser Aristote;[21]
J'écoute, j'applaudis et poursuis mon chemin.
Sous les rois absolus je trouve un Dieu despote;
On nous parle aujourd'hui d'un Dieu républicain.
Pythagore et Leibnitz[22] transfigurent mon être.
Descartes[23] m'abandonne au sein des tourbillons.
Montaigne[24] s'examine, et ne peut se connaître.
Pascal[25] fuit en tremblant ses propres visions.
Pyrrhon[26] me rend aveugle, et Zénon[27] insensible.
Voltaire[28] jette à bas tout ce qu'il voit debout.
Spinosa,[29] fatigué de tenter l'impossible,
Cherchant en vain son Dieu, croit le trouver partout.
Pour le sophiste anglais[30] l'homme est une machine.
Enfin sort des brouillards un rhéteur allemand[31]
Qui, du philosophisme achevant la ruine,
Déclare le ciel vide, et conclut au néant.

Voilà donc les débris de l'humaine science!
Et, depuis cinq mille ans qu'on a toujours douté,

Après tant de fatigue et de persévérance,
C'est là le dernier mot qui nous en est resté !
Ah ! pauvres insensés, misérables cervelles,
Qui de tant de façons avez tout expliqué,
Pour aller jusqu'aux cieux, il vous fallait des ailes ;
Vous aviez le désir, la foi vous a manqué.
Je vous plains ; votre orgueil part d'une âme blessée.
Vous sentiez les tourments dont mon cœur est rempli,
Et vous la connaissiez, cette amère pensée
Qui fait frissonner l'homme en voyant l'infini.
Eh bien, prions ensemble, — abjurons la misère
De vos calculs d'enfants, de tant de vains travaux.
Maintenant que vos corps sont réduits en poussière,
J'irai m'agenouiller pour vous sur vos tombeaux.
Venez, rhéteurs païens, maîtres de la science,
Chrétiens des temps passés et rêveurs d'aujourd'hui :
Croyez-moi, la prière est un cri d'espérance !
Pour que Dieu nous réponde, adressons-nous à lui.
Il est juste, il est bon ; sans doute il vous pardonne.
Tous vous avez souffert, le reste est oublié.
Si le ciel est désert, nous n'offensons personne ;
Si quelqu'un nous entend, qu'il nous prenne en pitié !

Ô toi que nul n'a pu connaître,
Et n'a renié sans mentir,[32]
Réponds-moi, toi qui m'as fait naître,
Et demain me feras mourir !

Puisque tu te laisses comprendre,
Pourquoi fais-tu douter de toi ?
Quel triste plaisir peux-tu prendre
À tenter notre bonne foi ?

Dès que l'homme lève la tête,
Il croit t'entrevoir dans les cieux ;

La création, sa conquête,
N'est qu'un vaste temple à ses yeux.[33]

Dès qu'il redescend en lui-même,
Il t'y trouve ; tu vis en lui.
S'il souffre, s'il pleure, s'il aime,
C'est son Dieu qui le veut ainsi.

De la plus noble intelligence
La plus sublime ambition
Est de prouver ton existence
Et de faire épeler ton nom.

De quelque façon[34] qu'on t'appelle,
Brahma, Jupiter ou Jésus,
Vérité, Justice éternelle,
Vers toi tous les bras sont tendus.

Le dernier des fils de la terre
Te rend grâces du fond du cœur,
Dès qu'il se mêle à sa misère
Une apparence de bonheur.

Le monde entier te glorifie :
L'oiseau te chante sur son nid ;
Et pour une goutte de pluie
Des milliers d'êtres t'ont béni.

Tu n'as rien fait qu'on ne l'admire ;
Rien de toi n'est perdu pour nous ;
Tout prie, et tu ne peux sourire,
Que nous ne tombions à genoux.

Pourquoi donc, ô Maître suprême
As-tu créé le mal si grand,
Que la raison, la vertu même,
S'épouvantent en le voyant ?

Lorsque tant de choses sur terre
Proclament la Divinité,
Et semblent attester d'un père
L'amour, la force et la bonté,

Comment, sous la sainte lumière,
Voit-on des actes si hideux,
Qu'ils font expirer la prière
Sur les lèvres du malheureux?

Pourquoi, dans ton œuvre céleste,
Tant d'éléments si peu d'accord?
À quoi bon le crime et la peste?
Ô Dieu juste! pourquoi la mort?

Ta pitié dut être profonde
Lorsqu'avec ses biens et ses maux,
Cet admirable et pauvre monde
Sortit en pleurant du chaos!

Puisque tu voulais le soumettre
Aux douleurs dont il est rempli,
Tu n'aurais pas dû lui permettre
De t'entrevoir dans l'infini.

Pourquoi laisser notre misère
Rêver et deviner un Dieu?
Le doute a désolé la terre;
Nous en voyons trop ou trop peu.

Si ta chétive créature
Est indigne de t'approcher,
Il fallait laisser la nature
T'envelopper et te cacher.

Il te resterait ta puissance,
Et nous en sentirions les coups;

Mais le repos et l'ignorance
Auraient rendu nos maux plus doux.

Si la souffrance et la prière
N'atteignent pas ta majesté,
Garde ta grandeur solitaire ;
Ferme à jamais l'immensité.

Mais si nos angoisses mortelles
Jusqu'à toi peuvent parvenir ;
Si, dans les plaines éternelles,
Parfois tu nous entends gémir,

Brise cette voûte profonde
Qui couvre la création ;
Soulève les voiles du monde,
Et montre-toi, Dieu juste et bon !

Tu n'apercevras sur la terre
Qu'un ardent amour de la foi,
Et l'humanité tout entière
Se prosternera devant toi.

Les larmes qui l'ont épuisée
Et qui ruisselaient de ses yeux,
Comme une légère rosée
S'évanouiront dans les cieux.

Tu n'entendras que tes louanges,
Qu'un concert de joie et d'amour,
Pareil à celui dont tes anges
Remplissent l'éternel séjour ;

Et dans cette hosanna suprême,
Tu verras, au bruit de nos chants,
S'enfuir le doute et le blasphème,
Tandis que la Mort elle-même
Y joindra ses derniers accents.

SOUVENIR.

J'ESPÉRAIS bien pleurer, mais je croyais souffrir
En osant te revoir, place à jamais sacrée,
Ô la plus chère tombe et la plus ignorée
Où dorme un souvenir !

Que redoutiez-vous donc de cette solitude,
Et pourquoi, mes amis, me preniez-vous la main ?
Alors qu'une si douce et si vieille habitude
Me montrait ce chemin ?

Les voilà,[1] ces coteaux, ces bruyères fleuries,
Et ces pas argentins sur le sable muet,[2]
Ces sentiers amoureux, remplis de causeries,
Où son bras m'enlacait.

Les voilà, ces sapins à la sombre verdure,
Cette gorge profonde aux nonchalants détours,
Ces sauvages amis, dont l'antique murmure
A bercé mes beaux jours.

Les voilà, ces buissons où toute ma jeunesse,
Comme un essaim d'oiseaux chante au bruit de mes pas.
Lieux charmants, beau désert où passa ma maîtresse,
Ne m'attendiez-vous pas ?

Ah ! laissez-les couler, elles me sont bien chères,
Ces larmes que soulève un cœur encor blessé !
Ne les essuyez pas, laissez sur mes paupières
Ce voile du passé !

Je ne viens point jeter un regret inutile
Dans l'écho de ces bois témoins de mon bonheur.
Fière est cette forêt dans sa beauté tranquille,
Et fier aussi mon cœur.

Que celui-là se livre à des plaintes amères,
Qui s'agenouille et prie au tombeau d'un ami.
Tout respire en ces lieux ; les fleurs des cimetières
Ne poussent point ici.

Voyez ! la lune monte à travers ces ombrages.[3]
Ton regard tremble encor, belle reine des nuits ;
Mais du sombre horizon déjà tu te dégages,
Et tu t'épanouis.

Ainsi de cette terre, humide encor de pluie,
Sortent, sous tes rayons, tous les parfums du jour ;
Aussi calme, aussi pur, de mon âme attendrie
Sort mon ancien amour.[4]

Que sont-ils devenus, les chagrins de ma vie ?[5]
Tout ce qui m'a fait vieux est bien loin maintenant ;
Et rien qu'en regardant cette vallée amie,
Je redeviens enfant.

Ô puissance du temps ! ô légères années ![6]
Vous emportez nos pleurs, nos cris et nos regrets ;
Mais la pitié vous prend, et sur nos fleurs fanées
Vous ne marchez jamais.

Tout mon cœur te bénit, bonté consolatrice !
Je n'aurais jamais cru que l'on pût tant souffrir
D'une telle blessure, et que sa cicatrice
Fût si douce à sentir.

Loin de moi les vains mots, les frivoles pensées,
Des vulgaires douleurs linceul accoutumé,
Que viennent étaler sur leurs amours passées
Ceux qui n'ont point aimé !

Dante, pourquoi dis-tu qu'il n'est pire misère [7]
Qu'un souvenir heureux dans les jours de douleur
Quel chagrin t'a dicté cette parole amère,
Cette offense au malheur ?

En est-il donc moins vrai que la lumière existe,
Et faut-il l'oublier du moment qu'il fait nuit ?
Est-ce bien toi, grande âme immortellement triste,
Est-ce toi qui l'as dit ?

Non, par ce pur flambeau dont la splendeur m'éclaire,
Ce blasphème vanté ne vient pas de ton cœur.
Un souvenir heureux est peut-être sur terre
Plus vrai que le bonheur.

Eh quoi ! l'infortuné qui trouve une étincelle
Dans la cendre brûlante où dorment ses ennuis,
Qui saisit cette flamme et qui fixe sur elle
Ses regards éblouis ;

Dans ce passé perdu quand son âme se noie,
Sur ce miroir brisé lorsqu'il rêve en pleurant,
Tu lui dis qu'il se trompe, et que sa faible joie
N'est qu'un affreux tourment !

Et c'est à ta Françoise,[8] à ton ange de gloire,
Que tu pouvais donner ces mots à prononcer,
Elle qui s'interrompt, pour conter son histoire,
D'un éternel baiser !

Qu'est-ce donc, juste Dieu, que la pensée humaine,
Et qui pourra jamais aimer la vérité,
S'il n'est joie où douleur si juste et si certaine
Dont quelqu'un n'ait douté ?

Comment vivez-vous donc, étranges créatures ?
Vous riez, vous chantez, vous marchez à grands pas,
Le ciel et sa beauté, le monde et ses souillures
Ne vous dérangent pas ;

Mais, lorsque par hasard le destin vous ramène
Vers quelque monument d'un amour oublié,
Ce caillou vous arrête, et cela vous fait peine
Qu'il vous heurte le pié

Et vous criez alors que la vie est un songe ;
Vous vous tordez les bras comme en vous réveillant,
Et vous trouvez fâcheux qu'un si joyeux mensonge
Ne dure qu'un instant.

Malheureux ! cet instant où votre âme engourdie
A secoué les fers qu'elle traîne ici-bas,
Ce fugitif instant fut toute votre vie ;
Ne le regrettez pas !

Regrettez la torpeur qui vous cloue à la terre,
Vos agitations dans la fange et le sang,
Vos nuits sans espérance et vos jours sans lumière :
C'est là qu'est le néant !

Mais que vous revient-il de vos froides doctrines ?
Que demandent au ciel ces regrets inconstants
Que vous allez semant sur vos propres ruines,
À chaque pas du Temps ?

Oui, sans doute, tout meurt ; ce monde est un grand rêve,
Et le peu de bonheur qui nous vient en chemin,
Nous n'avons pas plutôt ce roseau dans la main
Que le vent nous l'enlève.

Oui, les premiers baisers, oui, les premiers serments
Que deux êtres mortels échangèrent sur terre,
Ce fut au pied d'un arbre effeuillé par les vents,
        Sur un roc en poussière.

Ils prirent à témoin de leur joie éphémère
Un ciel toujours voilé qui change à tout moment,
Et des astres sans nom que leur propre lumière
        Dévore incessamment.

Tout mourait autour d'eux, l'oiseau dans le feuillage,
La fleur entre leurs mains, l'insecte sous leurs piés,
La source desséchée où vacillait l'image
        De leurs traits oubliés ;

Et sur tous ces débris joignant leurs mains d'argile,
Étourdis des éclairs d'un instant de plaisir,
Ils croyaient échapper à cet Être immobile
        Qui regarde mourir !

— Insensés ! dit le sage. — Heureux ! dit le poète.
Et quels tristes amours as-tu donc dans le cœur,
Si le bruit du torrent te trouble et t'inquiète,
        Si le vent te fait peur ?

J'ai vu sous le soleil tomber bien d'autres choses
Que les feuilles des bois et l'écume des eaux,
Bien d'autres s'en aller que le parfum des roses
        Et le chant des oiseaux.

Mes yeux ont contemplé[9] des objets plus funèbres
Que Juliette morte au fond de son tombeau,
Plus affreux que le toast à l'ange des ténèbres[10]
        Porté par Roméo.

J'ai vu ma seule amie, à jamais la plus chère,
Devenue elle-même un sépulcre blanchi,[11]
Une tombe vivante où flottait la poussière
De notre mort chéri,

De notre pauvre amour, que, dans la nuit profonde,
Nous avions sur nos cœurs si doucement bercé !
C'était plus qu'une vie, hélas ! c'était un monde
Qui s'était effacé !

Oui, jeune et belle encor, plus belle, osait-on dire,
Je l'ai vue, et ses yeux brillaient comme autrefois.
Ses lèvres s'entr'ouvraient, et c'était un sourire,
Et c'était une voix ;

Mais non plus cette voix, non plus ce doux langage,
Ces regards adorés dans les miens confondus ;
Mon cœur, encor plein d'elle, errait sur son visage,
Et ne la trouvait plus.

Et pourtant j'aurais pu marcher alors vers elle ;
Entourer de mes bras ce sein vide et glacé,
Et j'aurais pu crier : "Qu'as-tu fait, infidèle,
Qu'as-tu fait du passé ?"

Mais non : il me semblait qu'une femme inconnue
Avait pris par hasard cette voix et ces yeux ;
Et je laissai passer cette froide statue
En regardant les cieux.

Eh bien ! ce fut sans doute une horrible misère
Que ce riant adieu d'un être inanimé.
Eh bien ! qu'importe encore ? Ô nature ! ô ma mère !
En ai-je moins aimé ?

La foudre maintenant peut tomber sur ma tête ;
Jamais ce souvenir ne peut m'être arraché !
Comme le matelot brisé par la tempête,
Je m'y tiens attaché.

Je ne veux rien savoir, ni si les champs fleurissent,
Ni ce qu'il adviendra du simulacre humain,
Ni si ces vastes cieux éclaireront demain
Ce qu'ils ensevelissent.

Je me dis seulement : "À cette heure, en ce lieu,
Un jour, je fus aimé,[12] j'aimais, elle était belle."
J'enfouis ce trésor dans mon âme immortelle,
Et je l'emporte à Dieu !

THÉÂTRE.

À QUOI RÊVENT LES JEUNES FILLES.

COMÉDIE.

PERSONNAGES:

Le duc LAËRTE.
Le comte IRUS, son neveu.
SILVIO.
NINON, } jumelles, filles du duc Laërte.
NINETTE, }
FLORA, servante.
SPADILLE, } domestiques.
QUINOLA, }

La scène est où l'on voudra.

ACTE PREMIER.

SCÈNE I.

Une chambre à coucher.

NINON, NINETTE.

NINETTE.

Onze heures vont sonner. — Bonsoir, ma chère sœur.
Je m'en vais me coucher.

NINON.

Bonsoir. Tu n'as pas peur
De traverser le parc pour aller à ta chambre?
Il est si tard! — Veux-tu que j'appelle Flora?

NINETTE.

Pas du tout. — Mais vois donc quel beau ciel de septembre !
D'ailleurs, j'ai Bacchanal qui m'accompagnera.
Bacchanal ! Bacchanal !

Elle sort en appellant son chien.

NINON, s'agenouillant à son prie-Dieu.

O Christe ![1] *dum fixus cruci*
Expandis orbi brachia,
Amare da crucem, tuo
Da nos in amplexu mori.

Elle se déshabille.

NINETTE, rentrant épouvantée, et se jetant dans un fauteuil.

Ma chère, je suis morte.

NINON.

Qu'as-tu ? qu'arrive-t-il ?

NINETTE.

Je ne peux plus parler.

NINON.

Pourquoi ? mon Dieu ! je tremble en te voyant trembler.

NINETTE.

Je n'étais pas, ma chère, à trois pas de ta porte ;
Un homme vient à moi, m'enlève dans ses bras,
M'embrasse tant qu'il peut, me repose par terre,
Et se sauve en courant.

NINON.

Ah ! mon Dieu ! comment faire ?
C'est peut-être un voleur.

NINETTE.

Oh ! non, je ne crois pas.
Il avait sur l'épaule une chaîne superbe,
Un manteau d'Espagnol, doublé de velours noir,
Et de grands éperons qui reluisaient dans l'herbe.

NINON.

C'est pourtant une chose étrange à concevoir,
Qu'un homme comme il faut tente une horreur semblable.
Un homme en manteau noir, c'est peut-être le diable.
Oui, ma chère. Qui sait? Peut-être un revenant.

NINETTE.

Je ne crois pas, ma chère : il avait des moustaches.

NINON.

J'y pense, dis-moi donc, si c'était un amant !

NINETTE.

S'il allait revenir ! — Il faut que tu me caches.

NINON.

C'est peut-être papa qui veut te faire peur.
Dans tous les cas, Ninette, il faut qu'on te ramène.
Holà ! Flora, Flora ! reconduisez ma sœur.

Flora paraît sur la porte.

Adieu, va, ferme bien ta porte.

NINETTE.

Et toi la tienne.

Elles s'embrassent. Ninette sort avec Flora.

NINON, seule, mettant son verrou.

Des éperons d'argent, un manteau de velours !
Une chaîne ! un baiser ! — c'est extraordinaire.

Elle se décoiffe.

Je suis mal en bandeaux ; mes cheveux sont trop courts.
Bah ! j'avais deviné ! C'est sans doute mon père.
Ninette est si poltronne ! — Il l'aura vu passer.
C'est tout simple, sa fille, il peut bien l'embrasser.
Mes bracelets vont bien.

Elle les détache.

Ah ! demain, quand j'y pense,
Ce jeune homme étranger qui va venir dîner !
C'est un mari, je crois, que l'on veut nous donner.

Quelle drôle de chose ! Ah ! j'en ai peur d'avance.
Quelle robe mettrai-je ?

Elle se couche.

Une robe d'été ?
Non, d'hiver : cela donne un air plus convenable.
Non, d'été : c'est plus jeune et c'est moins apprêté.
On le mettra sans doute entre nous deux à table.
Ma sœur lui plaira mieux. — Bah ! nous verrons toujours.
— Des éperons d'argent ! — un manteau de velours !
Mon Dieu ! comme il fait chaud pour une nuit d'automne !
Il faut dormir, pourtant. — N'entends-je pas du bruit ?
C'est Flora qui revient ; — non, non, ce n'est personne.
Tra la, tra deri da. — Qu'on est bien dans son lit !
Ma tante était bien laide avec ses vieux panaches,
Hier soir à souper. — Comme mon bras est blanc !
Tra deri da. — Mes yeux se ferment. — Des moustaches....
Il la prend, il l'embrasse et se sauve en courant.

Elle s'assoupit. — On entend par la fenêtre le bruit d'une guitare et une voix.

— Ninon, Ninon, que fais tu de la vie ? [2]
L'heure s'enfuit, le jour succède au jour.
Rose ce soir, demain flétrie.
Comment vis-tu, toi qui n'as pas d'amour ?

NINON, s'éveillant.

Est-ce un rêve ? J'ai cru qu'on chantait dans la cour.

LA VOIX, au dehors.

Regarde-toi, la jeune fille.
Ton cœur bat et ton œil pétille.
Aujourd'hui le printemps, Ninon, demain l'hiver.
Quoi ! tu n'as pas d'étoile, et tu vas sur la mer !
Au combat sans musique, en voyage sans livre !
Quoi ! tu n'as pas d'amour, et tu parles de vivre !
Moi, pour un peu d'amour je donnerais mes jours ;
Et je les donnerais pour rien sans les amours.

NINON.

Je ne me trompe pas ; — singulière romance !
Comment ce chanteur-là peut-il savoir mon nom ?
Peut-être sa beauté s'appelle aussi Ninon.

LA VOIX.

Qu'importe que le jour finisse et recommence,
Quand d'une autre existence
Le cœur est animé ?
Ouvrez-vous, jeunes fleurs. Si la mort vous enlève,
La vie est un sommeil, l'amour en est le rêve,
Et vous aurez vécu, si vous avez aimé.

NINON, soulevant sa jalousie.

Ses éperons d'argent brillent dans la rosée ;
Une chaîne à glands d'or retient son manteau noir.
Il relève en marchant sa moustache frisée. —
Quel est ce personnage et comment le savoir ?

SCÈNE II.

IRUS, à sa toilette ; SPADILLE, QUINOLA.

IRUS.

Lequel de vous, marauds, m'a posé ma perruque ?
Outre que les rubans me font mal à la nuque,
Je suis couvert de poudre, et j'en ai plein les yeux.

QUINOLA.

Ce n'est pas moi.

SPADILLE.

Ni moi.

QUINOLA.

Moi, je tenais la queue.

SPADILLE.

Moi, monsieur, je peignais.

IRUS.

Vous mentez tous les deux.
Allons, mon habit rose et ma culotte bleue.
Hum ! Brum ! Diable de poudre ! — Hatsch ! Je suis aveuglé.

Il éternue.

QUINOLA, *ouvrant une armoire.*

Monsieur, vous ne sauriez mettre cette culotte.
La lampe était auprès, toute l'huile a coulé.

SPADILLE, *ouvrant une autre armoire.*

Monsieur, votre habit rose est tout rempli de crotte.

IRUS.

Ciel ! de cette façon voir tous mes plans déçus !
Écoutez, mes amis, — il me vient une idée :
Quelle heure est-il?

SPADILLE.

Monsieur, l'horloge est arrêtée.

IRUS.

A-t-on sonné déjà deux coups pour le dîné ?

QUINOLA.

Non, l'on n'a pas sonné.

SPADILLE.

Si, si, l'on a sonné.

IRUS.

Je tremble à chaque instant que le nouveau convive
Qui doit venir dîner ne paraisse et n'arrive.

SPADILLE.

Il faut vous mettre en vert.

QUINOLA.

Il faut vous mettre en gris.

IRUS.

Dans quel mois sommes nous ?

SPADILLE.

Nous sommes en novembre.

QUINOLA.

En août! En août!

IRUS.

Mettez ces deux habits.
Vous vous promènerez ensuite par la chambre,
Pour que je voie un peu l'effet que je ferai.

Les valets obéissent.

SPADILLE.

Moi, j'ai l'air d'un marquis.

QUINOLA.

Moi, j'ai l'air d'un ministre.

IRUS, les regardant.

Spadille a l'air d'une oie,[3] et Quinola d'un cuistre.
Je ne sais pas à quoi je me déciderai.

LAËRTE, entrant.

Et vous, vous avez l'air, mon neveu, d'une bête.
N'êtes-vous pas honteux de vous poudrer la tête,
Et de perdre, à courir dans votre cabinet,
Plus de temps qu'il n'en faut pour écrire un sonnet?
Allons, venez dîner; — votre assiette s'ennuie.

IRUS.

Vous ne voudriez pas, au prix de votre vie,
Me traîner au salon, sans rouge et demi-nu?
Quel habit faut-il mettre?

LAËRTE.

Eh! le premier venu.
Allons, écoutez-moi. Vous trouverez à table
Le nouvel arrivé; — c'est un jeune homme aimable,
Qui vient pour épouser un de mes chers enfants.

Jetez, au nom de Dieu, vos regards triomphants
Sur un autre que lui : ne cherchez pas à plaire,
Et n'avalez pas tout comme à votre ordinaire.
Il est simple et timide, et de bonne façon ;
Enfin c'est ce qu'on nomme un honnête garçon.
Tâchez, si vous trouvez ses manières communes,
De ne point décocher, en prenant du tabac,
Votre charmant sourire et vos mots d'almanach.
Tarissez, s'il se peut, sur vos bonnes fortunes.[4]
Ne vous inondez pas de vos flacons damnés ;
Qu'on puisse vous parler sans se boucher le nez ;
Vos gants blancs sont de trop ; on dîne les mains nues.

IRUS.

Je suis presque tenté, pour cadrer à vos vues,
D'ôter mon habit vert, et de me mettre en noir.

LAËRTE.

Non, de par tous les saints, non, je vous remercie.
La peste soit de vous ! — Qui diantre se soucie,
Si votre habit est vert, de s'en apercevoir ?

IRUS.

Puis-je savoir, du moins, le nom de ce jeune homme ?

LAËRTE.

Qu'est-ce que ça vous fait ? C'est Silvio qu'il se nomme.

IRUS.

Silvio ! ce n'est pas mal. — Silvio ! — le nom est bien ;
Irus, — Irus, — Silvio ; — mais j'aime mieux le mien.

LAËRTE.

Son père est mon ami, — celui de votre mère.
Nous avons le projet, depuis plus de vingt ans,
De mourir en famille, et d'unir nos enfants.
Plût au ciel, pour tous deux, que son fils eût un frère !

IRUS.

Vrai Dieu ! monsieur le duc, qu'entendez-vous par là ?
Ne dois-je pas aussi devenir votre gendre ?

LAËRTE.

C'est bon, je le sais bien ; vous pouvez vous attendre
À trouver votre tour ; — mais Silvio choisira.

Exeunt.

SCÈNE III.

Le jardin du Duc.

NINON, NINETTE, dans deux bosquets séparés.

NINON.

Cette voix retentit encore à mon oreille.

NINETTE.

Ce baiser singulier me fait encor frémir.

NINON.

Nous verrons cette nuit ; il faudra que je veille.

NINETTE.

Cette nuit, cette nuit, je ne veux pas dormir.

NINON.

Toi dont la voix est douce, et douce la parole,
Chanteur mystérieux, reviendras-tu me voir ?
Ou, comme en soupirant l'hirondelle s'envole,[5]
Mon bonheur fuira-t-il, n'ayant duré qu'un soir ?

NINETTE.

Audacieux fantôme à la forme voilée,
Les ombrages ce soir seront-ils sans danger ?
Te reverrai-je encor dans cette sombre allée,
Ou disparaîtras-tu comme un chamois léger ?

NINON.

L'eau, la terre et les vents, tout s'emplit d'harmonies,
Un jeune rossignol chante au fond de mon cœur.[6]
J'entends sous les roseaux murmurer des génies. . . .
Ai-je de nouveaux sens inconnus à ma sœur ?

NINETTE.

Pourquoi ne puis-je voir sans plaisir et sans peine
Les baisers du zéphir trembler sur la fontaine,
Et l'ombre des tilleuls passer sur mes bras nus ?
Ma sœur est une enfant, — et je ne le suis plus.

NINON.

Ô fleurs des nuits d'été, magnifique nature !
Ô plantes ! ô rameaux, l'un dans l'autre enlacés !

NINETTE.

Ô feuilles des palmiers, reines de la verdure,
Qui versez vos amours dans les vents embrasés !

SILVIO, entrant.

Mon cœur hésite encor, — toutes les deux si belles !
Si conformes en tout, si saintement jumelles !
Deux corps[7] si transparents attachés par le cœur !
On dirait que l'aînée est l'étui de sa sœur.
Pâles toutes les deux, toutes les deux craintives,
Frêles comme un roseau, blondes comme les blés ;
Prêtes à tressaillir comme deux sensitives,
Au toucher de la main. — Tous mes sens sont troublés.
Je n'ai pu leur parler, — j'agissais dans la fièvre ;
Mon âme à chaque mot arrivait sur ma lèvre.
Mais elles, quel bon goût ! quelle simplicité !
Hélas ! je sors d'hier de l'université.[8]

Entrent Laërte et Irus, un cigare à la bouche.

LAËRTE.

Eh bien ! notre convive, où ces dames sont-elles ?

IRUS.

Quoi ! vous sortez de table, et vous ne fumez pas ?

SILVIO, embrassant Laërte.

Ô mon père, ô mon duc ! Je ne puis faire un pas.
Tout mon être est brisé.

Ninon et Ninette paraissent.

IRUS.

Voilà ces demoiselles.
Ninon, ma barbe est fraîche, et je vais t'embrasser.

Ninon se sauve. — Irus court après elle.

LAËRTE.

Ne sauriez-vous, Irus, dîner sans vous griser ?

Ils sortent en se promenant.

SCÈNE IV.

NINETTE, restée seule ; FLORA.

NINETTE.

Où cours-tu donc, Flora ? Mon Dieu ! la belle chaîne !
Voyez donc ! les beaux glands ! Qui t'a donné cela ?

NINON, accourant.

Voyons ! laisse-moi voir. — Ah ! je suis hors d'haleine.
Quel sot que cet Irus ! — Tu l'as trouvé, Flora ?
Le beau collier, ma foi ! Vraiment, comme elle est fière !

FLORA, à Ninon.

Je voudrais vous parler.

Elle l'entraîne dans un coin.

NINETTE.

Quoi donc ? c'est un mystère ?

FLORA, à Ninon.

Rentrez dans votre chambre, et lisez ce billet.

NINON.

Un billet ? d'où vient-il ?

FLORA.

Mettez-le, s'il vous plaît,
Dans ce petit coin-là, sur votre cœur, ma belle.

Elle le lui met dans son sein.

NINON.

Tu sais donc ce que c'est ?

FLORA.

Moi, non, je n'en sais rien.

Ninon sort en courant.

NINETTE.

Qu'as-tu dit à ma sœur, et pourquoi s'en va-t-elle ?

FLORA, tirant un autre billet.

Tenez, lisez ceci.

NINETTE.

Pourquoi ? Je le veux bien.
Mais qu'est-ce que c'est donc ?

FLORA.

Lisez toujours, ma chère.
Mais prenez garde à vous. — J'aperçois votre père ;
Allez vous enfermer dans votre appartement.

NINETTE.

Pourquoi ?

FLORA.

Vous lirez mieux, et plus commodément.

Elles sortent. Entrent Laërte et Silvio.

SILVIO.

Je crois que notre abord met ces dames en fuite.
Ah ! monseigneur, j'ai peur de leur avoir déplu.

LAËRTE.

Bon, bon, laissez-les fuir, vous leur plairez bien vite.
Dites-moi, mon ami, dans votre temps perdu,[9]

N'avez-vous jamais fait la cour à quelques belles?
Quel moyen preniez-vous pour dompter les cruelles?

SILVIO.

Père, ne raillez pas, je me défendrais mal.
Bien que je sois sorti d'un sang méridional,
Jamais les imbroglios,[10] ni les galanteries,
Ni l'art mystérieux des douces flatteries,
Ce bel art d'être aimé, ne m'ont appartenu;
Je vivrai sous le ciel comme j'y suis venu.
Un serrement de main, un regard de clémence,
Une larme, un soupir, voilà pour moi l'amour;
Et j'aimerai dix ans comme le premier jour.
J'ai de la passion, et n'ai point d'éloquence.
Mes rivaux, sous mes yeux, sauront plaire et charmer.
Je resterai muet; moi, je ne sais qu'aimer.

LAËRTE.

Les femmes cependant demandent autre chose.
Bien plus, sans les aimer, du moment que l'on ose,
On leur plaît. La faiblesse est si chère à leur cœur
Qu'il leur faut un combat pour avoir un vainqueur.
Croyez-moi, j'ai connu ces êtres variables.
Il n'existe, dit-on, ni deux feuilles semblables,
Ni deux cœurs faits de même, et moi, je vous promets
Qu'en en séduisant une, on séduit tout un monde.
Avez-vous jamais vu les courses d'Angleterre? [11]
On prend quatre coureurs, — quatre chevaux sellés;
On leur montre un clocher, puis on leur dit: Allez!
Il s'agit d'arriver, n'importe la manière.
L'un choisit un ravin, — l'autre un chemin battu.
Celui-ci gagnera, s'il ne rencontre un fleuve;
Celui-là fera mieux, s'il n'a le cou rompu.

Tel est l'amour, Silvio ; l'amour est une épreuve ;
Il faut aller au but, — la femme est le clocher.[12]
Prenez garde au torrent, prenez garde au rocher ;
Faites ce qui vous plaît, le but est immobile.
Mais croyez que c'est prendre une peine inutile
Que de rester en place et de crier bien fort :
Clocher ! clocher ! je t'aime, arrive ou je suis mort.

SILVIO.

Je sens la vérité de votre parabole,[13]
Mais si je ne puis rien trouver même en parole,
Que pourrai-je valoir, seigneur, en action ?
Tout le réel pour moi n'est qu'une fiction ;
Je suis dans un salon comme une mandoline
Oubliée en passant sur le bord d'un coussin.
Elle renferme en elle une longue divine,
Mais si son maître dort, tout reste dans son sein.

LAËRTE.

Écoutez donc, alors, ce qu'il vous faudra faire.
Recevoir un mari[14] de la main de son père,
Pour une jeune fille est un pauvre régal.
C'est un serpent doré qu'un anneau conjugal.
C'est dans les nuits d'été, sur une mince échelle,
Une épée à la main, un manteau sur les yeux,
Qu'une enfant de quinze ans[15] rêve ses amoureux.
Avant de se montrer, il faut leur apparaître.
Le père ouvre la porte au matériel époux,
Mais toujours l'idéal entre par la fenêtre.
Voilà, mon cher Silvio, ce que j'attends de vous.
Connaissez-vous l'escrime ?

SILVIO.

Oui, je tire l'épée.

LAËRTE.

Et pour le pistolet, vous tuez la poupée,[16]
N'est-ce pas ? C'est très-bien ; vous tuerez mes valets.
Mes filles tout à l'heure ont reçu deux billets ;
Ne cherchez pas, c'est moi qui les ai fait remettre.
Ah ! si vous compreniez ce que c'est qu'une lettre !
Une lettre d'amour lorsque l'on a quinze ans !
Quelle charmante place elle occupe longtemps !
D'abord auprès du cœur, ensuite à la ceinture.
La poche vient après, le tiroir vient enfin.
Mais comme on la promène, en traîneaux, en voiture !
Comme on la mène au bal ! que de fois en chemin,
Dans le fond de la poche on la presse, on la serre ;
Et comme on rit tout bas du bonhomme de père
Qui ne voit jamais rien, de temps immémorial !
Quel travail il se fait dans ces petites têtes !
Voulez-vous, mon ami, savoir ce que vous êtes ?
Vous, à l'heure qu'il est ? — Vous êtes l'idéal,
Le prince Galaor,[17] le berger d'Arcadie ;[18]
Vous êtes un Lara ;[19] — j'ai signé votre nom.
Le vieux duc vous prenait pour son gendre, — mais non,
Non ! Vous tombez du ciel[20] comme une tragédie ;
Vous rossez mes valets ; vous forcez mes verrous,
Vous caressez le chien ; vous séduisez la fille ;
Vous faites le malheur de toute la famille.
Voilà ce que l'on veut trouver dans un époux.

SILVIO.

Quelle mélancolique et déchirante idée !
Elle est juste pourtant ; — qu'elle me fait de mal !

LAËRTE.

Ah ! jeune homme, avez-vous aussi votre idéal ?

SILVIO.

Pourquoi pas comme tous? Leur étoile est guidée
Vers un astre inconnu qu'ils ont toujours rêvé;
Et la plupart de nous meurt sans l'avoir trouvé.

LAËRTE.

Attachez-vous du prix à des enfantillages?
Cela n'empêche pas les femmes d'être sages,
Bonnes, franches de cœur; c'est un goût seulement;
Cela leur va, leur plaît, — tout cela, c'est charmant.
Écoutez-moi, Silvio: — ce soir, à la veillée,
Vous vous cuirasserez d'un large manteau noir.
Flora dormira bien, c'est moi qui l'ai payée.
Ces dames, pour leur part, descendront en peignoir.
Or vous vous doutez bien, par cette double lettre,
Que ce que vous vouliez, c'était un rendez-vous.
Car, excepté cela, que veut un billet doux?
Vous pénétrerez donc par la chère fenêtre.
On vous introduira comme un conspirateur.
Que ferez-vous alors, vous, double séducteur?
Vous entendrez des cris. — C'est alors que le père,
Semblable au commandeur[21] dans *le Festin de Pierre*,
Dans sa robe de chambre apparaîtra soudain.
Il vous provoquera, sa chandelle à la main.
Vous la lui soufflerez du vent de votre épée.
S'il ne reste par terre une tête coupée,
Il y pourra du moins rester un grand seau d'eau,
Que Flora lestement nous versera d'en haut.
Ce sera tout le sang que nous devrons répandre.
Les valets aussitôt le couvriront de cendre;
On ne saura jamais où vous serez passé,
Et mes filles crieront: "O ciel! il est blessé!"

SILVIO.

Je n'achèverai pas cette plaisanterie.
Calculez, mon cher duc, où cela mènera,

Savez-vous puisqu'il faut enfin qu'on nous marie,
Si je me fais aimer, laquelle m'aimera ?

LAËRTE.

Peut-être toutes deux, n'est-il pas vrai, mon gendre ?
Si je le trouve bon, qu'avez-vous à reprendre ?
Ô mon fils bien-aimé ! laissons parler les sots.

SILVIO.

On a bouleversé la terre avec des mots.

LAËRTE.

Eh ! que m'importe à moi ! — Je n'ai que vous au monde
Après mes deux enfants. Que me fait un brocard ?
Vous êtes assez mûr sous votre tête blonde
Pour porter du respect à l'honneur d'un vieillard.

SILVIO.

Ah ! je mourrais plutôt. Ce n'est pas ma pensée.

LAËRTE.

Supposons que des deux vous vous fassiez aimer.
Celle qui restera voudra vous pardonner.
Votre image, Silvio, sera bientôt chassée
Par un rêve nouveau, par le premier venu.
Croyez-moi, les enfants n'aiment que l'inconnu.
Dès que vous deviendrez le bourgeois respectable
Qui viendra tous les jours s'asseoir à déjeuner,
Qu'on verra se lever, aller et retourner,
Mettre après le café ses coudes sur la table,
On ne cherchera plus l'être mystérieux.
On aimera le frère, et c'est ce que je veux.
Si mon sot de neveu parle de mariage,
On l'en détestera quatre fois davantage,
C'est encor mon souhait. Mes enfants ont du cœur,
L'une soit votre femme, et l'autre votre sœur.

Je me confie à vous, — à vous, fils de mon frère,
Qui serez le mari d'une de mes enfants,
Qui ne souillerez pas la maison de leur père,
Et qui ne jouerez pas avec ses cheveux blancs.
Qui sait ? peut-être un jour ma pauvre délaissée
Trouvera quelque part le mari qu'il lui faut.
Mais l'importante affaire est d'éviter ce sot.

Irus entre.

IRUS.

À souper ! à souper ! messieurs, l'heure est passée.

LAËRTE.

Vous avez, Dieu me damne, encor changé d'habit.

IRUS.

Oui, celui-là va mieux ; l'autre était trop petit.

Exeunt.

ACTE SECOND.

SCÈNE I.

Le jardin. — Il est nuit.

LE DUC LAËRTE, en robe de chambre ; SILVIO, enveloppé d'un manteau.

LAËRTE.

Lorsque cette lueur, que vous voyez là-bas,
Après avoir erré de fenêtre en fenêtre,
Tournera vers ce coin pour ne plus reparaître,
Il sera temps d'agir. — Elle y marche à grands pas.

SILVIO.

Je vous l'ai dit, seigneur, cela ne me plaît pas.

LAËRTE.

Eh bien ! moi, tout cela m'amuse à la folie.
Je ne fais pas la guerre à la mélancolie ;
Après l'oisiveté, c'est le meilleur des maux.[22]
En général d'ailleurs, c'est ma pierre de touche ;[23]
Elle ne pousse pas, cette plante farouche,
Sur la majestueuse obésité des sots.
Mais la gaîté, Silvio, sied mieux à la vieillesse ;
Nous voulons la beauté pour aimer la tristesse.
Il faut bien mettre un peu de rouge à soixante ans ;
C'est le métier des vieux de dérider le temps.
On fait de la vieillesse une chose honteuse ;
C'est tout simple : ici-bas, chez les trois quarts des gens,
Quand elle n'est pas prude, elle est entremetteuse.
Cassandre[24] est la terreur des vieillards indulgents.
Croyez-vous cependant, mon cher, que la nature
Laisse ainsi par oubli vivre sa créature ?
Qu'elle nous ait donné trente ans pour exister,
Et le reste pour geindre ou bien pour tricoter ?
Figurez-vour, Silvio, que j'ai, la nuit dernière,
Chanté fort joliment pendant une heure entière.
C'était pour intriguer mes filles : mais, ma foi,
Je crois, en vérité, que j'ai chanté pour moi.

SILVIO.

Aussi, dans tout cela, cher duc, c'est vous que j'aime.
Il faudra pourtant bien redevenir moi-même.
Songez donc, mon ami, qu'il ne restera rien
Du héros de roman.

LAËRTE.

Mon Dieu ! Je le sais bien.
Après la bagatelle, il faut le nécessaire ;
Et j'espère pour vous, mon cher, que vous l'avez.
Très ordinairement, dans ces sortes de choses,
Ceux qui parlent beaucoup savent prouver très peu.

C'est ce qui montre en tout la sagesse de Dieu.
Tous ces galants musqués, fleuris comme des roses,
Qu'on voit soir et matin courir les rendez-vous,
S'assouplir comme un gant autour des jeunes filles,
Escalader les murs, et danser sur les grilles,
Savent au bout du doigt ce qui vous manque, à vous.
Vous avez dans le cœur, Silvio, ce qui leur manque.
Je me moque d'avoir pour gendre un saltimbanque,
Capable de passer par le trou d'une clef.
Si vous étiez comme eux, j'en serais désolé.
Mais la méthode existe : il faut songer à plaire.
Une fois marié, parbleu ! c'est votre affaire.
Permettez-moi, de grâce, une autre question.
Avez-vous jusqu'ici vécu sans passion?

. . . .

. . . .

Bon ! je ne hais rien tant que les jeunes roués.
Le cœur d'un libertin est fait comme une auberge ;
On y trouve à toute heure un grand feu bien nourri,
Un bon gîte, un bon lit, — et la clef sur la porte.
Mais on entre aujourd'hui, demain il faut qu'on sorte.
Ce n'est pas ce bois-là dont on fait un mari.
Que tout vous soit nouveau, quand la femme est nouvelle.
Ce n'est jamais un bien que l'on soit plus vieux qu'elle,[25]
Ni du corps ni du cœur. — Tâchez de deviner.
Quel bonheur, en amour, de pouvoir s'étonner !
Elle aura ses secrets, et vous aurez les vôtres.

SILVIO.

Si ma femme pourtant croit trouver un roué,
Quel misérable effet fera mon ignorance !
N'appréhendez-vous rien de ces étonnements?

LAËRTE.

Ceci pourrait sonner comme une impertinence.
Mes filles n'ont, monsieur, que de très bons romans.

Ah ! Silvio, je vous livre une fleur précieuse.
Effeuillez lentement cette ignorance heureuse.
Si vous saviez quel tort se font bien des maris !
Si vous étiez ainsi, j'aimerais mieux Irus.
Rappelez-vous ces mots, qui sont dans l'Hespérus :
" Respectez votre femme, amassez de la terre
Autour de cette fleur prête à s'épanouir ;
Mais n'en laissez jamais tomber dans son calice."

SILVIO.

Mon père, embrassez-moi. — Je vois le ciel s'ouvrir.

LAËRTE.

Vous êtes, mon enfant, plus blanc qu'une génisse ;
Votre bon petit cœur est plus pur que son lait ;
Vous vous en défiez, et c'est ce qui me plaît.
Croyez-en un vieillard qui vous donne sa fille.
Puisque je vous ai pris pour remplir ma famille,
Fiez-vous à mon choix. — Je ne me trompe pas.

SILVIO.

La lumière s'en va de fenêtre en fenêtre.

LAËRTE.

L'heure va donc sonner. — Mon fils, viens dans mes bras.

SILVIO.

Elle se perd dans l'ombre, elle va disparaître.

LAËRTE.

Ton rôle est bien appris ? Tu n'as rien oublié ?

SILVIO.

La lumière s'éteint.

LAËRTE.

Bravo ! l'heure est venue.
Suivons tout doucement le mur de l'avenue.
Allons, mon cavalier, sur la pointe du pied.

Exeunt.

SCÈNE II.

Une terrasse.

NINON, NINETTE, en déshabillé.

NINON.

Que fais-tu là si tard, ma petite Ninette?
Il est temps de dormir. — Tu prendras le serein.

NINETTE.

Je regardais la lune en mettant ma cornette.
Que d'étoiles au ciel! Il fera beau demain.

NINON.

Tra deri.

NINETTE.

Que dis-tu?

NINON.

C'est une contredanse.
Tra deri. — Sans amour . . . Ah! ma chère romance!

NINETTE.

Va te coucher, Ninon; je ne saurais dormir.

NINON.

Ma foi, ni moi non plus.

À part.

Il n'aurait qu'à venir.

NINETTE, chantant.

Léonore avait un amant
Qui lui disait: Ma chère enfant . . .

NINON.

Je crains vraiment pour toi que le froid ne te prenne.

NINETTE.

J'étouffe de chaleur.

À part.

Je tremble qu'il ne vienne.

NINON, continuant la chanson.

Qui lui disait : Ma chère enfant . . .

NINETTE.

Je crois que son dessein est de coucher ici.

NINON.

On monte l'escalier ; mon Dieu ! si c'était lui !

NINETTE, reprenant.

Léonore avait un amant . . .

NINON.

Elle ne songe pas à me céder la place.
S'il allait arriver !

NINETTE.

Ma chère sœur, de grâce,
Va-t'en te mettre au lit.

NINON.

Pourquoi ? je suis très bien.
Écoute : — promets-moi que tu n'en diras rien ;
Je vais te confier . . .

NINETTE.

Il faut que je t'avoue . . .

NINON.

Jure-moi sur l'honneur . . .

NINETTE.

Garde-moi le secret.

NINON.

Tiens ; ouvre cette lettre.

NINETTE.

Et toi, lis ce billet.

NINON, lisant.

"Si l'amour peut faire excuser la folie, au nom du ciel, ma belle demoiselle, accordez-moi . . ."

NINETTE, lisant.

"Si l'amour peut faire excuser la folie, au nom du ciel, ma chère demoiselle . . ."

TOUTES LES DEUX À LA FOIS.

Grand Dieu ! le même nom !

NINETTE.

Ma chère, l'on nous joue !

NINON.

Quelle horreur !

NINETTE.

J'en mourrai.

NINON.

Faut-il être effronté !

NINETTE.

Flora me paiera cher pour l'avoir apporté !

NINON.

Ce beau collier sans doute était sa récompense.
Hélas !

NINETTE.

Hélas !

NINON.

Ma chère, à présent que j'y pense,
C'était lui qui t'as suivie, hier, au parc anglais.

NINETTE.

C'était lui qui chantait.

NINON.

Tu le sais ?

NINETTE.

J'écoutais.

NINON.

Je le trouvais si beau !

NINETTE.

Je l'avais cru si tendre !

NINON.

Nous lui dirons son fait, ma chère, il faut l'attendre.

NINETTE.

Je veux bien ; restons là.

NINON.

Comment crois-tu qu'il soit ?

NINETTE.

Brun, avec de grands yeux. Il n'a pas ce qu'il croit ;
Nous allons nous venger de la belle manière.

NINON.

Brun, mais pâle. Je crois que c'est un mousquetaire.[26]
Nous allons joliment lui faire la leçon.

NINETTE.

Bien tourné, la main blanche, et de bonne façon.
C'est un monstre, ma chère, un être abominable !

NINON.

Les dents belles, l'œil vif. — Un monstre véritable.
Quant à moi, je voudrais déjà qu'il fût ici.

NINETTE.

Et le parler si doux ! — Je le voudrais aussi.

NINON.

Pour lui dire en deux mots . . .

NINETTE.

Pour lui pouvoir apprendre . . .

NINON.

Et l'air si langoureux qu'on pourrait s'y méprendre ! . . .

NINETTE.

Ah ! mon Dieu, quelqu'un vient : j'ai cru que c'était lui.

NINON.

C'est lui, c'est lui, ma chère.

Silvio entre, le visage couvert de son manteau et l'épée à la main.

NINETTE, *voyant qu'il hésite.*

Entrez donc par ici !

Irus entre, l'épée à la main, d'un côté ; le duc Laërte de l'autre.

IRUS.

Holà ! quel est ce bruit?

LAËRTE.

Holà ! quel est cet homme ?

Laërte et Silvio croisent l'épée.

IRUS, *s'interposant.*

Monsieur, demandez-lui s'il est bon gentilhomme.

LAËRTE, *donnant dans l'obscurité un coup de plat d'épée à Irus.*

Non, non, c'est un voleur !

IRUS, *tombant.*

Aïe ! aïe ! il m'a tué.

Flora jette par la fenêtre un seau d'eau sur la tête d'Irus.

Au secours ! on m'inonde. Ah ! je suis tout mouillé !

Laërte et Silvio se retirent.

NINON.

Qu'est devenu Silvio ?

NINETTE.

Je ne vois pas mon père.

Elles cherchent et rencontrent Irus.

TOUTES LES DEUX.

À l'assassin ! au meurtre ! un homme est là par terre.

Elles se sauvent.

IRUS, *seul, couché.*

Oui, oui, n'attendez pas que j'aille me lever ;
Si je disais un mot, ils viendraient m'achever.

Flora entre dans l'obscurité ; elle rencontre Irus, qu'elle prend pour Silvio.

FLORA.

Êtes-vous là, seigneur Silvio ?

IRUS, à part.

Laissons-la croire,
C'est moi ! je suis Silvio.

FLORA, reconnaissant Irus.

Vous avez donc reçu
Quelque coup de rapière ? Entrez dans cette armoire.

Elle le pousse dans une fenêtre ouverte.

NINETTE, rencontrant Silvio au fond du balcon.

Entrez dans cette chambre, ou vous êtes perdu.

Elle l'enferme dans sa chambre.

SCÈNE III.

Une chambre. — Le point du jour.

IRUS, sortant d'une armoire ; SILVIO, d'un cabinet.

IRUS.

Je n'entends plus de bruit.

SILVIO.

Je ne vois plus personne.

IRUS.

Par la mort-Dieu ! monsieur, que faites-vous ici ?

SILVIO.

C'est une question qui m'appartient aussi.

IRUS.

Ah ! tant que vous voudrez, mais la mienne est la bonne.

SILVIO.

Je vous la laisse donc, en n'y répondant pas.

IRUS.

Eh bien ! moi, j'y réponds. — Si j'y suis, c'est ma place.
Ce n'est pas par-dessus le mur de la terrasse
Que j'y suis arrivé, comme un larron d'honneur.
J'y suis venu, cordieu ![27] comme un homme de cœur.
Je ne m'en cache pas.

SILVIO.

Vous sortez d'une armoire.

IRUS.

S'il faut vous le prouver pour vous y faire croire,
Je suis votre homme au moins, mon petit hobereau.

SILVIO.

Je ne suis pas le vôtre, et vous criez trop haut.

Il veut s'en aller.

IRUS.

Par le sang ! par la mort ! mon petit gentilhomme,
Il faut donc vous apprendre à respecter les gens ?
Voilà votre façon de relever les gants ![28]

SILVIO.

Écoutez-moi, monsieur, votre scène m'assomme.
Je ne sais ni pourquoi ni de quoi vous criez.

IRUS.

C'est qu'il ne fait pas bon me marcher sur les pieds.
Vive Dieu ! savez-vous que je n'en crains pas quatre ?
Palsambleu ![29] ventrebleu ![30] je vous avalerais.

SILVIO.

Tenez, mon cher monsieur, allons plutôt nous battre.
Si vous continuiez, je vous souffletterais.

IRUS.

Mort-Dieu ! ne croyez pas, au moins, que je balance.

LAËRTE, dans la coulisse.

Ninette ! holà, Ninon !

IRUS.

C'est le père. — Silence.
Esquivons-nous, monsieur, nous nous retrouverons.

Il rentre dans son armoire, et Silvio dans le cabinet.

LAËRTE.

Ninon ! Ninon !

NINON, entrant.

Mon père, après l'histoire affreuse
Qui s'est passée ici, j'attends tous vos pardons.
Je n'aime plus Silvio. — Je vivrai malheureuse,
Et mon intention est d'épouser Irus.

Elle se jette à genoux.

LAËRTE.

Je suis vraiment ravi que vous ne l'aimiez plus.
Quel roman lisiez-vous, Ninon, cette semaine?

NINETTE, entrant et se jetant à genoux de l'autre côté.

Ô mon père ! ô mon maître ! après l'horrible scène
Dont cette nuit nos murs ont été les témoins,
À supporter mon sort je mettrai tous mes soins.
Je hais mon séducteur, et je me hais moi-même.
Si vous y consentez, Irus peut m'épouser.

LAËRTE.

Je n'ai, mes chers enfants, rien à vous refuser.
Vous m'avez offensé. — Cependant je vous aime,
Et je ne prétends pas m'opposer à vos vœux.
Enfermez-vous chez vous. — Ce soir, à la veillée,
Vous trouverez en bas la famille assemblée.
Comme vous ne pouvez l'épouser toutes deux,
Irus fera son choix. Tâchons donc d'être belles ;
Il n'est point ici-bas de douleurs éternelles.
Allez, retirez-vous.

Il sort. Ninon et Ninette le suivent.

SCÈNE IV.

IRUS, ouvrant l'armoire ; SILVIO.

IRUS.

Vous avez entendu?

SILVIO.

À merveille, monsieur, et je suis confondu.
Laquelle prendrez-vous?

IRUS.

Je ne rends point de compte.

SILVIO.

Vous daignerez me dire, au moins, monsieur le comte,
Laquelle des deux sœurs il me reste à fléchir.

IRUS.

Je n'en sais rien, monsieur, laissez-moi réfléchir.

SILVIO.

Ninette vous plaisait davantage, il me semble.

IRUS.

Vous l'avez dit. Je crois que je la préférais.

SILVIO.

Fort bien. Maintenant donc allons nous battre ensemble.

IRUS.

Je vous ai dit, monsieur, que je réfléchirais.

Ils sortent.

SCÈNE V.

Le jardin.

LAËRTE, seul.

Mon Dieu! tu m'as béni. — Tu m'as donné deux filles.
Autour de mon trésor je n'ai jamais veillé.

Tu me l'avais donné, — je te l'ai confié.
Je ne suis point venu sur les barreaux des grilles
Briser les ailes d'or de leur virginité.
J'ai laissé dans leur sein fleurir ta volonté.
La vigilance humaine est une triste affaire.
C'est la tienne, ô mon Dieu ! qui n'a jamais dormi.
Mes enfants sont à toi ; je leur savais un père,
J'ai voulu seulement leur donner un ami ; —
Tu les as vu grandir, — tu les as faites belles.
De leurs bras enfantins, comme deux sœurs fidèles,
Elles ont entouré leur frère à cheveux blancs ;
Aux forces du vieillard leur sève s'est unie,
Ces deux fardeaux si doux suspendus à sa vie
Le font vers son tombeau marcher à pas plus lents.
La nature aujourd'hui leur ouvre son mystère.
Ces beaux fruits en tombant vont perdre la poussière,
Qui dorait au soleil leur contour velouté.
L'amour va déflorer leurs tiges chancelantes.
Je te livre, ô mon Dieu ! ces deux herbes tremblantes.
Donne-leur le bonheur, si je l'ai mérité.

On entend deux coups de pistolet.

Qui se bat par ici ? Quel est donc ce tapage ?

Irus entre, la tête enveloppée de son mouchoir, Spadille portant son chapeau, et Quinola sa perruque.

Que diantre faites-vous dans ce sot équipage,
Mon neveu ?

IRUS.

Je suis mort. Il vient de me viser.

LAËRTE.

Il était bien matin, Irus, pour vous griser.

IRUS.

Regardez mon chapeau, vous y verrez sa balle.

LAËRTE.

Alors votre chapeau se meurt, mais non pas vous.

Entrent Ninon et Ninette, toutes deux vêtues en religieuses.

Que nous veut à présent cet habit de vestale?
Sommes-nous par hasard à l'hôpital des fous?

NINON.

Mon père, permettez à deux infortunées
D'aller finir leurs jours dans le fond d'un couvent.

LAËRTE.

Ah! voilà ce matin par où souffle le vent?

NINETTE.

Mon père et mon seigneur, vos filles sont damnées;
Elles n'auront jamais que leur Dieu pour époux.

LAËRTE.

Voyez, mon cher Irus, jusqu'où va votre empire.
On prend toujours le mal pour éviter le pire.
Mes filles aiment mieux épouser Dieu que vous.
Levez-vous, mes enfants; — je suis ravi, du reste,
De voir que vous aimez Silvio toutes les deux.
Rentrez chez moi. — Ce jour doit être un jour heureux,
Et vous, mon cher garçon, allez changer de veste.

IRUS.

Ai-je du sang sur moi? Mon oreille me cuit.

SPADILLE.

Oui, monsieur.

QUINOLA.

Non, monsieur.

IRUS.

Je me suis bien conduit.

Exeunt.

SCÈNE VI.

La terrasse.

NINON, SILVIO, sur un banc.

SILVIO.

Écoutez-moi, Ninon, je ne suis point coupable.
Oubliez un roman où rien n'est véritable
Que l'amour de mon cœur, dont je me sens pâmer.

NINON.

Taisez-vous ; — J'ai promis de ne pas vous aimer.

SILVIO.

Flora seule a tout fait par une maladresse.
Les billets d'hier soir portaient la même adresse.
C'est en les envoyant que je me suis trompé ;
Le nom de votre sœur sous ma plume est tombé.
Le vôtre de si près, comme vous, lui ressemble.
La main n'est pas bien sûre, hélas ! quand le cœur tremble,
Et je tremblais ; — je suis un enfant comme vous.

NINON.

De quoi pouvaient servir ces deux lettres pareilles !
Je vous écouterais de toutes mes oreilles,
Si vous ne mentiez pas avec ces mots si doux.

SILVIO.

Je vous aime, Ninon, je vous aime à genoux.

NINON.

On relit un billet, monsieur, quand on l'envoie.
Quand on le recopie, on jette le brouillon.
Ce n'est pas malaisé de bien écrire un nom.
Mais comment voulez-vous, Silvio, que je vous croie?
Vous ne répondez rien.

SILVIO.

Je vous aime, Ninon.

NINON.

Lorsqu'on n'est pas coupable, on sait bien se défendre.
Quand vous chantiez hier de cette voix si tendre,
Vous saviez bien mon nom, je l'ai bien entendu.
Et ce baiser du parc que ma sœur a reçu,
Aviez-vous oublié d'y mettre aussi l'adresse?
Regardez donc, monsieur, quelle scélératesse!
Chanter sous mon balcon en embrassant ma sœur!

SILVIO.

Je vous aime, Ninon, comme voilà mon cœur.
Vos yeux sont de cristal, — vos lèvres sont vermeilles
Comme ce ciel de pourpre autour de l'occident.
Je vous trompais hier, vous m'aimiez cependant.

NINON.

Que voulez-vous qu'on dise à des raisons pareilles?

SILVIO.

Votre taille flexible est comme un palmier vert;
Vos cheveux sont légers comme la cendre fine
Qui voltige au soleil autour d'un feu d'hiver.
Ils frémissent au vent comme la balsamine;
Sur votre front d'ivoire ils courent en glissant,
Comme une huile craintive au bord d'un lac d'argent.
Vos yeux sont transparents comme l'ambre fluide
Au bord du Niémen;[31] — leur regard est limpide
Comme une goutte d'eau sur la grenade en fleurs.

NINON.

Les vôtres, mon ami, sont inondés de pleurs.

SILVIO.

Le son de votre voix est comme un bon génie
Qui porte dans ses mains un vase plein de miel.
Toute votre nature est comme une harmonie;[32]
Le bonheur vient de vous, comme il vous vient du ciel.

Laissez-moi seulement baiser votre chaussure ;
Laissez-moi me repaître et m'ouvrir ma blessure.
Ne vous détournez pas ; laissez-moi vos beaux yeux.
N'épousez pas Irus, je serai bien heureux.
Laissez-moi rester là près de vous, en silence,
La main dans votre main passer mon existence
À sentir jour par jour mon cœur se consumer . . .

NINON.

Taisez-vous ; — j'ai promis de ne pas vous aimer.

SCÈNE VII.

Un salon.

LE DUC LAËRTE, assis sur une estrade ; IRUS, à sa droite, en habit cramoisi et l'épée à la main ; SILVIO, à sa gauche ; SPADILLE, QUINOLA, debout.

LAËRTE.

Me voici sur mon trône assis comme un grand juge.
L'innocence à mes pieds peut chercher un refuge.
Irus est le bourreau, Silvio le confesseur.
Nous sommes justiciers de l'honneur des familles.
Chambellan Quinola, faites venir mes filles.

Ninon et Ninette entrent, habillées en bergères.

NINON.

C'est en mon nom, grand duc, comme au nom de ma sœur,
Que je viens déclarer à votre seigneurie
L'immuable dessein que nous avons formé.

LAËRTE.

Voilà l'habit claustral galamment transformé.

NINETTE.

Nous vivrons loin du monde, au fond d'une prairie,
À garder nos moutons sur le bord des ruisseaux.
Nous filerons la laine ainsi que vos vassaux,
Nous renonçons au monde, au bien de notre mère.
Il nous suffit, seigneur, qu'une juste colère
Vous ait donné le droit d'oublier vos enfants.

LAËRTE.

Vous viendrez, n'est-ce pas, dîner de temps en temps?

NINETTE.

Nous vous demanderons un éternel silence.
Si notre séducteur vous brave et vous offense,
Notre avis, monseigneur, est d'en écrire au roi.

LAËRTE.

Le roi, si j'écrivais, me répondrait, je croi,
Que nous sommes bien loin, et qu'il est en affaire.
Tout ce que je puis donc, c'est d'en écrire au maire,
Et c'est ce que j'ai fait, car il soupe avec nous.

Il entre un maire et un notaire.

À Ninon.

Allons, mon Angélique,[33] embrassez votre époux.

À Ninette.

Il ne s'en ira point, ne pleurez pas, Ninette.
Embrassez votre frère, il est aussi le mien.

À Irus.

Et vous, mon cher Irus, ne baissez point la tête;
Soyez heureux aussi; — votre habit vous va bien.

ON NE BADINE PAS AVEC L'AMOUR.

COMÉDIE EN TROIS ACTES.

PERSONNAGES:

LE BARON.
PERDICAN, son fils.
MAÎTRE BLAZIUS, gouverneur de Perdican.
MAÎTRE BRIDAINE, curé.
CAMILLE, nièce du baron.
DAME PLUCHE, sa gouvernante.
ROSETTE, sœur de lait de Camille.
PAYSANS, VALETS.

ACTE PREMIER.

SCÈNE PREMIÈRE.

Une place devant le château.

LE CHŒUR.

DOUCEMENT bercé sur sa mule fringante, messer[1] Blazius s'avance dans les bluets fleuris, vêtu de neuf, l'écritoire au côté. Comme un poupon sur l'oreiller, il se ballotte sur son ventre rebondi, et, les yeux à demi fermés, il marmotte un *Pater noster* dans son triple menton. Salut, maître Blazius; vous arrivez au temps de la vendange, pareil à une amphore[2] antique.

MAÎTRE BLAZIUS.

Que ceux qui veulent apprendre une nouvelle d'importance m'apportent ici premièrement un verre de vin frais.

LE CHŒUR.

Voilà notre plus grande écuelle ; buvez, maître[3] Blazius ; le vin est bon ; vous parlerez après.

MAÎTRE BLAZIUS.

Vous saurez, mes enfants, que le jeune Perdican, fils de notre seigneur, vient d'atteindre à sa majorité, et qu'il est reçu docteur à Paris. Il revient aujourd'hui même au château, la bouche toute pleine de façons de parler si belles et si fleuries, qu'on ne sait que lui répondre les trois quarts du temps. Toute sa gracieuse personne est un livre d'or ;[4] il ne voit pas un brin d'herbe à terre, qu'il ne vous dise comment cela s'appelle en latin ; et quand il fait du vent ou qu'il pleut, il vous dit tout clairement pourquoi. Vous ouvrirez des yeux grands comme la porte que voilà, de le voir dérouler un des parchemins qu'il a coloriés d'encres de toutes couleurs de ses propres mains et sans en rien dire à personne. Enfin, c'est un diamant fin des pieds à la tête, et voilà ce que je viens annoncer à M. le baron. Vous sentez que cela me fait quelque honneur, à moi, qui suis son gouverneur depuis l'âge de quatre ans ; ainsi donc, mes bons amis, apportez une chaise, que je descende un peu de cette mule-ci sans me casser le cou ; la bête est tant soit peu rétive, et je ne serais pas fâché de boire encore une gorgée avant d'entrer.

LE CHŒUR.

Buvez, maître Blazius, et reprenez vos esprits. Nous avons vu naître le petit Perdican, et il n'était pas besoin, du moment qu'il arrive, de nous en dire si long. Puissions-nous retrouver l'enfant dans le cœur de l'homme !

MAÎTRE BLAZIUS.

Ma foi, l'écuelle est vide ; je ne croyais pas avoir tout bu. Adieu ; j'ai préparé, en trottant sur la route, deux ou trois phrases sans prétention qui plairont à monseigneur ; je vais tirer la cloche.

Il sort.

LE CHŒUR.

Durement cahotée sur son âne essoufflé, dame Pluche gravit la colline ; son écuyer transi gourdine à tour de bras le pauvre animal, qui hoche la tête un chardon entre les dents. Ses longues jambes maigres trépignent de colère, tandis que de ses mains osseuses elle égratigne son chapelet. Bonjour donc, dame Pluche ; vous arrivez comme la fièvre, avec le vent qui fait jaunir les bois.

DAME PLUCHE.

Un verre d'eau, canaille que vous êtes ! un verre d'eau et un peu de vinaigre !

LE CHŒUR.

D'où venez-vous, Pluche, ma mie ? Vos faux cheveux sont couverts de poussière, voilà un toupet de gâté, et votre chaste robe est retroussée jusqu'à vos vénérables jarretières.

DAME PLUCHE.

Sachez, manants, que la belle Camille, la nièce de votre maître, arrive aujourd'hui au château. Elle a quitté le couvent sur l'ordre exprès de monseigneur, pour venir en son temps et lieu recueillir, comme faire se doit, le bon bien qu'elle a de sa mère. Son éducation, Dieu merci, est terminée, et ceux qui la verront auront la joie de respirer une glorieuse fleur de sagesse et de dévotion. Jamais il n'y a rien eu de si pur, de si ange, de si agneau et de si colombe que cette chère nonnain ; que le seigneur Dieu du ciel la conduise ! Ainsi soit-il ! Rangez-vous, canaille ; il me semble que j'ai les jambes enflées.

LE CHŒUR.

Défripez-vous, honnête Pluche, et quand vous prierez Dieu, demandez de la pluie ; nos blés sont secs comme vos tibias.[5]

DAME PLUCHE.

Vous m'avez apporté de l'eau dans une écuelle qui sent la cuisine ; donnez-moi la main pour descendre, vous êtes des butors et des mal appris.

Elle sort.

LE CHŒUR.

Mettons nos habits du dimanche, et attendons que le baron nous fasse appeler. Ou je me trompe fort, ou quelque joyeuse bombance est dans l'air aujourd'hui.

Ils sortent.

SCÈNE II.

Le salon du baron.

Entrent LE BARON, MAÎTRE BRIDAINE, et MAÎTRE BLAZIUS.

LE BARON.

Maître Bridaine, vous êtes mon ami ; je vous présente maître Blazius, gouverneur de mon fils. Mon fils a eu hier matin, à midi huit minutes, vingt et un ans comptés, il est docteur à quatre boules blanches.[6] Maître Blazius, je vous présente maître Bridaine, curé de la paroisse ; c'est mon ami.

MAÎTRE BLAZIUS, saluant.

À quatre boules blanches, seigneur ; littérature, philosophie, droit romain, droit canon.

LE BARON.

Allez à votre chambre, cher Blazius, mon fils ne va pas tarder à paraître ; faites un peu de toilette, et revenez au coup de la cloche.

Maître Blazius sort.

MAÎTRE BRIDAINE.

Vous dirai-je ma pensée, Monseigneur? le gouverneur de votre fils sent le vin à pleine bouche.

LE BARON.

Cela est impossible.

MAÎTRE BRIDAINE.

J'en suis sûr comme de ma vie; il m'a parlé de fort près tout à l'heure; il sent le vin à faire peur.

LE BARON.

Brisons là; je vous répète que cela est impossible.

Entre dame Pluche.

Vous voilà, bonne dame Pluche? Ma nièce est sans doute avec vous?

DAME PLUCHE.

Elle me suit, Monseigneur; je l'ai devancée de quelques pas.

LE BARON.

Maître Bridaine, vous êtes mon ami. Je vous présente la dame Pluche, gouvernante de ma nièce. Ma nièce est depuis hier, à sept heures de nuit, parvenue à l'âge de dix-huit ans; elle sort du meilleur couvent de France. Dame Pluche, je vous présente maître Bridaine, curé de la paroisse; c'est mon ami.

DAME PLUCHE, saluant.

Du meilleur couvent de France, Seigneur, et je puis ajouter: la meilleure chrétienne du couvent.

LE BARON.

Allez, dame Pluche, réparer le désordre où vous voilà: ma nièce va bientôt venir, j'espère; soyez prête à l'heure du dîner.

Dame Pluche sort.

MAÎTRE BRIDAINE.

Cette vieille demoiselle paraît tout à fait pleine d'onction.

LE BARON.

Pleine d'onction et de componction, maître Bridaine ; sa vertu est inattaquable.

MAÎTRE BRIDAINE.

Mais le gouverneur sent le vin, j'en ai la certitude.

LE BARON.

Maître Bridaine, il y a des moments où je doute de votre amitié. Prenez-vous à tâche de me contredire? Pas un mot de plus là-dessus. J'ai formé le dessein de marier mon fils avec ma nièce ; c'est un couple assorti : leur éducation me coûte six mille écus.[7]

MAÎTRE BRIDAINE.

Il sera nécessaire d'obtenir des dispenses.

LE BARON.

Je les ai, Bridaine ; elles sont sur ma table dans mon cabinet. Ô mon ami ! apprenez maintenant que je suis plein de joie. Vous savez que j'ai eu de tout temps la plus profonde horreur pour la solitude. Cependant la place que j'occupe et la gravité de mon habit me forcent à rester dans ce château pendant trois mois d'hiver et trois mois d'été. Il est impossible de faire le bonheur des hommes en général, et de ses vassaux en particulier, sans donner parfois à son valet de chambre l'ordre rigoureux de ne laisser entrer personne. Qu'il est austère et difficile le recueillement de l'homme d'État ! et quel plaisir ne trouverai-je pas à tempérer, par la présence de mes deux enfants réunis, la sombre tristesse à laquelle je dois nécessairement être en proie depuis que le roi m'a nommé receveur !

MAÎTRE BRIDAINE.

Ce mariage se fera-t-il ici ou à Paris?

LE BARON.

Voilà où je vous attendais, Bridaine ; j'étais sûr de cette question. Eh bien ! mon ami, que diriez-vous si ces mains que voilà, oui, Bridaine, vos propres mains, — ne les regardez pas d'une manière aussi piteuse, — étaient destinées à bénir solennellement l'heureuse confirmation de mes rêves les plus chers ? Hé ?

MAÎTRE BRIDAINE.

Je me tais : la reconnaissance me ferme la bouche.

LE BARON.

Regardez par cette fenêtre ; ne voyez-vous pas que mes gens se portent en foule à la grille ? Mes deux enfants arrivent en même temps ; voilà la combinaison la plus heureuse. J'ai disposé les choses de manière à tout prévoir. Ma nièce sera introduite par cette porte à gauche, et mon fils par cette porte à droite. Qu'en dites-vous ? Je me fais une fête de voir comme ils s'aborderont, ce qu'ils se diront ; six mille écus ne sont pas une bagatelle, il ne faut pas s'y tromper. Ces enfants s'aimaient d'ailleurs fort tendrement dès le berceau. — Bridaine, il me vient une idée !

MAÎTRE BRIDAINE.

Laquelle ?

LE BARON.

Pendant le dîner, sans avoir l'air d'y toucher, — vous comprenez, mon ami, — tout en vidant quelques coupes joyeuses, vous savez le latin, Bridaine ?

MAÎTRE BRIDAINE.

Ita ædepol,[8] pardieu, si je le sais !

LE BARON.

Je serais bien aise de vous voir entreprendre ce garçon, — discrètement, s'entend, — devant sa cousine ; cela ne peut produire qu'un bon effet ; — faites-le parler un peu latin, —

non pas précisément pendant le dîner, cela deviendrait fastidieux, et quand à moi, je n'y comprends rien : — mais au dessert, entendez-vous?

MAÎTRE BRIDAINE.

Si vous n'y comprenez rien, Monseigneur, il est probable que votre nièce est dans le même cas.

LE BARON.

Raison de plus ; ne voulez-vous pas qu'une femme admire ce qu'elle comprend? D'où sortez-vous, Bridaine? Voilà un raisonnement qui fait pitié.

MAÎTRE BRIDAINE.

Je connais peu les femmes ; mais il me semble qu'il est difficile qu'on admire ce qu'on ne comprend pas.

LE BARON.

Je les connais, Bridaine, je connais ces êtres charmants [9] et indéfinissables. Soyez persuadé qu'elles aiment à avoir de la poudre dans les yeux,[10] et que plus on leur en jette, plus elles les écarquillent, afin d'en gober davantage.

Perdican entre d'un côté, Camille de l'autre.

Bonjour, mes enfants ; bonjour, ma chère Camille, mon cher Perdican ! embrassez-moi, et embrassez-vous.

PERDICAN.

Bonjour, mon père, ma sœur bien-aimée ! Quel bonheur ! que je suis heureux !

CAMILLE.

Mon père et mon cousin, je vous salue.

PERDICAN.

Comme te voilà grande, Camille ! et belle comme le jour.

LE BARON.

Quand as-tu quitté Paris, Perdican?

PERDICAN.

Mercredi, je crois, ou mardi. Comme te voilà métamorphosée en femme ! Je suis donc un homme, moi ? Il me semble que c'est hier que je t'ai vue pas plus haute que cela.

LE BARON.

Vous devez être fatigués ; la route est longue, et il fait chaud.

PERDICAN.

Oh ! mon Dieu, non. Regardez donc, mon père, comme Camille est jolie !

LE BARON.

Allons, Camille, embrasse ton cousin.

CAMILLE.

Excusez-moi.

LE BARON.

Un compliment vaut un baiser ; embrasse-la, Perdican.

PERDICAN.

Si ma cousine recule quand je lui tends la main, je vous dirai à mon tour : Excusez-moi ; l'amour peut voler un baiser, mais non pas l'amitié.

CAMILLE.

L'amitié ni l'amour ne doivent recevoir que ce qu'ils peuvent rendre.

LE BARON, à maître Bridaine.

Voilà un commencement de mauvais augure, hé ?

MAÎTRE BRIDAINE, au baron.

Trop de pudeur est sans doute un défaut ; mais le mariage lève bien des scrupules.

LE BARON, à maître Bridaine.

Je suis choqué, — blessé. — Cette réponse m'a déplu. — *Excusez-moi !* Avez-vous vu qu'elle a fait mine de se signer ?

— Venez ici que je vous parle. — Cela m'est pénible au dernier point. Ce moment, qui devait m'être si doux, est complétement gâté. — Je suis vexé, piqué. — Diable ! voilà qui est fort mauvais.

MAÎTRE BRIDAINE.

Dites-leur quelques mots ; les voilà qui se tournent le dos.

LE BARON.

Eh bien ! mes enfants, à quoi pensez-vous donc ? Que fais-tu là, Camille, devant cette tapisserie ?

CAMILLE, regardant un tableau.

Voilà un beau portrait, mon oncle ! N'est-ce pas une grand'tante à nous ?

LE BARON.

Oui, mon enfant, c'est ta bisaïeule, — ou du moins la sœur de ton bisaïeul, car la chère dame n'a jamais concouru, — pour sa part, je crois, autrement qu'en prières, à l'accroissement de la famille. — C'était, ma foi, une sainte femme.

CAMILLE.

Oh ! oui, une sainte ! c'est ma grand'tante Isabelle. Comme ce costume religieux lui va bien !

LE BARON.

Et toi, Perdican, que fais-tu là devant ce pot de fleurs ?

PERDICAN.

Voilà une fleur, charmante, mon père. C'est un héliotrope.

LE BARON.

Te moques-tu ? elle est grosse comme une mouche.

PERDICAN.

Cette petite fleur grosse comme une mouche a bien son prix.

MAÎTRE BRIDAINE.

Sans doute ! le docteur a raison. Demandez-lui à quel sexe, à quelle classe elle appartient, de quels éléments elle se forme, d'où lui viennent sa sève et sa couleur ; il vous ravira en extase en vous détaillant les phénomènes de ce brin d'herbe, depuis la racine jusqu'à la fleur.

PERDICAN.

Je n'en sais pas si long, mon révérend. Je trouve qu'elle sent bon, voilà tout.

SCÈNE III.

Devant le château.

Entre LE CHŒUR.

Plusieurs choses me divertissent et excitent ma curiosité. Venez, mes amis, et asseyons-nous sous ce noyer. Deux formidables dîneurs sont en ce moment en présence au château, maître Bridaine et maître Blazius. N'avez-vous pas fait une remarque ? C'est que, lorsque deux hommes à peu près pareils, également gros, également sots, ayant les mêmes vices et les mêmes passions, viennent par hasard à se rencontrer, il faut nécessairement qu'ils s'adorent ou qu'ils s'exècrent. Par la raison que les contraires s'attirent, qu'un homme grand et desséché aimera un homme petit et rond, que les blonds recherchent les bruns, et réciproquement, je prévois une lutte secrète entre le gouverneur et le curé. Tous deux sont armés d'une égale impudence ; tous deux ont pour ventre un tonneau ; non seulement ils sont gloutons, mais ils sont gourmets ; tous deux se disputeront, à dîner, non seulement la quantité, mais la qualité. Si le poisson est petit, comment faire ? et dans tous les cas une langue de carpe ne peut se partager, et une carpe ne peut avoir deux langues. *Item*, tous deux sont bavards ; mais à la rigueur ils peuvent parler ensemble sans s'écouter ni l'un ni l'autre. Déjà maître Bridaine a voulu adresser au jeune Perdican plusieurs questions pédantes, et le gouverneur a froncé le sourcil. Il lui est désagréable qu'un autre que lui semble mettre son élève à l'épreuve. *Item*, ils sont aussi ignorants l'un que l'autre. *Item*, ils sont prêtres tous deux ; l'un se targuera de sa cure, l'autre se rengorgera dans sa charge de gouverneur. Maître Blazius confesse le fils, et maître Bridaine le père. Déjà je les vois accoudés sur la table, les joues enflammées, les yeux à fleur de tête, secouer pleins de haine leurs triples mentons. Ils se regardent de la tête aux pieds, ils préludent par de légères escarmouches ; bientôt la guerre se déclare ; les cuistreries[11] de toute espèce se croisent et s'échangent, et, pour comble de malheur, entre les deux ivrognes s'agite dame Pluche, qui les repousse l'un et l'autre de ses coudes affilés.

Maintenant que voilà le dîner fini, on ouvre la grille du château. C'est la compagnie qui sort ; retirons-nous à l'écart.

Ils sortent. — Entrent le baron et dame Pluche.

LE BARON.

Vénérable Pluche, je suis peiné.

DAME PLUCHE.

Est-il possible, Monseigneur ?

LE BARON.

Oui, Pluche, cela est possible. J'avais compté depuis longtemps, — j'avais même écrit, noté, — sur mes tablettes de poche, — que ce jour devait être le plus agréable de mes jours, — oui, bonne dame, le plus agréable. — Vous n'ignorez pas que mon dessein était de marier mon fils avec ma nièce ; — cela était résolu, — convenu, — j'en avais parlé à Bridaine,

— et je vois, je crois voir, que ces enfants se parlent froidement ; ils ne se sont pas dit un mot.

DAME PLUCHE.

Les voilà qui viennent, Monseigneur. Sont-ils prévenus de vos projets ?

LE BARON.

Je leur en ai touché quelques mots en particulier. Je crois qu'il serait bon, puisque les voilà réunis, de nous asseoir sous cet ombrage propice, et de les laisser ensemble un instant.

Il se retire avec dame Pluche. — Entrent Camille et Perdican.

PERDICAN.

Sais-tu que cela n'a rien de beau, Camille, de m'avoir refusé un baiser ?

CAMILLE.

Je suis comme cela ; c'est ma manière.

PERDICAN.

Veux-tu mon bras pour faire un tour dans le village ?

CAMILLE.

Non, je suis lasse.

PERDICAN.

Cela ne te ferait pas plaisir de revoir la prairie ? Te souviens-tu de nos parties sur le bateau ? Viens, nous descendrons jusqu'aux moulins ; je tiendrai les rames, et toi le gouvernail.

CAMILLE.

Je n'en ai nulle envie.

PERDICAN.

Tu me fends l'âme. Quoi ! pas un souvenir, Camille ? pas un battement de cœur pour notre enfance, pour tout ce pauvre temps passé, si bon, si doux, si plein de niaiseries délicieuses ? Tu ne veux pas venir voir le sentier par où nous allions à la ferme ?

CAMILLE.

Non, pas ce soir.

PERDICAN.

Pas ce soir ; et quand donc ? Toute notre vie est là.

CAMILLE.

Je ne suis pas assez jeune pour m'amuser de mes poupées, ni assez vieille pour aimer le passé.

PERDICAN.

Comment dis-tu cela ?

CAMILLE.

Je dis que les souvenirs d'enfance ne sont pas de mon goût.

PERDICAN.

Cela t'ennuie ?

CAMILLE.

Oui, cela m'ennuie.

PERDICAN.

Pauvre enfant ! Je te plains sincèrement.[12]

Ils sortent chacun de leur côté.

LE BARON, rentrant avec dame Pluche.

Vous le voyez, et vous l'entendez, excellente Pluche ; je m'attendais à la plus suave harmonie, et il me semble assister à un concert où le violon joue : *Mon cœur soupire*, pendant que la flûte joue *Vive Henri IV*.[13] Songez à la discordance affreuse qu'une pareille combinaison produirait. Voilà pourtant ce qui se passe dans mon cœur.

DAME PLUCHE.

Je l'avoue ; il m'est impossible de blâmer Camille, et rien n'est de plus mauvais ton, à mon sens, que les parties de bateau.

LE BARON.

Parlez-vous sérieusement ?

DAME PLUCHE.

Seigneur, une jeune fille qui se respecte ne se hasarde pas sur les pièces d'eau.

LE BARON.

Mais observez donc, dame Pluche, que son cousin doit l'épouser, et que dès lors . . .

DAME PLUCHE.

Les convenances défendent de tenir un gouvernail, et il est malséant de quitter la terre ferme seule avec un jeune homme.

LE BARON.

Mais je répète, . . . je vous dis . . .

DAME PLUCHE.

C'est là mon opinion.

LE BARON.

Êtes-vous folle? En vérité, vous me feriez dire . . . Il y a certaines expressions que je ne veux pas, . . . qui me répugnent. . . . Vous me donnez envie . . . En vérité, si je ne me retenais . . . Vous êtes une pécore,[14] Pluche ! je ne sais que penser de vous.

Il sort.

SCÈNE IV.

Une place.

LE CHŒUR, PERDICAN.

PERDICAN.

Bonjour, mes amis. Me reconnaissez-vous?

LE CHŒUR.

Seigneur, vous ressemblez à un enfant que nous avons beaucoup aimé.

PERDICAN.

N'est-ce pas vous qui m'avez porté sur votre dos pour passer les ruisseaux de vos prairies, vous qui m'avez fait danser sur vos genoux, qui m' avez pris en croupe sur vos chevaux robustes, qui vous êtes serrés quelquefois autour de vos tables pour me faire une place au souper de la ferme?

LE CHŒUR.

Nous nous en souvenons, Seigneur. Vous étiez bien le plus mauvais garnement et le meilleur garçon de la terre.

PERDICAN.

Et pourquoi donc alors ne m'embrassez-vous pas, au lieu de me saluer comme un étranger?

LE CHŒUR.

Que Dieu te bénisse, enfant de nos entrailles! Chacun de nous voudrait te prendre dans ses bras, mais nous sommes vieux, Monseigneur, et vous êtes un homme.

PERDICAN.

Oui, il y a dix ans que je ne vous ai vus, et en un jour tout change sous le soleil. Je me suis élevé de quelques pieds vers le ciel, et vous vous êtes courbés de quelques pouces vers le tombeau. Vos têtes ont blanchi, vos pas sont devenus plus lents, vous ne pouvez plus soulever de terre votre enfant d'autrefois. C'est donc à moi d'être votre père, à vous qui avez été les miens.

LE CHŒUR.

Votre retour est un jour plus heureux que votre naissance. Il est plus doux de retrouver ce qu'on aime que d'embrasser un nouveau-né.

PERDICAN.

Voilà donc ma chère vallée ! mes noyers, mes sentiers verts, ma petite fontaine ! voilà mes jours passés encore tout pleins de vie, voilà le monde mystérieux des rêves de mon enfance ! Ô patrie ! patrie, mot incompréhensible ! l'homme n'est-il donc né que pour un coin de terre, pour y bâtir son nid et pour y vivre un jour ?

LE CHŒUR.

On nous a dit que vous êtes un savant, Monseigneur.

PERDICAN.

Oui, on me l'a dit aussi. Les sciences sont une belle chose, mes enfants ; ces arbres et ces prairies enseignent à haute voix la plus belle de toutes, l'oubli de ce qu'on sait.

LE CHŒUR.

Il s'est fait plus d'un changement pendant votre absence. Il y a des filles mariées et des garçons partis pour l'armée.

PERDICAN.

Vous me conterez tout cela. Je m'attends bien à du nouveau ; mais en vérité je n'en veux pas encore. Comme ce lavoir est petit ! autrefois il me paraissait immense ; j'avais emporté dans ma tête un océan et des forêts, et je retrouve une goutte d'eau et des brins d'herbe. Quelle est donc cette jeune fille qui chante à sa croisée derrière ces arbres ?

LE CHŒUR.

C'est Rosette, la sœur de lait de votre cousine Camille.

PERDICAN, s'avançant.

Descends vite, Rosette, et viens ici.

ROSETTE, entrant.

Oui, Monseigneur.

PERDICAN.

Tu me voyais de ta fenêtre, et tu ne venais pas, méchante fille ! Donne-moi vite cette main-là, et ces joues-là, que je t'embrasse.

ROSETTE.

Oui, Monseigneur.

PERDICAN.

Es-tu mariée, petite ? on m'a dit que tu l'étais.

ROSETTE.

Oh ! non.

PERDICAN.

Pourquoi ? il n'y a pas dans le village de plus jolie fille que toi. Nous te marierons, mon enfant.

LE CHŒUR.

Monseigneur, elle veut mourir fille.

PERDICAN.

Est-ce vrai, Rosette ?

ROSETTE.

Oh ! non.

PERDICAN.

Ta sœur Camille est arrivée. L'as-tu vue ?

ROSETTE.

Elle n'est pas encore venue par ici.

PERDICAN.

Va-t'en vite mettre ta robe neuve, et viens souper au château.

SCÈNE V.

Une salle.

Entrent LE BARON et MAÎTRE BLAZIUS.

MAÎTRE BLAZIUS.

Seigneur, j'ai un mot à vous dire ; le curé de la paroisse est un ivrogne.

LE BARON.

Fi donc ! cela ne se peut pas.

MAÎTRE BLAZIUS.

J'en suis certain ; il a bu à dîner trois bouteilles de vin.

LE BARON.

Cela est exorbitant.

MAÎTRE BLAZIUS.

Et, en sortant de table, il a marché sur les plates-bandes.

LE BARON.

Sur les plates-bandes ! — Je suis confondu. Voilà qui est étrange ! — Boire trois bouteilles de vin à dîner ! marcher sur les plates-bandes ! c'est incompréhensible. Et pourquoi ne marchait-il pas dans l'allée ?

MAÎTRE BLAZIUS.

Parce qu'il allait de travers.

LE BARON, à part.

Je commence à croire que Bridaine avait raison ce matin. Ce Blazius sent le vin d'une manière horrible.

MAÎTRE BLAZIUS.

De plus il a mangé beaucoup ; sa parole était embarrassée.

LE BARON.

Vraiment, je l'ai remarqué aussi.

MAÎTRE BLAZIUS.

Il a lâché quelques mots latins ; c'était autant de solécismes ; Seigneur, c'est un homme dépravé.

LE BARON, à part.

Pouah ! ce Blazius a une odeur qui est intolérable. — Apprenez, gouverneur, que j'ai bien autre chose en tête, et que je ne me mêle jamais de ce qu'on boit ni de ce qu'on mange. Je ne suis pas un majordome.

MAÎTRE BLAZIUS.

À Dieu ne plaise que je vous déplaise, monsieur le baron. Votre vin est bon.

LE BARON.

Il y a de bon vin dans mes caves.

MAÎTRE BRIDAINE, entrant.

Seigneur, votre fils est sur la place, suivi de tous les polissons du village.

LE BARON.

Cela est impossible.

MAÎTRE BRIDAINE.

Je l'ai vu de mes propres yeux. Il ramassait des cailloux pour faire des ricochets.

LE BARON.

Des ricochets ! ma tête s'égare ; voilà mes idées qui se bouleversent. Vous me faites un rapport insensé, Bridaine. Il est inouï qu'un docteur fasse des ricochets.

MAÎTRE BRIDAINE.

Mettez-vous à la fenêtre, Monseigneur, vous le verrez de vos propres yeux.

LE BARON, à part.

Ô ciel ! Blazius a raison ; Bridaine va de travers.

MAÎTRE BRIDAINE.

Regardez, Monseigneur, le voilà au bord du lavoir. Il tient sous le bras une jeune paysanne.

LE BARON.

Une jeune paysanne ! Mon fils vient-il ici pour débaucher mes vassales ? Une paysanne sous le bras ! et tous les gamins du village autour de lui. Je me sens hors de moi.

MAÎTRE BRIDAINE.

Cela crie vengeance.

LE BARON.

Tout est perdu ! — perdu sans ressource ! — Je suis perdu : Bridaine va de travers, Blazius sent le vin à faire horreur, et mon fils séduit toutes les filles du village en faisant des ricochets !

Il sort.

ACTE DEUXIÈME.

SCÈNE PREMIÈRE.

Un jardin.

Entrent MAÎTRE BLAZIUS et PERDICAN.

MAÎTRE BLAZIUS.

Seigneur, votre père est au désespoir.

PERDICAN.

Pourquoi cela ?

MAÎTRE BLAZIUS.

Vous n'ignorez pas qu'il avait formé le projet de vous unir à votre cousine Camille ?

PERDICAN.

Eh bien ? — Je ne demande pas mieux.

MAÎTRE BLAZIUS.

Cependant le baron croit remarquer que vos caractères ne s'accordent pas.

PERDICAN.

Cela est malheureux ; je ne puis refaire le mien.

MAÎTRE BLAZIUS.

Rendrez-vous par là ce mariage impossible ?

PERDICAN.

Je vous répète que je ne demande pas mieux que d'épouser Camille. Allez trouver le baron et dites-lui cela.

MAÎTRE BLAZIUS.

Seigneur, je me retire : voilà votre cousine qui vient de ce côté.

Il sort. — Entre Camille.

PERDICAN.

Déjà levée, cousine ? J'en suis toujours pour ce que je t'ai dit hier ; tu es jolie comme un cœur.

CAMILLE.

Parlons sérieusement, Perdican ; votre père veut nous marier. Je ne sais ce que vous en pensez ; mais je crois bien faire en vous prévenant que mon parti est pris là-dessus.

PERDICAN.

Tant pis pour moi si je vous déplais.

CAMILLE.

Pas plus qu'un autre, je ne veux pas me marier ; il n'y a rien là dont votre orgueil puisse souffrir.

PERDICAN.

L'orgueil n'est pas mon fait ; je n'en estime ni les joies ni les peines.

CAMILLE.

Je suis venue ici pour recueillir le bien de ma mère, je retourne demain au couvent.

PERDICAN.

Il y a de la franchise dans ta démarche ; touche là, et soyons bons amis.

CAMILLE.

Je n'aime pas les attouchements.

PERDICAN, lui prenant la main.

Donne-moi ta main, Camille, je t'en prie. Que crains-tu de moi ? Tu ne veux pas qu'on nous marie ? eh bien ! ne nous marions pas ; est-ce une raison pour nous haïr ? ne sommes-nous pas le frère et la sœur ? Lorsque ta mère a ordonné ce mariage dans son testament, elle a voulu que notre amitié fût éternelle, voilà tout ce qu'elle a voulu. Pourquoi nous marier ? voilà ta main et voilà la mienne ; et pour qu'elles restent unies ainsi jusqu'au dernier soupir, crois-tu qu'il nous faille un prêtre ? Nous n'avons besoin que de Dieu.

CAMILLE.

Je suis bien aise [15] que mon refus vous soit indifférent.

PERDICAN.

Il ne m'est point indifférent, Camille. Ton amour m'eût donné la vie, mais ton amitié m'en consolera. Ne quitte pas le château demain ; hier, tu as refusé de faire un tour de jardin, parce que tu voyais en moi un mari dont tu ne voulais pas. Reste ici quelques jours, laisse-moi espérer que notre vie passée n'est pas morte à jamais dans ton cœur.

CAMILLE.

Je suis obligée de partir.

PERDICAN.

Pourquoi ?

CAMILLE.

C'est mon secret.

PERDICAN.

En aimes-tu un autre que moi ?

CAMILLE.

Non ; mais je veux partir.

PERDICAN.

Irrévocablement ?

CAMILLE.

Oui, irrévocablement.

PERDICAN.

Eh bien ! adieu. J'aurais voulu m'asseoir avec toi sous les marronniers du petit bois, et causer de bonne amitié une heure où deux. Mais si cela te déplaît, n'en parlons plus ; adieu, mon enfant.

Il sort.

CAMILLE, à dame Pluche qui entre.

Dame Pluche, tout est-il prêt ? Partirons-nous demain ? Mon tuteur a-t-il fini ses comptes ?

DAME PLUCHE.

Oui, chère colombe sans tache. Le baron m'a traitée de pécore hier soir, et je suis enchantée de partir.

CAMILLE.

Tenez, voilà un mot d'écrit que vous porterez avant dîner, de ma part, à mon cousin Perdican.

DAME PLUCHE.

Seigneur mon Dieu ! est-ce possible ? Vous écrivez un billet à un homme ?

CAMILLE.

Ne dois-je pas être sa femme ? Je puis bien écrire à mon fiancé.

DAME PLUCHE.

Le seigneur Perdican sort d'ici. Que pouvez-vous lui écrire ? Votre fiancé, miséricorde ! Serait-il vrai que vous oubliiez Jésus ?

CAMILLE.

Faites ce que je vous dis, et disposez tout pour notre départ.

Elles sortent.

SCÈNE II.

La salle à manger. — On met le couvert.

Entre MAÎTRE BRIDAINE.

Cela est certain, on lui donnera encore aujourd'hui la place d'honneur. Cette chaise que j'ai occupée si longtemps à la droite du baron sera la proie du gouverneur. Ô malheureux que je suis ! Un âne bâté, un ivrogne sans pudeur, me relègue au bas bout de la table ! Le majordome lui versera le premier verre de malaga,[16] et lorsque les plats arriveront à moi, ils seront à moitié froids, et les meilleurs morceaux déjà avalés : il ne restera plus autour des perdreaux ni choux ni carottes. Ô sainte Église catholique ! Qu'on lui ait donné cette place hier, cela se concevait ; il venait d'arriver ; c'était la première fois, depuis nombre d'années, qu'il s'asseyait à cette table. Dieu ! comme il dévorait ! Non, rien ne me restera que des os et des pattes de poulet. Je ne souffrirai pas cet affront. Adieu, vénérable fauteuil où je me suis renversé tant de fois gorgé de mets succulents ! Adieu, bouteilles cachetées, fumet sans pareil de venaisons cuites à point ! Adieu, table splendide, noble salle à manger, je ne dirai plus le bénédicité ! [17] Je retourne à ma cure ; on ne me verra pas confondu parmi la foule des convives, et j'aime mieux, comme César,[18] être le premier au village que le second dans Rome.

Il sort.

SCÈNE III.

Un champ devant une petite maison.

Entrent ROSETTE et PERDICAN.

PERDICAN.

Puisque ta mère n'y est pas, viens faire un tour de promenade.

ROSETTE.

Croyez-vous que cela me fasse du bien, tous ces baisers que vous me donnez ?

PERDICAN.

Quel mal y trouves-tu? Je t'embrasserais devant ta mère. N'est-tu pas la sœur de Camille? ne suis-je pas ton frère comme je suis le sien?

ROSETTE.

Des mots sont des mots et des baisers sont des baisers. Je n'ai guère d'esprit, et je m'en aperçois bien sitôt que je veux dire quelque chose. Les belles dames savent leur affaire, selon qu'on leur baise la main droite ou la main gauche; leurs pères les embrassent sur le front, leurs frères sur la joue, leurs amoureux sur les lèvres; moi, tout le monde m'embrasse sur les deux joues, et cela me chagrine.

PERDICAN.

Que tu es jolie, mon enfant!

ROSETTE.

Il ne faut pas non plus vous fâcher pour cela. Comme vous paraissez triste ce matin! Votre mariage est donc manqué?

PERDICAN.

Les paysans de ton village se souviennent de m'avoir aimé; les chiens de la basse-cour et les arbres du bois s'en souviennent aussi; mais Camille ne s'en souvient pas. Et toi, Rosette, à quand le mariage?

ROSETTE.

Ne parlons pas de cela, voulez-vous? Parlons du temps qu'il fait, de ces fleurs que voilà, de vos chevaux et de mes bonnets.

PERDICAN.

De tout ce qui te plaira, de tout ce qui peut passer sur tes lèvres sans leur ôter ce sourire céleste que je respecte plus que ma vie.

Il l'embrasse.

ROSETTE.

Vous respectez mon sourire, mais vous ne respectez guère mes lèvres, à ce qu'il me semble. Regardez donc; voilà une goutte de pluie qui me tombe sur la main, et cependant le ciel est pur.

PERDICAN.

Pardonne-moi.

ROSETTE.

Que vous ai-je fait, pour que vous pleuriez?

Ils sortent.

SCÈNE IV.

Au château.

Entrent MAÎTRE BLAZIUS et LE BARON.

MAÎTRE BLAZIUS.

Seigneur, j'ai une chose singulière à vous dire. Tout à l'heure, j'étais par hasard dans l'office, je veux dire dans la galerie: qu'aurais-je été faire dans l'office? j'étais donc dans la galerie. J'avais trouvé par accident une bouteille, je veux dire une carafe d'eau: comment aurais-je trouvé une bouteille dans la galerie? J'étais donc en train de boire un coup de vin, je veux dire un verre d'eau, pour passer le temps, et je regardais par la fenêtre, entre deux vases de fleurs qui me paraissaient d'un goût moderne, bien qu'ils soient imités de l'étrusque.

LE BARON.

Quelle insupportable manière de parler vous avez adoptée, Blazius! vos discours sont inexplicables.

MAÎTRE BLAZIUS.

Écoutez-moi, Seigneur, prêtez-moi un moment d'attention. Je regardais donc par la fenêtre. Ne vous impatientez pas, au nom du ciel ! il y va de l'honneur de la famille.

LE BARON.

De la famille ! voilà qui est incompréhensible. De l'honneur de la famille, Blazius. Savez-vous que nous sommes trente-sept mâles, et presque autant de femmes, tant à Paris qu'en province?

MAÎTRE BLAZIUS.

Permettez-moi de continuer. Tandis que je buvais un coup de vin, je veux dire un verre d'eau, pour hâter la digestion tardive, imaginez que j'ai vu passer sous la fenêtre dame Pluche hors d'haleine.

LE BARON.

Pourquoi hors d'haleine, Blazius? ceci est insolite.

MAÎTRE BLAZIUS.

Et à côté d'elle, rouge de colère, votre nièce Camille.

LE BARON.

Qui était rouge de colère, ma nièce ou dame Pluche?

MAÎTRE BLAZIUS.

Votre nièce, Seigneur.

LE BARON.

Ma nièce rouge de colère ! Cela est inouï ! Et comment savez-vous que c'était de colère? Elle pouvait être rouge pour mille raisons ; elle avait sans doute poursuivi quelques papillons dans mon parterre.

MAÎTRE BLAZIUS.

Je ne puis rien affirmer là-dessus ; cela se peut ; mais elle s'écriait avec force : Allez-y ! trouvez-le ! faites ce qu'on vous dit ! vous êtes une sotte ! je le veux ! Et elle frappait avec son éventail sur le coude de dame Pluche, qui faisait un soubresaut dans la luzerne à chaque exclamation.

LE BARON.

Dans la luzerne? . . . Et que répondait la gouvernante aux extravagances de ma nièce? car cette conduite mérite d'être qualifiée ainsi.

MAÎTRE BLAZIUS.

La gouvernante répondait : Je ne veux pas y aller ! Je ne l'ai pas trouvé. Il fait la cour aux filles du village, à des gardeuses de dindons. Je suis trop vieille pour commencer à porter des messages d'amour ; grâce à Dieu, j'ai vécu les mains pures jusqu'ici ; — et, tout en parlant, elle froissait dans ces mains un petit papier plié en quatre.

LE BARON.

Je n'y comprends rien ; mes idées s'embrouillent tout à fait. Quelle raison pouvait avoir dame Pluche pour froisser un papier plié en quatre en faisant des soubresauts dans une luzerne? Je ne puis ajouter foi à de pareilles monstruosités.

MAÎTRE BLAZIUS.

Ne comprenez-vous pas clairement, Seigneur, ce que cela signifiait?

LE BARON.

Non, en vérité, non, mon ami, je n'y comprends absolument rien. Tout cela me paraît une conduite désordonnée, il est vrai, mais sans motif comme sans excuse.

MAÎTRE BLAZIUS.

Cela veut dire que votre nièce a une correspondance secrète.

LE BARON.

Que dites-vous? Songez-vous de qui vous parlez? Pesez vos paroles, monsieur l'abbé.

MAÎTRE BLAZIUS.

Je les pèserais dans la balance céleste qui doit peser mon âme au jugement dernier, que je n'y trouverais pas un mot qui sente la fausse monnaie. Votre nièce a une correspondance secrète.

LE BARON.

Mais songez donc, mon ami, que cela est impossible.

MAÎTRE BLAZIUS.

Pourquoi aurait-elle donc chargé sa gouvernante d'une lettre? Pourquoi aurait-elle crié : *Trouvez-le!* tandis que l'autre boudait et réchignait?

LE BARON.

Et à qui était adressée cette lettre?

MAÎTRE BLAZIUS.

Voilà précisément le *hic*, Monseigneur, *hic jacet lepus.*[19] À qui était adressée cette lettre? à un homme qui fait la cour à une gardeuse de dindons. Or, un homme qui recherche en public une gardeuse de dindons peut être soupçonné violemment d'être né pour les garder lui-même. Cependant il est impossible que votre nièce, avec l'éducation qu'elle a reçue, soit éprise d'un pareil homme; voilà ce que je dis, et ce qui fait que je n'y comprends rien non plus que vous, révérence parler.

LE BARON.

Ô ciel! ma nièce m'a déclaré ce matin même qu'elle refusait son cousin Perdican. Aimerait-elle un gardeur de dindons? Passons dans mon cabinet; j'ai éprouvé depuis hier des secousses si violentes, que je ne puis rassembler mes idées.

Ils sortent.

SCÈNE V.[20]

Une fontaine dans un bois.

Entre PERDICAN, lisant un billet.

"Trouvez-vous à midi à la petite fontaine." Que veut dire cela? tant de froideur, un refus si positif, si cruel, un orgueil si insensible, et un rendez-vous par-dessus tout? Si c'est pour me parler d'affaires, pourquoi choisir un pareil endroit! Est-ce une coquetterie? Ce matin, en me promenant avec Rosette, j'ai entendu remuer dans les broussailles, et il m'a semblé que c'était un pas de biche. Y a-t-il ici quelque intrigue?

Entre Camille.

CAMILLE.

Bonjour, cousin; j'ai cru m'apercevoir, à tort ou à raison, que vous me quittiez tristement ce matin. Vous m'avez pris la main malgré moi, je viens vous demander de me donner la vôtre. Je vous ai refusé un baiser, le voilà.

Elle l'embrasse.

Maintenant, vous m'avez dit que vous seriez bien aise de causer de bonne amitié. Asseyez-vous là, et causons.

Elle s'assoit.

PERDICAN.

Avais-je fait un rêve, ou en fais-je un autre en ce moment?

CAMILLE.

Vous avez trouvé singulier de recevoir un billet de moi, n'est-ce pas? Je suis d'humeur changeante; mais vous m'avez dit ce matin un mot très juste: "Puisque nous nous quittons, quittons-nous bons amis." Vous ne savez pas la raison pour laquelle je pars, et je viens vous la dire: je vais prendre le voile.

PERDICAN.

Est-ce possible? Est-ce toi, Camille, que je vois dans cette fontaine, assise sur les marguerites comme aux jours d'autrefois?

CAMILLE.

Oui, Perdican, c'est moi. Je viens revivre un quart d'heure de la vie passée. Je vous ai paru brusque et hautaine; cela est tout simple, j'ai renoncé au monde. Cependant, avant de le quitter, je serais bien aise d'avoir votre avis. Trouvez-vous que j'aie raison de me faire religieuse?

PERDICAN.

Ne m'interrogez pas là-dessus, car je ne me ferai jamais moine.

CAMILLE.

Depuis près de dix ans que nous avons vécu éloignés l'un de l'autre, vous avez commencé l'expérience de la vie. Je sais quel homme vous êtes, et vous devez avoir beaucoup appris en peu de temps avec un cœur et un esprit comme les vôtres. Dites-moi, avez-vous eu des maîtresses?

PERDICAN.

Pourquoi cela?

CAMILLE.

Répondez-moi, je vous en prie, sans modestie et sans fatuité.

PERDICAN.

J'en ai eu.

CAMILLE.

Les avez-vous aimées?

PERDICAN.

De tout mon cœur.

CAMILLE.

Où sont-elles maintenant? Le savez-vous?

PERDICAN.

Voilà, en vérité, des questions singulières. Que voulez-vous que je vous dise? Je ne suis ni leur mari ni leur frère; elles sont allées où bon leur a semblé.

CAMILLE.

Il doit nécessairement y en avoir une que vous ayez préférée aux autres. Combien de temps avez-vous aimé celle que vous avez aimée le mieux?

PERDICAN.

Tu es une drôle de fille! Veux-tu te faire mon confesseur?

CAMILLE.

C'est une grâce que je vous demande, de me répondre sincèrement. Vous n'êtes point un libertin, et je crois que votre cœur a de la probité. Vous avez dû inspirer l'amour, car vous le méritez, et vous ne vous seriez pas livré à un caprice. Répondez-moi, je vous en prie.

PERDICAN.

Ma foi, je ne m'en souviens pas.

CAMILLE.

Connaissez-vous un homme qui n'ait aimé qu'une femme?

PERDICAN.

Il y en a certainement.

CAMILLE.

Est-ce un de vos amis? Dites-moi son nom.

PERDICAN.

Je n'ai pas de nom à vous dire, mais je crois qu'il y a des hommes capables de n'aimer qu'une fois.

CAMILLE.

Combien de fois un honnête homme peut-il aimer?

PERDICAN.

Veux-tu me faire réciter une litanie, ou récites-tu toi-même un catéchisme?

CAMILLE.

Je voudrais m'instruire, et savoir si j'ai tort ou raison de me faire religieuse. Si je vous épousais, ne devriez-vous pas répondre avec franchise à toutes mes questions, et me montrer votre cœur à nu? Je vous estime beaucoup, et je vous crois, par votre éducation et par votre nature, supérieur à beaucoup d'autres hommes. Je suis fâchée que vous ne vous souveniez plus de ce que je vous demande; peut-être en vous connaissant mieux je m'enhardirais.

PERDICAN.

Où veux-tu en venir? Parle; je répondrai.

CAMILLE.

Répondez donc à ma première question. Ai-je raison de rester au couvent?

PERDICAN.

Non.

CAMILLE.

Je ferais donc mieux de vous épouser?

PERDICAN.

Oui.

CAMILLE.

Si le curé de votre paroisse soufflait sur un verre d'eau et vous disait que c'est un verre de vin, le boiriez-vous comme tel?

PERDICAN.

Non.

CAMILLE.

Si le curé de votre paroisse soufflait sur vous et me disait que vous m'aimerez toute votre vie, aurais-je raison de le croire?

PERDICAN.

Oui et non.

CAMILLE.

Que me conseilleriez-vous de faire le jour où je verrais que vous ne m'aimez plus ?

PERDICAN.

De prendre un amant.

CAMILLE.

Que ferai-je ensuite le jour où mon amant ne m'aimera plus ?

PERDICAN.

Tu en prendras un autre.

CAMILLE.

Combien de temps cela durera-t-il ?

PERDICAN.

Jusqu'à ce que tes cheveux soient gris, et alors les miens seront blancs.

CAMILLE.

Savez-vous ce que c'est que les cloîtres, Perdican ? Vous êtes-vous jamais assis un jour entier sur le banc d'un monastère de femmes ?

PERDICAN.

Oui, je m'y suis assis.

CAMILLE.

J'ai pour amie une sœur qui n'a que trente ans, et qui a eu cinq cent mille livres de revenu à l'âge de quinze ans. C'est la plus belle et la plus noble créature qui ait marché sur terre. Elle était pairesse du parlement, et avait pour mari un des hommes les plus distingués de France. Aucune des nobles facultés humaines n'était restée sans culture en elle, et, comme un arbrisseau d'une sève choisie, tous ses bourgeons avaient donné des ramures. Jamais l'amour et le bonheur ne poseront leur couronne fleurie sur un front plus beau. Son mari l'a trompée; elle a aimé un autre homme, et elle se meurt de désespoir.

PERDICAN.

Cela est possible.

CAMILLE.

Nous habitons la même cellule, et j'ai passé des nuits entières à parler de ses malheurs; ils sont presque devenus les miens; cela est singulier, n'est ce pas? Je ne sais trop comment cela se fait. Quand elle me parlait de son mariage, quand elle me peignait d'abord l'ivresse des premiers jours, puis la tranquillité des autres, et comme enfin tout s'était envolé; comme elle était assise[21] le soir au coin du feu, et lui auprès de la fenêtre, sans se dire un seul mot; comme leur amour avait langui, et comme tous les efforts pour se rapprocher n'aboutissaient qu'à des querelles; comme une figure étrangère est venue peu à peu se placer entre eux et se glisser dans leurs souffrances; c'était moi que je voyais agir tandis qu'elle parlait. Quand elle disait: Là, j'ai été heureuse, mon cœur bondissait; et quand elle ajoutait: Là, j'ai pleuré, mes larmes coulaient. Mais figurez-vous quelque chose de plus singulier encore; j'avais fini par me créer une vie imaginaire; cela a duré quatre ans; il est inutile de vous dire par combien de réflexions, de retours sur moi-même, tout cela est venu. Ce que je voulais vous raconter comme une curiosité, c'est que tous les récits de Louise, toutes les fictions de mes rêves portaient votre ressemblance.

PERDICAN.

Ma ressemblance à moi?

CAMILLE.

Oui, et cela est naturel: vous étiez le seul homme que j'eusse connu. En vérité, je vous ai aimé, Perdican.

PERDICAN.

Quel âge as-tu, Camille?

CAMILLE.

Dix-huit ans.

PERDICAN.

Continue, continue; j'écoute.

CAMILLE.

Il y a deux cents femmes dans notre couvent; un petit nombre de ces femmes ne connaîtra jamais la vie, et tout le reste attend la mort. Plus d'une parmi elles sont sorties du monastère comme j'en sors aujourd'hui, vierges et pleines d'espérances. Elles sont revenues peu de temps après, vieilles et désolées. Tous les jours il en meurt dans nos dortoirs, et tous les jours il en vient de nouvelles prendre la place des mortes sur les matelas de crin. Les étrangers qui nous visitent admirent le calme et l'ordre de la maison; ils regardent attentivement la blancheur de nos voiles; mais ils se demandent pourquoi nous les rabaissons sur nos yeux. Que pensez-vous de ces femmes, Perdican? Ont-elles tort ou ont-elles raison?

PERDICAN.

Je n'en sais rien.

CAMILLE.

Il s'en est trouvé quelques-unes qui me conseillent de rester vierge. Je suis bien aise de vous consulter. Croyez-vous que ces femmes-là auraient mieux fait de prendre un amant et de me conseiller d'en faire autant?

PERDICAN.

Je n'en sais rien.

CAMILLE.

Vous aviez promis de me répondre.

PERDICAN.

J'en suis dispensé tout naturellement; je ne crois pas que ce soit toi qui parles.

CAMILLE.

Cela se peut, il doit y avoir dans toutes mes idées des choses très ridicules. Il se peut bien qu'on m'ait fait la leçon, et que je ne sois qu'un perroquet mal appris. Il y a dans la galerie un petit tableau qui représente un moine courbé sur un missel;[22] à travers les barreaux obscurs de sa cellule glisse un faible rayon de soleil, et on aperçoit une locanda[23] italienne, devant laquelle danse un chevrier. Lequel de ces deux hommes estimez-vous davantage?

PERDICAN.

Ni l'un ni l'autre et tous les deux. Ce sont deux hommes de chair et d'os; il y en a un qui lit et un autre qui danse; je n'y vois pas autre chose. Tu as raison de te faire religieuse.

CAMILLE.

Vous me disiez non tout à l'heure.

PERDICAN.

Ai-je dit non? Cela est possible.

CAMILLE.

Ainsi vous me le conseillez?

PERDICAN.

Ainsi tu ne crois à rien?

CAMILLE.

Lève la tête, Perdican! quel est l'homme qui ne croit à rien?

PERDICAN, se levant.

En voilà un; je ne crois pas à la vie immortelle. — Ma sœur chérie, les religieuses t'ont donné leur expérience;

mais, crois-moi, ce n'est pas la tienne ; tu ne mourras pas sans aimer.

CAMILLE.

Je veux aimer, mais je ne veux pas souffrir ; je veux aimer d'un amour éternel, et faire des serments qui ne se violent pas. Voilà mon amant.

Elle montre son crucifix.

PERDICAN.

Cet amant-là n'exclut pas les autres.

CAMILLE.

Pour moi, du moins, il les exclura. Ne souriez pas, Perdican ! Il y a dix ans que je ne vous ai vu, et je pars demain. Dans dix autres années, si nous nous revoyons, nous en reparlerons. J'ai voulu ne pas rester dans votre souvenir comme une froide statue ; car l'insensibilité mène au point où j'en suis. Écoutez-moi : retournez à la vie, et tant que vous serez heureux, tant que vous aimerez comme on peut aimer sur la terre, oubliez votre sœur Camille ; mais s'il vous arrive jamais d'être oublié ou d'oublier vous-même, si l'ange de l'espérance vous abandonne, lorsque vous serez seul avec le vide dans le cœur, pensez à moi qui prierai pour vous.

PERDICAN.

Tu es une orgueilleuse ; prends garde à toi.

CAMILLE.

Pourquoi ?

PERDICAN.

Tu as dix-huit ans, et tu ne crois pas à l'amour !

CAMILLE.

Y croyez-vous, vous qui parlez ? vous voilà courbé près de moi avec des genoux qui se sont usés sur les tapis de vos maîtresses, et vous n'en savez plus le nom. Vous avez pleuré des larmes de joie et des larmes de désespoir ; mais vous saviez que l'eau des sources est plus constante que vos larmes, et qu'elle serait toujours là pour laver vos paupières gonflées. Vous faites votre métier de jeune homme, et vous souriez quand on vous parle de femmes désolées; vous ne croyez pas qu'on puisse mourir d'amour, vous qui vivez et qui avez aimé. Qu'est-ce donc que le monde? Il me semble que vous devez cordialement mépriser les femmes qui vous prennent tel que vous êtes, et qui chassent leur dernier amant pour vous attirer dans leurs bras avec les baisers d'un autre sur les lèvres. Je vous demandais tout à l'heure si vous aviez aimé; vous m'avez répondu comme un voyageur à qui l'on demanderait s'il a été en Italie ou en Allemagne, et qui dirait: Oui, j'y ai été; puis qui penserait à aller en Suisse, ou dans le premier pays venu. Est-ce donc une monnaie que votre amour pour qu'il puisse passer ainsi de main en main jusqu'à la mort? Non, ce n'est pas même une monnaie; car la plus mince pièce d'or vaut mieux que vous, et dans quelques mains qu'elle passe, elle garde son effigie.

PERDICAN.

Que tu es belle, Camille, lorsque tes yeux s'animent!

CAMILLE.

Oui, je suis belle, je le sais. Les complimenteurs ne m'apprendront rien; la froide nonne qui coupera mes cheveux pâlira peut-être de sa mutilation; mais ils ne se changeront pas en bagues et en chaînes pour courir les boudoirs; il n'en manquera pas un seul sur ma tête lorsque le fer y passera; je ne veux qu'un coup de ciseau, et quand le prêtre qui me bénira me mettra au doigt l'anneau d'or de mon époux céleste, la mèche de cheveux que je lui donnerai pourra lui servir de manteau.

PERDICAN.

Tu es en colère, en vérité.

CAMILLE.

J'ai eu tort de parler; j'ai ma vie entière sur les lèvres. O Perdican! ne raillez pas, tout cela est triste à mourir.

PERDICAN.

Pauvre enfant, je te laisse dire, et j'ai bien envie de te répondre un mot. Tu me parles d'une religieuse qui me paraît avoir eu sur toi une influence funeste; tu dis qu'elle a été trompée, qu'elle a trompé elle-même et qu'elle est désespérée. Es-tu sûre que si son mari ou son amant revenait lui tendre la main à travers la grille du parloir, elle ne lui tendrait pas la sienne?

CAMILLE.

Qu'est-ce que vous dites? J'ai mal entendu.

PERDICAN.

Es-tu sûre que si son mari ou son amant revenait lui dire de souffrir encore, elle répondrait non?

CAMILLE.

Je le crois.

PERDICAN.

Il y a deux cents femmes dans ton monastère, et la plupart ont au fond du cœur des blessures profondes; elles te les ont fait toucher, et elles ont coloré ta pensée virginale des gouttes de leur sang. Elles ont vécu, n'est-ce pas? et elles t'ont montré avec horreur la route de leur vie; tu t'es signée devant leurs cicatrices comme devant les plaies de Jésus; elles t'ont fait une place dans leur procession lugubre, et tu te serres contre ces corps décharnés avec une crainte religieuse, lorsque tu vois passer un homme. Es-tu sûre que si l'homme qui passe était celui qui les a trompées, celui pour qui elles pleurent et elles souffrent, celui qu'elles maudissent en priant Dieu, es-tu sûre qu'en le voyant elles ne briseraient pas leurs chaînes pour courir à leurs malheurs passés, et pour presser leurs poitrines sanglantes sur le poignard qui les a meurtries? Ô mon enfant! sais-tu les rêves de ces femmes qui te disent de ne pas rêver? Sais-tu quel nom elles murmurent quand les sanglots qui sortent de leurs lèvres font trembler l'hostie[24] qu'on leur présente? Elles qui s'assoient près de toi avec leurs têtes branlantes pour verser dans ton oreille leur vieillesse flétrie, elles qui sonnent dans les ruines de ta jeunesse le tocsin de leur désespoir, et font sentir à ton sang vermeil la fraîcheur de leurs tombes; sais-tu qui elles sont?

CAMILLE.

Vous me faites peur; la colère vous prend aussi.

PERDICAN.

Sais-tu ce que c'est que des nonnes, malheureuse fille? Elles qui te représentent l'amour des hommes comme un mensonge, savent-elles qu'il y a pis encore, le mensonge de l'amour divin? Savent-elles que c'est un crime qu'elles font, de venir chuchoter à une vierge des paroles de femme? Ah! comme elles t'ont fait la leçon! Comme j'avais prévu tout cela quand tu t'es arrêtée devant le portrait de notre vieille tante! Tu voulais partir sans me serrer la main; tu ne voulais revoir ni ce bois, ni cette pauvre petite fontaine qui nous regarde tout en larmes; tu reniais les jours de ton enfance et le masque de plâtre que les nonnes t'ont placé sur les joues me refusait un baiser de frère; mais ton cœur a battu; il a oublié sa leçon, lui qui ne sait pas lire, et tu es revenue t'asseoir sur l'herbe où nous voilà. Eh bien! Camille, ces femmes ont bien parlé; elles t'ont mise dans le vrai chemin; il pourra m'en coûter le bonheur de ma vie; mais dis-leur cela de ma part: le ciel n'est pas pour elles.

CAMILLE.

Ni pour moi, n'est-ce pas?

PERDICAN.

Adieu, Camille, retourne à ton couvent, et lorsqu'on te fera de ces récits hideux qui t'ont empoisonnée, réponds ce que je vais te dire : Tous les hommes sont menteurs, inconstants, faux, bavards, hypocrites, orgueilleux ou lâches, méprisables et sensuels ; toutes les femmes sont perfides, artificieuses, vaniteuses, curieuses et dépravées ; le monde n'est qu'un égout sans fond où les phoques les plus informes rampent et se tordent sur des montagnes de fange ; mais il y a au monde une chose sainte et sublime, c'est l'union de deux de ces êtres si imparfaits et si affreux. On est souvent trompé en amour,[25] souvent blessé et souvent malheureux ; mais on aime, et quand on est sur le bord de sa tombe, on se retourne pour regarder en arrière, et on se dit : J'ai souffert souvent,[26] je me suis trompé quelquefois, mais j'ai aimé. C'est moi qui ai vécu, et non pas un être factice créé par mon orgueil et mon ennui. Il sort.

ACTE TROISIÈME.

SCÈNE I.

Devant le château.

Entrent LE BARON et MAÎTRE BLAZIUS.

LE BARON.

Indépendamment de votre ivrognerie, vous êtes un bélître, maître Blazius. Mes valets vous voient entrer furtivement dans l'office et quand vous êtes convaincu d'avoir volé mes bouteilles de la manière la plus pitoyable, vous croyez vous justifier en accusant ma nièce d'une correspondance secrète.

MAÎTRE BLAZIUS.

Mais, monseigneur, veuillez vous rappeler. . . .

LE BARON.

Sortez, monsieur l'abbé, et ne reparaissez jamais devant moi ; il est déraisonnable d'agir comme vous le faites, et ma gravité m'oblige à ne vous pardonner de ma vie.

Il sort ; maître Blazius le suit. Entre Perdican.

PERDICAN.

Je voudrais bien savoir si je suis amoureux. D'un côté, cette manière d'interroger tant soit peu cavalière, pour une fille de dix-huit ans ; d'un autre, les idées que ces nonnes lui ont fourrées dans la tête auront de la peine à se corriger. De plus, elle doit partir aujourd'hui. Diable ! je l'aime, cela est sûr. Après tout, qui sait ? peut-être elle répétait une leçon, et d'ailleurs il est clair qu'elle ne se soucie pas de moi. D'une autre part, elle a beau être jolie, cela n'empêche pas qu'elle n'ait des manières beaucoup trop décidées, et un ton trop brusque. Je n'ai qu'à n'y plus penser ; il est clair que je ne l'aime pas. Cela est certain qu'elle est jolie ; mais pourquoi cette conversation d'hier ne veut-elle pas me sortir de la tête ? En vérité j'ai passé la nuit à radoter. Où vais-je donc ? — Ah ! je vais au village. Il sort.

SCÈNE II.

Un chemin.

Entre MAÎTRE BRIDAINE.

Que font-ils maintenant ? Hélas ! voilà midi. — Ils sont à table. Que mangent-ils ? Que ne mangent-ils pas ? J'ai vu la cuisinière traverser le village avec un énorme dindon. L'aide portait les truffes, avec un panier de raisin.

Entre maître Blazius.

MAÎTRE BLAZIUS.

Ô disgrâce imprévue ! me voilà chassé du château, par conséquent de la salle à manger. Je ne boirai plus le vin de l'office.

MAÎTRE BRIDAINE.

Je ne verrai plus fumer les plats ; je ne chaufferai plus au feu de la noble cheminée mon ventre copieux.

MAÎTRE BLAZIUS.

Pourquoi une fatale curiosité m'a-t-elle poussé à écouter le dialogue de dame Pluche et de la nièce ? Pourquoi ai-je rapporté au baron tout ce que j'ai vu ?

MAÎTRE BRIDAINE.

Pourquoi un vain orgueil m'a-t-il éloigné de ce dîner honorable, où j'étais si bien accueilli ? Que m'importait d'être à droite ou à gauche ?

MAÎTRE BLAZIUS.

Hélas ! j'étais gris, il faut en convenir, lorsque j'ai fait cette folie.

MAÎTRE BRIDAINE.

Hélas ! le vin m'avait monté à la tête quand j'ai commis cette imprudence.

MAÎTRE BLAZIUS.

Il me semble que voilà le curé.

MAÎTRE BRIDAINE.

C'est le gouverneur en personne.

MAÎTRE BLAZIUS.

Oh ! oh ! monsieur le curé, que faites-vous là ?

MAÎTRE BRIDAINE.

Moi ! je vais dîner. N'y venez-vous pas ?

MAÎTRE BLAZIUS.

Pas aujourd'hui. Hélas ! maître Bridaine, intercédez pour moi ; le baron m'a chassé. J'ai accusé faussement mademoiselle Camille d'avoir une correspondance secrète, et cependant Dieu m'est témoin que j'ai vu ou que j'ai cru voir dame Pluche dans la luzerne. Je suis perdu, monsieur le curé.

MAÎTRE BRIDAINE.

Que m'apprenez-vous là ?

MAÎTRE BLAZIUS.

Hélas ! hélas ! la vérité. Je suis en disgrâce complète pour avoir volé une bouteille.

MAÎTRE BRIDAINE.

Que parlez-vous, messire, de bouteilles volées à propos d'une luzerne et d'une correspondance ?

MAÎTRE BLAZIUS.

Je vous supplie de plaider ma cause. Je suis honnête, seigneur Bridaine. Ô digne seigneur Bridaine, je suis votre serviteur !

MAÎTRE BRIDAINE, à part.

Ô fortune ! est-ce un rêve ? Je serai donc assis sur toi, ô chaise bienheureuse !

MAÎTRE BLAZIUS.

Je vous serai reconnaissant d'écouter mon histoire, et de vouloir bien m'excuser, brave seigneur, cher curé.

MAÎTRE BRIDAINE.

Cela m'est impossible, monsieur ; il est midi sonné, et je m'en vais dîner. Si le baron se plaint de vous, c'est votre affaire. Je n'intercède point pour un ivrogne.

À part.

Vite, volons à la grille ; et toi, mon ventre, arrondis toi.

Il sort en courant.

MAÎTRE BLAZIUS, seul.

Misérable Pluche, c'est toi qui payeras pour tous ; oui, c'est toi qui es la cause de ma ruine, femme déhontée, vile entremetteuse, c'est à toi que je dois cette disgrâce. O sainte Université de Paris ! on me traite d'ivrogne ! Je suis perdu si je ne saisis une lettre, et si je ne prouve au baron que sa nièce a une correspondance. Je l'ai vue ce matin écrire à son bureau. Patience ! voici du nouveau.

Passe dame Pluche portant une lettre.

Pluche, donnez-moi cette lettre.

DAME PLUCHE.

Que signifie cela ? C'est une lettre de ma maîtresse que je vais mettre à la poste au village.

MAÎTRE BLAZIUS.

Donnez-la moi, ou vous êtes morte.

DAME PLUCHE.

Moi, morte ! morte ! Marie, Jésus, vierge et martyre !

MAÎTRE BLAZIUS.

Oui, morte, Pluche ; donnez-moi ce papier.

Ils se battent. Entre Perdican.

PERDICAN.

Qu'y a-t-il? Que faites-vous, Blazius? Pourquoi violenter cette femme?

DAME PLUCHE.

Rendez-moi la lettre. Il me l'a prise, seigneur, justice !

MAÎTRE BLAZIUS.

C'est une entremetteuse, seigneur. Cette lettre est un billet doux.

DAME PLUCHE.

C'est une lettre de Camille, seigneur, de votre fiancée.

MAÎTRE BLAZIUS.

C'est un billet doux, à un gardeur de dindons.

DAME PLUCHE.

Tu en as menti, abbé. Apprends cela de moi.

PERDICAN.

Donnez-moi cette lettre ; je ne comprends rien à votre dispute ; mais, en qualité de fiancé de Camille, je m'arroge le droit de la lire. Il lit.

" À la sœur Louise, au couvent de * * *."

À part.

Quelle maudite curiosité me saisit malgré moi ! Mon cœur bat avec force, et je ne sais ce que j'éprouve. — Retirez-vous, dame Pluche ; vous êtes une digne femme et maître Blazius est un sot. Allez dîner ; je me charge de remettre cette lettre à la poste. Sortent maître Blazius et dame Pluche.

PERDICAN, seul.

Que ce soit un crime d'ouvrir une lettre, je le sais trop bien pour le faire. Que peut dire Camille à cette sœur? Suis-je donc amoureux? Quel empire a donc pris sur moi cette singulière fille, pour que les trois mots écrits sur cette adresse me fassent trembler la main ? Cela est singulier ; Blazius, en se débattant avec la dame Pluche, a fait sauter le cachet. Est-ce un crime de rompre le pli? Bon, je n'y changerai rien. Il ouvre la lettre et lit.

" Je pars aujourd'hui, ma chère, et tout est arrivé comme je l'avais prévu. C'est une terrible chose ; mais ce pauvre jeune homme a le poignard dans le cœur ; il ne se consolera pas de m'avoir perdue. Cependant j'ai fait tout au monde pour le dégoûter de moi. Dieu me pardonnera de l'avoir réduit au désespoir par mon refus. Hélas ! ma chère, que pouvais-je y faire? Priez pour moi ; nous nous reverrons demain, et pour toujours. Toute à vous du meilleur de mon âme. CAMILLE."

Est-il possible? Camille écrit cela? C'est de moi qu'elle parle ainsi! Moi au désespoir de son refus! Eh! bon Dieu! si cela était vrai, on le verrait bien; quelle honte peut-il y avoir à aimer? Elle a fait tout au monde pour me dégoûter, dit-elle, et j'ai le poignard dans le cœur? Quel intérêt peut-elle avoir à inventer un roman pareil? Cette pensée que j'avais cette nuit est-elle donc vraie? Ô femmes! Cette pauvre Camille a peut-être une grande piété! c'est de bon cœur qu'elle se donne à Dieu, mais elle a résolu et décrété qu'elle me laisserait au désespoir. Cela était convenu entre les bonnes amies avant de partir du couvent. On a décidé que Camille allait revoir son cousin, qu'on voudrait le lui faire épouser, qu'elle refuserait, et que le cousin serait désolé. Cela est si intéressant, une jeune fille qui fait à Dieu le sacrifice du bonheur d'un cousin! Non, non, Camille, je ne t'aime pas, je ne suis pas au désespoir, je n'ai pas le poignard dans le cœur, et je te le prouverai. Oui, tu sauras que j'en aime une autre avant de partir d'ici. Holà! brave homme! *Entre un paysan.*

Allez au château; dites à la cuisine qu'on envoie un valet porter à mademoiselle Camille le billet que voici.

Il écrit.

LE PAYSAN.

Oui, monseigneur. *Il sort.*

PERDICAN.

Maintenant à l'autre. Ah! je suis au désespoir! Holà! Rosette, Rosette. *Il frappe à une porte.*

ROSETTE, *ouvrant.*

C'est vous, monseigneur! Entrez, ma mère y est.

PERDICAN.

Mets ton plus beau bonnet, Rosette, et viens avec moi.

ROSETTE.

Où donc?

PERDICAN.

Je te le dirai ; demande la permission à ta mère, mais dépêche-toi.

ROSETTE.

Oui, monseigneur. *Elle entre dans la maison.*

PERDICAN.

J'ai demandé un nouveau rendez-vous à Camille, et je suis sûr qu'elle y viendra ; mais, par le ciel, elle n'y trouvera pas ce qu'elle compte y trouver. Je veux faire la cour à Rosette devant Camille elle-même.

SCÈNE III.

Le petit bois.

Entrent CAMILLE et LE PAYSAN.

LE PAYSAN.

Mademoiselle, je vais au château porter une lettre pour vous ; faut-il que je vous la donne, ou que je la remette à la cuisine, comme me l'a dit le seigneur Perdican ?

CAMILLE.

Donne-la-moi.

LE PAYSAN.

Si vous aimez mieux que je la porte au château, ce n'est pas la peine de m'attarder.

CAMILLE.

Je te dis de me la donner.

LE PAYSAN.

Ce qui vous plaira. *Il donne la lettre.*

CAMILLE.

Tiens, voilà pour ta peine.

LE PAYSAN.

Grand merci ; je m'en vais, n'est-ce pas ?

CAMILLE.

Si tu veux.

LE PAYSAN.

Je m'en vais, je m'en vais. Il sort.

CAMILLE, lisant.

Perdican me demande de lui dire adieu, avant de partir, près de la petite fontaine où je l'ai fait venir hier. Que peut-il avoir à me dire ? Voilà justement la fontaine, et je suis toute portée. Dois-je accorder ce second rendez-vous ? Ah ! Elle se cache derrière un arbre.

Voilà Perdican qui approche avec Rosette, ma sœur de lait. Je suppose qu'il va la quitter ; je suis bien aise de ne pas avoir l'air d'arriver la première.

Entrent Perdican et Rosette qui s'assoient.

CAMILLE, cachée, à part.

Que veut dire cela ? Il la fait asseoir près de lui ? Me demande-t-il un rendez-vous pour y venir causer avec une autre ? Je suis curieuse de savoir ce qu'il lui dit.

PERDICAN, à haute voix, de manière que Camille l'entende.

Je t'aime, Rosette ! toi seule au monde tu n'as rien oublié de nos beaux jours passés ; toi seule tu te souviens de la vie qui n'est plus ; prends ta part de ma vie nouvelle ; donne-moi ton cœur, chère enfant ; voilà le gage de notre amour.

Il lui pose sa chaîne sur le cou.

ROSETTE.

Vous me donnez votre chaîne d'or ?

PERDICAN.

Regarde à présent cette bague. Lève-toi et approchons-nous de cette fontaine. Nous vois-tu tous les deux, dans la source, appuyés l'un sur l'autre? Vois-tu tes beaux yeux près des miens, ta main dans la mienne? Regarde tout cela s'effacer. Il jette sa bague dans l'eau.

Regarde comme notre image a disparu; la voilà qui revient peu à peu; l'eau qui s'était troublée reprend son équilibre; elle tremble encore; de grands cercles noirs courent à sa surface; patience, nous reparaissons; déjà je distingue de nouveau tes bras enlacés dans les miens; encore une minute, et il n'y aura plus une ride sur ton joli visage; regarde! c'était une bague que m'avait donnée Camille.

CAMILLE, à part.

Il a jeté ma bague dans l'eau!

PERDICAN.

Sais-tu ce que c'est l'amour, Rosette? Écoute! le vent se tait; la pluie du matin roule en perles sur les feuilles séchées que le soleil ranime. Par la lumière du ciel, par le soleil que voilà, je t'aime! Tu veux bien de moi, n'est-ce pas? On n'a pas flétri ta jeunesse; on n'a pas infiltré dans ton sang vermeil les restes d'un sang affadi? Tu ne veux pas te faire religieuse; te voilà jeune et belle dans les bras d'un jeune homme. Ô Rosette, Rosette! sais-tu ce que c'est que l'amour?

ROSETTE.

Hélas! monsieur le docteur, je vous aimerai comme je pourrai.

PERDICAN.

Oui, comme tu pourras; et tu m'aimeras mieux, tout docteur que je suis et toute paysanne que tu es, que ces pâles statues, fabriquées par les nonnes, qui ont la tête à la place du cœur, et qui sortent des cloîtres pour venir répandre dans la vie l'atmosphère humide de leurs cellules; tu ne sais rien; tu ne lirais pas dans un livre la prière que ta mère t'apprend, comme elle l'a apprise de sa mère ; tu ne comprends même pas le sens des paroles que tu répètes, quand tu t'agenouilles au pied de ton lit ; mais tu comprends bien que tu pries,[27] et c'est tout ce qu'il faut à Dieu.

ROSETTE.

Comme vous me parlez, monseigneur !

PERDICAN.

Tu ne sais pas lire ; mais tu sais ce que disent ces bois et ces prairies, ces tièdes rivières, ces beaux champs couverts de moissons, toute cette nature splendide de jeunesse. Tu reconnais tous ces milliers de frères, et moi pour l'un d'entre eux ; lève-toi, tu seras ma femme, et nous prendrons racine ensemble dans la sève du monde[28] tout-puissant.

Il sort avec Rosette.

SCÈNE IV.

Entre LE CHŒUR.

Il se passe assurément quelque chose d'étrange au château ; Camille a refusé d'épouser Perdican ; elle doit retourner aujourd'hui au couvent dont elle est venue. Mais je crois que le seigneur son cousin s'est consolé avec Rosette. Hélas ! la pauvre fille ne sait pas quel danger elle court en écoutant les discours d'un jeune et galant seigneur.

DAME PLUCHE, entrant.

Vite, vite, qu'on selle mon âne !

LE CHŒUR.

Passerez-vous comme un songe léger, ô vénérable dame ! Allez-vous si promptement enfourcher derechef cette pauvre bête qui est si triste de vous porter?

DAME PLUCHE.

Dieu merci, chère canaille, je ne mourrai pas ici.

LE CHŒUR.

Mourez au loin, Pluche, ma mie ; mourez inconnue dans un caveau malsain. Nous ferons des vœux pour votre respectable résurrection.

DAME PLUCHE.

Voici ma maîtresse qui s'avance.

À Camille qui entre.

Chère Camille, tout est prêt pour notre départ ; le baron a rendu ses comptes, et mon âne est bâté.

CAMILLE.

Allez au diable, vous et votre âne ! je ne partirai pas aujourd'hui.

Elle sort.

LE CHŒUR.

Que veut dire ceci ? Dame Pluche est pâle de terreur, ses faux cheveux tentent de se hérisser, sa poitrine siffle avec force et ses doigts s'allongent en se crispant.

DAME PLUCHE.

Seigneur Jésus ! Camille a juré !

Elle sort.

SCÈNE V.

Entrent LE BARON et MAÎTRE BRIDAINE.

MAÎTRE BRIDAINE.

Seigneur, il faut que je vous parle en particulier. Votre fils fait la cour à une fille du village.

LE BARON.

C'est absurde, mon ami.

MAÎTRE BRIDAINE.

Je l'ai vu distinctement passer dans la bruyère en lui donnant le bras ; il se penchait à son oreille et lui promettait de l'épouser.

LE BARON.

Cela est monstrueux.

MAÎTRE BRIDAINE.

Soyez-en convaincu ; il lui a fait un présent considérable, que la petite a montré à sa mère.

LE BARON.

Ô ciel ! considérable, Bridaine? En quoi considérable?

MAÎTRE BRIDAINE.

Pour le poids et pour la conséquence. C'est la chaîne d'or qu'il portait à son bonnet.

LE BARON.

Passons dans mon cabinet ; je ne sais à quoi m'en tenir.

Ils sortent.

SCÈNE VI.

La chambre de Camille.

Entrent CAMILLE et DAME PLUCHE.

CAMILLE.

Il a pris ma lettre, dites-vous ?

DAME PLUCHE.

Oui, mon enfant ; il s'est chargé de la mettre à la poste.

CAMILLE.

Allez au salon, dame Pluche, et faites-moi le plaisir de dire à Perdican que je l'attends ici.

Dame Pluche sort.

Il a lu ma lettre, cela est certain ; sa scène du bois est une vengeance, comme son amour pour Rosette. Il a voulu me prouver qu'il en aimait une autre que moi, et jouer l'indifférent malgré son dépit. Est-ce qu'il m'aimerait, par hasard ?

Elle lève la tapisserie.

Es-tu là, Rosette ?

ROSETTE, *entrant.*

Oui, puis-je entrer ?

CAMILLE.

Écoute-moi, mon enfant ; le seigneur Perdican ne te fait-il pas la cour ?

ROSETTE.

Hélas ! oui.

CAMILLE.

Que penses-tu de ce qu'il t'a dit ce matin ?

ROSETTE.

Ce matin ? Où donc ?

CAMILLE.

Ne fais pas l'hypocrite. — Ce matin, à la fontaine, dans le petit bois.

ROSETTE.

Vous m'avez donc vue ?

CAMILLE.

Pauvre innocente ! Non, je ne t'ai pas vue. Il t'a fait de beaux discours, n'est-ce pas ? Gageons qu'il t'a promis de t'épouser.

ROSETTE.

Comment le savez-vous ?

CAMILLE.

Qu'importe comment je le sais ! Crois-tu à ses promesses, Rosette ?

ROSETTE.

Comment n'y croirais-je pas? Il me tromperait donc? Pourquoi faire?

CAMILLE.

Perdican ne t'épousera pas, mon enfant.

ROSETTE.

Hélas! je n'en sais rien.

CAMILLE.

Tu l'aimes, pauvre fille; il ne t'épousera pas, et la preuve, je vais te la donner; rentre derrière ce rideau, tu n'auras qu'à prêter l'oreille et à venir quand je t'appellerai.

Rosette sort.

CAMILLE, seule.

Moi qui croyais faire un acte de vengeance, ferais-je un acte d'humanité? La pauvre fille a le cœur pris.

Entre Perdican.

Bonjour, cousin, asseyez-vous.

PERDICAN.

Quelle toilette, Camille! À qui en voulez-vous?

CAMILLE.

À vous, peut-être; je suis fâchée de n'avoir pu me rendre au rendez-vous que vous m'avez demandé; vous aviez quelque chose à me dire?

PERDICAN, à part.

Voilà, sur ma vie, un petit mensonge assez gros pour un agneau sans tache;[29] je l'ai vue derrière un arbre écouter la conversation.

Haut.

Je n'ai rien à vous dire qu'un adieu, Camille; je croyais que vous partiez; cependant votre cheval est à l'écurie, et vous n'avez pas l'air d'être en robe de voyage.

CAMILLE.

J'aime la discussion ; je ne suis pas bien sûre de ne pas avoir eu envie de me quereller encore avec vous.

PERDICAN.

À quoi sert de se quereller, quand le raccommodement est impossible ? Le plaisir des disputes, c'est de faire la paix.[30]

CAMILLE.

Êtes-vous convaincu que je ne veuille pas la faire ?

PERDICAN.

Ne raillez pas ; je ne suis pas de force à vous répondre.

CAMILLE.

Je voudrais qu'on me fît la cour ; je ne sais si c'est que j'ai une robe neuve, mais j'ai envie de m'amuser. Vous m'avez proposé d'aller au village, allons-y, je veux bien ; mettons-nous en bateau ; j'ai envie d'aller dîner sur l'herbe, ou de faire une promenade dans la forêt. Fera-t-il clair de lune, ce soir ? Cela est singulier, vous n'avez plus au doigt la bague que je vous ai donnée ?

PERDICAN.

Je l'ai perdue.

CAMILLE.

C'est pour cela que je l'ai trouvée ; tenez, Perdican, la voilà.

PERDICAN.

Est-ce possible ? Où l'avez-vous trouvée ?

CAMILLE.

Vous regardez si mes mains sont mouillées, n'est-ce pas ? En vérité, j'ai gâté ma robe de couvent pour retirer ce petit hochet d'enfant de la fontaine. Voilà pourquoi j'en ai mis une autre, et, je vous dis, cela m'a changé ; mettez donc cela à votre doigt.

PERDICAN.

Tu as retiré cette bague de l'eau, Camille, au risque de te précipiter? Est-ce un songe? La voilà; c'est toi qui me la mets au doigt? Ah! Camille, pourquoi me le rends-tu, ce triste gage d'un bonheur qui n'est plus? Parle, coquette et imprudente fille, pourquoi pars-tu? pourquoi restes-tu? Pourquoi, d'une heure à l'autre, changes-tu d'apparence et de couleur, comme la pierre de cette bague à chaque rayon du soleil?

CAMILLE.

Connaissez-vous le cœur des femmes, Perdican? Êtes-vous sûr de leur inconstance,[31] et savez-vous si elles changent réellement de pensée en changeant quelquefois de langage? Il y en a qui disent que non. Sans doute, il nous faut souvent jouer un rôle, souvent mentir; vous voyez que je suis franche; mais êtes-vous sûr que tout mente dans une femme, lorsque sa langue ment? Avez-vous bien réfléchi à la nature de cet être faible et violent, à la rigueur avec laquelle on le juge, aux principes qu'on lui impose? Et qui sait si, forcée à tromper par le monde, la tête de ce petit être sans cervelle ne peut pas y prendre plaisir, et mentir quelquefois par passe-temps, par folie, comme elle ment par nécessité?

PERDICAN.

Je n'entends rien à tout cela, et je ne mens jamais. Je t'aime, Camille, voilà tout ce que je sais.

CAMILLE.

Vous dites que vous m'aimez, et vous ne mentez jamais.

PERDICAN.

Jamais.

CAMILLE.

En voilà une qui dit pourtant que cela vous arrive quelquefois.

Elle lève la tapisserie; Rosette paraît au fond évanouie sur une chaise.

Que répondrez-vous à cette enfant, Perdican, lorsqu'elle vous demandera compte de vos paroles? Si vous ne mentez jamais, d'où vient donc qu'elle s'est évanouie en vous entendant dire que vous m'aimez? Je vous laisse avec elle; tâchez de la faire revenir. *Elle veut sortir.*

PERDICAN.

Un instant, Camille, écoutez-moi.

CAMILLE.

Que voulez-vous me dire? c'est à Rosette qu'il faut parler. Je ne vous aime pas, moi; je n'ai pas été chercher par dépit cette malheureuse enfant au fond de sa chaumière, pour en faire un appât, un jouet; je n'ai pas répété imprudemment devant elle des paroles brûlantes adressées à une autre; je n'ai pas feint de jeter au vent pour elle le souvenir d'une amitié chérie; je ne lui ai pas mis ma chaîne au cou; je ne lui ai pas dit que je l'épouserais.

PERDICAN.

Écoutez-moi, écoutez-moi!

CAMILLE.

N'as-tu pas souri tout à l'heure quand je t'ai dit que je n'avais pu aller à la fontaine? Eh bien! oui, j'y étais et j'ai tout entendu; mais, Dieu m'en est témoin, je ne voudrais pas y avoir parlé comme toi. Que feras-tu de cette fille-là, maintenant, quand elle viendra, avec tes baisers ardents sur les lèvres, te montrer en pleurant la blessure que tu lui as faite? Tu as voulu te venger de moi, n'est-ce pas, et me punir d'une lettre écrite à mon couvent? tu as voulu me lancer à tout prix quelque trait qui pût m'atteindre, et tu comptais pour rien que ta flèche empoisonnée traversât cette enfant, pourvu qu'elle me frappât derrière elle. Je m'étais vantée de t'avoir inspiré quelque amour, de te laisser quelque regret. Cela t'a blessé dans ton noble orgueil ? Eh bien ! apprends-le de moi, tu m'aimes, entends-tu : mais tu épouseras cette fille, ou tu n'es qu'un lâche !

PERDICAN.

Oui, je l'épouserai.

CAMILLE.

Et tu feras bien.

PERDICAN.

Très bien, et beaucoup mieux qu'en t'épousant toi-même. Qu'y a-t-il, Camille, qui t'échauffe si fort ? Cette enfant s'est évanouie ; nous la ferons bien revenir, il ne faut pour cela qu'un flacon de vinaigre ; tu as voulu me prouver que j'avais menti une fois dans ma vie ; cela est possible, mais je te trouve hardie de décider à quel instant. Viens, aide-moi à secourir Rosette. Ils sortent.

SCÈNE VII.

LE BARON et CAMILLE.

LE BARON.

Si cela se fait, je deviendrai fou.

CAMILLE.

Employez votre autorité.

LE BARON.

Je deviendrai fou, et je refuserai mon consentement, voilà qui est certain.

CAMILLE.

Vous devriez lui parler et lui faire entendre raison.

LE BARON.

Cela me jettera dans le désespoir pour tout le carnaval,[32] et je ne paraîtrai pas une fois à la cour. C'est un mariage disproportionné. Jamais on n'a entendu parler d'épouser la sœur de lait de sa cousine; cela passe toute espèce de bornes.

CAMILLE.

Faites-le appeler, et dites-lui nettement que ce mariage vous déplaît. Croyez-moi, c'est une folie, et il ne résistera pas.

LE BARON.

Je serai vêtu de noir cet hiver, tenez-le pour assuré.

CAMILLE.

Mais parlez-lui, au nom du ciel! C'est un coup de tête qu'il a fait; peut-être n'est-il déjà plus temps; s'il en a parlé, il le fera.

LE BARON.

Je vais m'enfermer pour m'abandonner à ma douleur. Dites-lui, s'il me demande, que je suis enfermé, et que je m'abandonne à ma douleur de le voir épouser une fille sans nom.

Il sort.

CAMILLE.

Ne trouverai-je pas ici un homme de cœur? En vérité, quand on en cherche, on est effrayé de sa solitude.

Entre Perdican.

Eh bien! cousin, à quand le mariage?

PERDICAN.

Le plus tôt possible; j'ai déjà parlé au notaire, au curé et à tous les paysans.

CAMILLE.

Vous comptez donc réellement que vous épouserez Rosette?

PERDICAN.

Assurément.

CAMILLE.

Qu'en dira votre père?

PERDICAN.

Tout ce qu'il voudra; il me plaît d'épouser cette fille: c'est une idée que je vous dois, et je m'y tiens. Faut-il vous répéter les lieux communs les plus rebattus sur sa naissance et sur la mienne? Elle est jeune et jolie, et elle m'aime; c'est plus qu'il n'en faut pour être trois fois heureux. Qu'elle ait de l'esprit ou qu'elle n'en ait pas, j'aurais pu trouver pire. On criera, on raillera; je m'en lave les mains.

CAMILLE.

Il n'y a rien là de risible: vous faites très bien de l'épouser. Mais je suis fâchée pour vous d'une chose: c'est qu'on dira que vous l'avez fait par dépit.

PERDICAN.

Vous êtes fâchée de cela? Oh! que non.

CAMILLE.

Si, j'en suis vraiment fâchée pour vous. Cela fait du tort à un jeune homme, de ne pouvoir résister à un moment de dépit.

PERDICAN.

Soyez-en donc fâchée; quant à moi, cela m'est bien égal.

CAMILLE.

Mais vous n'y pensez pas; c'est une fille de rien.

PERDICAN.

Elle sera donc de quelque chose, lorsqu'elle sera ma femme.

CAMILLE.

Elle vous ennuiera avant que le notaire ait mis son habit neuf et ses souliers pour venir ici; le cœur vous lèvera au repas de noces, et le soir de la fête vous lui ferez couper les mains et les pieds, comme dans les contes arabes, parce qu'elle sentira le ragoût.

PERDICAN.

Vous verrez que non. Vous ne me connaissez pas; quand une femme est douce et sensible, fraîche, bonne et belle, je suis capable de me contenter de cela, oui, en vérité, jusqu'à ne pas me soucier de savoir si elle parle latin.

CAMILLE.

Il est à regretter qu'on ait dépensé tant d'argent pour vous l'apprendre; c'est trois mille écus de perdus.[33]

PERDICAN.

Oui; on aurait mieux fait de les donner aux pauvres.

CAMILLE.

Ce sera vous qui vous en chargerez, du moins pour les pauvres d'esprit.

PERDICAN.

Et ils me donneront en échange le royaume des cieux, car il est à eux.[34]

CAMILLE.

Combien de temps durera cette plaisanterie?

PERDICAN.

Quelle plaisanterie?

CAMILLE.

Votre mariage avec Rosette.

PERDICAN.

Bien peu de temps; Dieu n'a pas fait de l'homme une œuvre de durée: trente ou quarante ans, tout au plus.

CAMILLE.

Je suis curieuse de danser à vos noces!

PERDICAN.

Écoutez-moi, Camille, voilà un ton de persiflage qui est hors de propos.

CAMILLE.

Il me plaît trop pour que je le quitte.

PERDICAN.

Je vous quitte donc vous-même, car j'en ai tout à l'heure assez.

CAMILLE.

Allez-vous chez votre épousée ?

PERDICAN.

Oui, j'y vais de ce pas.

CAMILLE.

Donnez-moi donc le bras ; j'y vais aussi.

Entre Rosette.

PERDICAN.

Te voilà, mon enfant ! Viens, je veux te présenter à mon père.

ROSETTE, se mettant à genoux.

Monseigneur, je viens vous demander une grâce. Tous les gens du village à qui j'ai parlé ce matin m'ont dit que vous aimiez votre cousine, et que vous ne m'avez fait la cour que pour vous divertir tous deux ; on se moque de moi quand je passe, et je ne pourrai plus trouver de mari dans le pays, après avoir servi de risée à tout le monde. Permettez-moi de vous rendre le collier que vous m'avez donné, et de vivre en paix chez ma mère.

CAMILLE.

Tu es une bonne fille, Rosette ; garde ce collier, c'est moi qui te le donne, et mon cousin prendra le mien à la place. Quant à un mari, n'en sois pas embarrassée, je me charge de t'en trouver un.

PERDICAN.

Cela n'est pas difficile, en effet. Allons, Rosette, viens, que je te mène à mon père.

CAMILLE.

Pourquoi ? Cela est inutile.

PERDICAN.

Oui, vous avez raison, mon père nous recevrait mal ; il faut laisser passer le premier moment de surprise qu'il a éprouvée. Viens avec moi, nous retournerons sur la place. Je trouve plaisant qu'on dise que je ne t'aime pas quand je t'épouse. Pardieu ! nous les ferons bien taire.

Il sort avec Rosette.

CAMILLE.

Que se passe-t-il donc en moi ? Il l'emmène d'un air bien tranquille. Cela est singulier : il me semble que la tête me tourne. Est-ce qu'il l'épouserait tout de bon ? Holà ! dame Pluche, dame Pluche ! N'y a-t-il donc personne ici ?

Entre un valet.

Courez après le seigneur Perdican ; dites-lui vite qu'il remonte ici, j'ai à lui parler.

Le valet sort.

Mais qu'est-ce donc que tout cela ? Je n'en puis plus, mes pieds refusent de me soutenir.

Rentre Perdican.

PERDICAN.

Vous m'avez demandé, Camille ?

CAMILLE.

Non, — non.

PERDICAN.

En vérité, vous voilà pâle ; qu'avez-vous à me dire ? Vous m'avez fait rappeler pour me parler ?

CAMILLE.

Non, non ! — Ô Seigneur Dieu !

Elle sort.

SCÈNE VIII.

Un oratoire.

Entre CAMILLE, elle se jette au pied de l'autel.

M'avez-vous abandonnée, ô mon Dieu ? Vous le savez, lorsque je suis venue, j'avais juré de vous être fidèle ; quand j'ai refusé de devenir l'épouse d'un autre que vous, j'ai cru parler sincèrement devant vous et ma conscience ; vous le savez, mon père ; ne voulez-vous donc plus de moi ? Oh ! pourquoi faites-vous mentir la vérité elle-même ? Pourquoi suis-je si faible ? Ah ! malheureuse, je ne puis plus prier.

Entre Perdican.

PERDICAN.

Orgueil ! le plus fatal des conseillers humains, qu'es-tu venu faire entre cette fille et moi ? La voilà pâle et effrayée, qui presse sur les dalles insensibles son cœur et son visage. Elle aurait pu m'aimer, et nous étions nés l'un pour l'autre ; qu'es-tu venu faire sur nos lèvres, orgueil, lorsque nos mains allaient se joindre ?

CAMILLE.

Qui m'a suivie ? Qui parle sous cette voûte ? Est-ce toi, Perdican ?

PERDICAN.

Insensés que nous sommes ! nous nous aimons. Quel songe avons-nous fait, Camille ? Quelles vaines paroles, quelles misérables folies ont passé comme un vent funeste entre nous deux ! Lequel de nous a voulu tromper l'autre ? Hélas ! cette vie est elle-même un si pénible rêve ! pourquoi encore y mêler les nôtres ? Ô mon Dieu ! le bonheur est une perle [35] si rare dans cet océan d'ici bas ! Tu nous l'avais donné, pêcheur céleste,[36] tu l'avais tiré pour nous des profondeurs de l'abîme, cet inestimable joyau ; et nous, comme des enfants gâtés que nous sommes, nous en avons fait un jouet. Le vert sentier qui nous amenait l'un vers l'autre avait une pente si douce, il était entouré de buissons si fleuris, il se perdait dans un si tranquille horizon ! il a bien fallu que la vanité, le bavardage et la colère vinssent jeter leurs rochers informes sur cette route céleste, qui nous aurait conduits à toi dans un baiser ! Il a bien fallu que nous nous fissions du mal, car nous sommes des hommes ! Ô insensés ! nous nous aimons.

Il la prend dans ses bras.

CAMILLE.

Oui, nous nous aimons, Perdican ; laisse-moi le sentir sur ton cœur. Ce Dieu qui nous regarde ne s'en offensera pas ; il veut bien que je t'aime ; il y a quinze ans qu'il le sait.

PERDICAN.

Chère créature, tu es à moi !

Il l'embrasse ; on entend un grand cri derrière l'autel.

CAMILLE.

C'est la voix de ma sœur de lait.

PERDICAN.

Comment est-elle ici? Je l'avais laissée dans l'escalier, lorsque tu m'as fait rappeler. Il faut donc qu'elle m'ait suivi sans que je m'en sois aperçu.

CAMILLE.

Entrons dans cette galerie ; c'est là qu'on a crié.

PERDICAN.

Je ne sais ce que j'éprouve ; il me semble que mes mains sont couvertes de sang.

CAMILLE.

La pauvre enfant nous a sans doute épiés ; elle s'est encore évanouie ; viens, portons-lui secours ; hélas ! tout cela est cruel.

PERDICAN.

Non, en vérité, je n'entrerai pas ; je sens un froid mortel qui me paralyse. Vas-y, Camille, et tâche de la ramener.

Camille sort.

Je vous en supplie, mon Dieu ! ne faites pas de moi un meurtrier ! Vous voyez ce qui se passe ; nous sommes deux enfants insensés, et nous avons joué avec la vie et la mort ; mais notre cœur est pur ; ne tuez pas Rosette, Dieu juste ! Je lui trouverai un mari, je réparerai ma faute ; elle est jeune, elle sera heureuse ; ne faites pas cela, ô Dieu ! vous pouvez bénir encore vos enfants. Eh bien ! Camille, qu'y a-t-il ?

Camille rentre.

CAMILLE.

Elle est morte. Adieu, Perdican.

UN CAPRICE.

COMÉDIE EN UN ACTE.

PERSONNAGES:

M. DE CHAVIGNY.
MATHILDE.
MADAME DE LÉRY.

La scène se passe dans la chambre à coucher de Mathilde.

SCÈNE PREMIÈRE.

MATHILDE, seule, travaillant au filet.

ENCORE un point, et j'ai fini.

Elle sonne : un domestique entre.

Est-on venu de chez Janisset?[1]

LE DOMESTIQUE.

Non, madame, pas encore.

MATHILDE.

C'est insupportable ; qu'on y retourne ; dépêchez-vous.

Le domestique sort.

J'aurais dû prendre les premiers glands venus ; il est huit heures ; il est à sa toilette ; je suis sûre qu'il va venir ici avant que tout soit prêt. Ce sera encore un jour de retard.

Elle se lève.

Faire une bourse en cachette à son mari, cela passerait aux yeux de bien des gens pour un peu plus que romanesque. Après un an de mariage ! Qu'est-ce que madame de Léry, par exemple, en dirait si elle le savait? Et lui-même, qu'en pensera-t-il? Bon! il rira peut-être du mystère, mais il ne rira pas du cadeau. Pourquoi ce mystère, en effet? Je ne sais; il me semble que je n'aurais pas travaillé de si bon cœur devant lui; cela aurait eu l'air de lui dire: Voyez comme je pense à vous; cela ressemblerait à un reproche; tandis qu'en lui montrant mon petit travail fini, ce sera lui qui se dira que j'ai pensé à lui.

LE DOMESTIQUE, rentrant.

On apporte cela à madame de chez le bijoutier.

Il donne un petit paquet à Mathilde.

MATHILDE.

Enfin!

Elle se rassoit.

Quand M. de Chavigny viendra, prévenez-moi.

Le domestique sort.

Nous allons donc, ma chère petite bourse, vous faire votre dernière toilette. Voyons si vous serez coquette avec ces glands-là? Pas mal. Comment serez-vous reçue maintenant? Direz-vous tout le plaisir qu'on a eu à vous faire, tout le soin qu'on a pris de votre petite personne? On ne s'attend pas à vous, mademoiselle. On n'a voulu vous montrer que dans tous vos atours. Aurez-vous un baiser pour votre peine?

Elle baise sa bourse et s'arrête.

Pauvre petite! tu ne vaux pas grand'chose; on ne te vendrait pas deux louis. Comment se fait-il qu'il me semble triste de me séparer de toi? N'as-tu pas été commencée pour être finie le plus vite possible? Ah! tu as été commencée plus gaiement que je ne t'achève. Il n'y a pourtant que quinze jours de cela; que quinze jours, est-ce possible? Non, pas davantage; et que de choses en quinze jours! Arrivons-nous trop tard, petite? . . . Pourquoi de telles idées? On vient, je crois; c'est lui; il m'aime encore.

UN DOMESTIQUE, entrant.

Voilà monsieur le comte, madame.

MATHILDE.

Ah ! mon Dieu ! je n'ai mis qu'un gland et j'ai oublié l'autre. Sotte que je suis ! Je ne pourrai pas encore la lui donner aujourd'hui ! Qu'il attende un instant, une minute, au salon ; vite, avant qu'il entre. . . .

LE DOMESTIQUE.

Le voilà, madame. Il sort. Mathilde cache sa bourse.

SCÈNE II.

MATHILDE, CHAVIGNY.

CHAVIGNY.

Bonsoir, ma chère ; est-ce que je vous dérange?

Il s'assoit.

MATHILDE.

Moi, Henri? quelle question !

CHAVIGNY.

Vous avez l'air troublé, préoccupé. J'oublie toujours, quand j'entre chez vous, que je suis votre mari, et je pousse la porte trop vite.

MATHILDE.

Il y a là un peu de méchanceté ; mais comme il y a aussi un peu d'amour, je ne vous en embrasserai pas moins.

Elle l'embrasse.

Qu'est-ce que vous croyez donc être, monsieur, quand vous oubliez que vous êtes mon mari ?

CHAVIGNY.

Ton amant, ma belle ; est-ce que je me trompe ?

MATHILDE.

Amant et ami, tu ne te trompes pas.

À part.

J'ai envie de lui donner la bourse comme elle est.

CHAVIGNY.

Quelle robe as-tu donc? Tu ne sors pas?

MATHILDE.

Non, je voulais . . ., j'espérais que peut-être . . .

CHAVIGNY.

Vous espériez? . . . Qu'est-ce que c'est donc?

MATHILDE.

Tu vas au bal? tu es superbe.

CHAVIGNY.

Pas trop; je ne sais si c'est ma faute ou celle du tailleur, mais je n'ai plus ma tournure du régiment.

MATHILDE.

Inconstant! vous ne pensez pas à moi en vous mirant dans cette glace.

CHAVIGNY.

Bah! à qui donc? Est-ce que je vais au bal pour danser? Je vous jure bien que c'est une corvée,[2] et que je m'y traîne sans savoir pourquoi.

MATHILDE.

Eh bien! restez, je vous en supplie. Nous serons seuls, et je vous dirai . . .

CHAVIGNY.

Il me semble que ta pendule avance; il ne peut être si tard.

MATHILDE.

On ne va pas au bal à cette heure-ci, quoi que puisse dire la pendule. Nous sortons de table il y a un instant.

CHAVIGNY.

J'ai dit d'atteler ; j'ai une visite à faire.

MATHILDE.

Ah ! c'est différent. Je . . . je ne savais pas . . . j'avais cru . . .

CHAVIGNY.

Eh bien ?

MATHILDE.

J'avais supposé . . ., d'après ce que tu disais . . . Mais la pendule va bien ; il n'est que huit heures. Accordez-moi un petit moment. J'ai une petite surprise à vous faire.

CHAVIGNY, se levant.

Vous savez, ma chère, que je vous laisse libre et que vous sortez quand il vous plaît. Vous trouverez juste que ce soit réciproque. Quelle surprise me destinez-vous ?

MATHILDE.

Rien ; je n'ai pas dit ce mot-là, je crois.

CHAVIGNY.

Je me trompe donc, j'avais cru l'entendre. Avez-vous là ces valses de Strauss ?[3] Prêtez-les-moi, si vous n'en faites rien.

MATHILDE.

Les voilà ; les voulez-vous maintenant ?

CHAVIGNY.

Mais, oui, si cela ne vous gêne pas. On me les a demandées pour un ou deux jours. Je ne vous en priverai pas pour longtemps.

MATHILDE.

Est-ce pour madame de Blainville ?

CHAVIGNY, prenant les valses.

Plaît-il ? ne parlez-vous pas de madame de Blainville ?

MATHILDE.

Moi ! non. Je n'ai pas parlé d'elle.

CHAVIGNY.

Pour cette fois j'ai bien entendu.

Il se rassoit.

Qu'est-ce que vous dites de madame de Blainville ?

MATHILDE.

Je pensais que mes valses étaient pour elle.

CHAVIGNY.

Et pourquoi pensiez-vous cela ?

MATHILDE.

Mais parce que . . . parce qu'elle les aime.

CHAVIGNY.

Oui, et moi aussi ; et vous aussi, je crois. Il y en a une surtout ; comment est-ce donc ? Je l'ai oubliée . . . Comment dit-elle donc ?[4]

MATHILDE.

Je ne sais pas si je m'en souviendrai.

Elle se met au piano et joue.

CHAVIGNY.

C'est cela même ! C'est charmant, divin, et vous la jouez comme un ange, ou, pour mieux dire, comme une vraie valseuse.

MATHILDE.

Est-ce aussi bien qu'elle, Henri ?

CHAVIGNY.

Qui, elle ? madame de Blainville ? Vous y tenez, à ce qu'il paraît.

MATHILDE.

Oh ! pas beaucoup. Si j'étais homme, ce n'est pas elle qui me tournerait la tête.

CHAVIGNY.

Et vous auriez raison, madame. Il ne faut jamais qu'un homme se laisse tourner la tête, ni par une femme ni par une valse.

MATHILDE.

Comptez-vous jouer ce soir, mon ami?

CHAVIGNY.

Eh ! ma chère, quelle idée avez-vous? On joue, mais on ne compte pas jouer.

MATHILDE.

Avez-vous de l'or dans vos poches?

CHAVIGNY.

Peut-être bien. Est-ce que vous en voulez?

MATHILDE.

Moi, grand Dieu ! que voulez-vous que j'en fasse?

CHAVIGNY.

Pourquoi pas? Si j'ouvre votre porte trop vite, je n'ouvre pas du moins vos tiroirs, et c'est peut-être un double tort que j'ai.

MATHILDE.

Vous mentez, monsieur, il n'y a pas longtemps que je me suis aperçue que vous les aviez ouverts, et vous me laissez beaucoup trop riche.

CHAVIGNY.

Non pas, ma chère, tant qu'il y aura des pauvres. Je sais quel usage vous faites de votre fortune, et je vous demande de me permettre de faire la charité par vos mains.

MATHILDE.

Cher Henri ! que tu es noble et bon ! Dis-moi un peu: te souviens-tu d'un jour où tu avais une petite dette à payer, et où tu te plaignais de n'avoir pas de bourse ?

CHAVIGNY.

Quand donc? Ah! c'est juste. Le fait est que quand on sort, c'est une chose insupportable de se fier à des poches qui ne tiennent à rien . . .

MATHILDE.

Aimerais-tu une bourse rouge avec un filet noir?

CHAVIGNY.

Non, je n'aime pas le rouge. Parbleu! tu me fais penser que j'ai justement là une bourse toute neuve d'hier; c'est un cadeau. Qu'en pensez vous?

Il tire une bourse de sa poche.

Est-ce de bon goût?

MATHILDE.

Voyons; voulez-vous me la montrer?

CHAVIGNY.

Tenez.

Il la lui donne; elle la regarde, puis la lui rend.

MATHILDE.

C'est très joli. De quelle couleur est-elle?

CHAVIGNY, riant.

De quelle couleur? La question est excellente.

MATHILDE.

Je me trompe . . . Je veux dire . . . Qui est-ce qui vous l'a donnée?

CHAVIGNY.

Ah! c'est trop plaisant! sur mon honneur! vos distractions sont adorables.

UN DOMESTIQUE, annonçant.

Madame de Léry!

MATHILDE.

J'ai défendu ma porte en bas.[5]

CHAVIGNY.

Non, non, qu'elle entre. Pourquoi ne pas recevoir?

MATHILDE.

Eh bien ! enfin, monsieur, cette bourse, peut-on savoir le nom de l'auteur ?

SCÈNE III.

MATHILDE, CHAVIGNY, MADAME DE LÉRY en toilette de bal.

CHAVIGNY.

Venez, madame, venez, je vous en prie ; on n'arrive pas plus à propos. Mathilde vient de me faire une étourderie qui, en vérité, vaut son pesant d'or. Figurez-vous que je lui montre cette bourse . . .

MADAME DE LÉRY.

Tiens ! c'est assez gentil. Voyons donc.

CHAVIGNY.

Je lui montre cette bourse ; elle la regarde, la tâte, la retourne, et, en me la rendant, savez-vous ce qu'elle me dit? Elle me demande de quelle couleur elle est !

MADAME DE LÉRY.

Eh bien ! elle est bleue.

CHAVIGNY.

Eh oui ! elle est bleue . . . c'est bien certain . . . et c'est précisément le plaisant de l'affaire . . . Imaginez-vous qu'on le demande?

MADAME DE LÉRY.

C'est parfait. Bonsoir, chère Mathilde ; venez-vous ce soir à l'ambassade?

MATHILDE.

Non, je compte rester.

CHAVIGNY.

Mais vous ne riez pas de mon histoire?

MADAME DE LÉRY.

Mais si. Et qui est-ce qui a fait cette bourse? Ah! je la reconnais, c'est madame de Blainville. Comment! vraiment vous ne bougez pas?

CHAVIGNY, brusquement.

À quoi la reconnaissez-vous, s'il vous plaît?

MADAME DE LÉRY.

À ce qu'elle est bleue. Je l'ai vue traîner pendant des siècles; on a mis sept ans à la faire, et vous jugez si pendant ce temps-là elle a changé de destination. Elle a appartenu en idée à trois personnes de ma connaissance. C'est un trésor que vous avez là, monsieur de Chavigny; c'est un vrai héritage que vous avez fait.

CHAVIGNY.

On dirait qu'il n'y a qu'une bourse au monde.

MADAME DE LÉRY.

Non, mais il n'y a qu'une bourse bleue. D'abord, moi, le bleu m'est odieux; ça ne veut rien dire, c'est une couleur bête. Je ne peux pas me tromper sur une chose pareille; il suffit que je l'aie vue une fois. Autant j'adore le lilas, autant je déteste le bleu.

MATHILDE.

C'est la couleur de la constance.

MADAME DE LÉRY.

Bah! c'est la couleur des perruquiers. Je ne viens qu'en passant, vous voyez, je suis en grand uniforme; il faut arriver de bonne heure dans ce pays-là ; c'est une cohue à se casser le cou. Pourquoi donc n'y venez-vous pas ? Je n'y manquerais pas pour un monde.

MATHILDE.

Je n'y ai pas pensé, et il est trop tard à présent.

MADAME DE LÉRY.

Laissez donc, vous avez tout le temps. Tenez, chère, je vais sonner. Demandez une robe. Nous mettrons Monsieur de Chavigny à la porte avec son petit meuble. Je vous coiffe, je vous pose deux brins de fleurettes, et je vous enlève dans ma voiture. Allons, voilà une affaire bâclée.

MATHILDE.

Pas pour ce soir ; je reste, décidément.

MADAME DE LÉRY.

Décidément ! est-ce un parti pris ? Monsieur de Chavigny, emmenez donc Mathilde.

CHAVIGNY, sèchement.

Je ne me mêle des affaires de personne.

MADAME DE LÉRY.

Oh ! oh ! vous aimez le bleu, à ce qu'il paraît. Eh bien ! écoutez, savez-vous ce que je vais faire ? Donnez-moi du thé, je vais rester ici.

MATHILDE.

Que vous êtes gentille, chère Ernestine ! Non, je ne veux pas priver le bal de sa reine. Allez me faire un tour de valse, et revenez à onze heures, si vous y pensez ; nous causerons seules au coin du feu,[6] puisque Monsieur de Chavigny nous abandonne.

CHAVIGNY.

Moi? pas du tout; je ne sais si je sortirai.

MADAME DE LÉRY.

Eh bien! c'est convenu, je vous quitte. À propos, vous savez mes malheurs: j'ai été volée comme dans un bois.

MATHILDE.

Volée! qu'est-ce que vous voulez dire?

MADAME DE LÉRY.

Quatre robes, ma chère, quatre amours de robes qui me venaient de Londres, perdues à la douane. Si vous les aviez vues, c'est à en pleurer; il y en avait une perse et une puce;[7] on ne fera jamais rien de pareil.

MATHILDE.

Je vous plains bien sincèrement. On vous les a donc confisquées?

MADAME DE LÉRY.

Pas du tout. Si ce n'était que cela, je crierais tant qu'on me les rendrait, car c'est un meurtre. Me voilà nue pour cet été. Imaginez qu'ils m'ont lardé mes robes; ils ont fourré leur sonde je ne sais par où dans ma caisse; ils m'ont fait des trous à y mettre un doigt. Voilà ce qu'on m'apporte hier à déjeuner.

CHAVIGNY.

Il n'y en avait pas de bleue, par hasard?

MADAME DE LÉRY.

Non, monsieur, pas la moindre. Adieu, belle; je ne fais qu'une apparition.[8] J'en suis, je crois, à ma douzième grippe de l'hiver; je vais attraper ma treizième. Aussitôt fait, j'accours, et me plonge dans vos fauteuils. Nous causerons douane, chiffons, pas vrai? Non, je suis toute triste, nous ferons du sentiment. Enfin, n'importe ! Bonsoir, monsieur de l'azur. . . . Si vous me reconduisez, je ne reviens pas.

Elle sort.

SCÈNE IV.

CHAVIGNY, MATHILDE.

CHAVIGNY.

Quel cerveau fêlé que cette femme ! Vous choisissez bien vos amies.

MATHILDE.

C'est vous qui avez voulu qu'elle montât.

CHAVIGNY.

Je parierais que vous croyez que c'est Madame de Blainville qui a fait ma bourse.

MATHILDE.

Non, puisque vous dites le contraire.

CHAVIGNY.

Je suis sûr que vous le croyez.

MATHILDE.

Et pourquoi en êtes-vous sûr?

CHAVIGNY.

Parceque je connais votre caractère : Madame de Léry est votre oracle ; c'est une idée qui n'a pas le sens commun.

MATHILDE.

Voilà un beau compliment que je ne mérite guère.

CHAVIGNY.

Oh ! mon Dieu, si ; et j'aimerais tout autant vous voir franche là-dessus que dissimulée.

MATHILDE.

Mais si je ne le crois pas, je ne puis feindre de le croire pour vous paraître sincère.

CHAVIGNY.

Je vous dis que vous le croyez ; c'est écrit sur votre visage.

MATHILDE.

S'il faut le dire pour vous satisfaire, eh bien ! j'y consens ; je le crois.

CHAVIGNY.

Vous le croyez ? et quand cela serait vrai, quel mal y aurait-il ?

MATHILDE.

Aucun, et par cette raison je ne vois pas pourquoi vous le nieriez.

CHAVIGNY.

Je ne le nie pas ; c'est elle qui l'a faite. Il se lève. Bonsoir ; je reviendrai peut-être tout à l'heure prendre le thé avec votre amie.

MATHILDE.

Henri, ne me quittez pas ainsi.

CHAVIGNY.

Qu'appelez-vous *ainsi ?* Sommes-nous fâchés ? Je ne vois là rien que de très simple : on me fait une bourse, et je la porte ; vous me demandez qui, et je vous le dis. Rien ne ressemble moins à une querelle.

MATHILDE.

Et si je vous demandais cette bourse, m'en feriez-vous cadeau ?

CHAVIGNY.

Peut-être ; à quoi vous servirait-elle ?

MATHILDE.

Il n'importe ; je vous la demande.

CHAVIGNY.

Ce n'est pas pour la porter, je suppose? Je veux savoir ce que vous en feriez.

MATHILDE.

C'est pour la porter.

CHAVIGNY.

Quelle plaisanterie! Vous porteriez une bourse faite par Madame de Blainville?

MATHILDE.

Pourquoi non? Vous la portez bien.

CHAVIGNY.

La belle raison! Je ne suis pas femme.

MATHILDE.

Eh bien! si je ne m'en sers pas, je la jetterai au feu.

CHAVIGNY.

Ah! ah! vous voilà donc enfin sincère. Eh bien! très sincèrement aussi, je la garderai, si vous le permettez.

MATHILDE.

Vous en êtes libre, assurément; mais je vous avoue qu'il m'est cruel de penser que tout le monde sait qui vous l'a faite, et que vous allez la montrer partout.

CHAVIGNY.

La montrer! Ne dirait-on pas que c'est un trophée!

MATHILDE.

Écoutez-moi, je vous en prie, et laissez moi votre main dans les miennes. Elle l'embrasse.

M'aimez-vous, Henri? répondez.

CHAVIGNY.

Je vous aime, et je vous écoute.

MATHILDE.

Je vous jure que je ne suis pas jalouse ; mais si vous me donnez cette bourse de bonne amitié, je vous remercierai de tout mon cœur. C'est un petit échange que je vous propose, et je crois, j'espère du moins, que vous ne trouverez pas que vous y perdez.

CHAVIGNY.

Voyons votre échange ; qu'est-ce que c'est ?

MATHILDE.

Je vais vous le dire, si vous y tenez ; mais si vous me donniez la bourse auparavant, sur parole, vous me rendriez bien heureuse.

CHAVIGNY.

Je ne donne rien sur parole.

MATHILDE.

Voyons, Henri, je vous en prie.

CHAVIGNY.

Non.

MATHILDE.

Eh bien ! je t'en supplie à genoux.

CHAVIGNY.

Levez-vous, Mathilde, je vous en conjure à mon tour ; vous savez que je n'aime pas ces manières-là. Je ne peux pas souffrir qu'on s'abaisse, et je le comprends moins ici que jamais. C'est trop insister sur un enfantillage ; si vous l'exigiez sérieusement, je jetterais cette bourse au feu moi-même, et je n'aurais que faire d'échange pour cela. Allons, levez-vous, et n'en parlons plus. Adieu ; à ce soir ; je reviendrai.

Il sort.

SCÈNE V.

MATHILDE, seule.

Puisque ce n'est pas celle-là, ce sera donc l'autre que je brûlerai.

Elle va à son secrétaire et en tire la bourse qu'elle a faite.

Pauvre petite, je te baisais tout à l'heure ; et te souviens-tu de ce que je te disais ? Nous arrivons trop tard, tu le vois. Il ne veut pas de toi, et ne veut plus de moi.

Elle s'approche de la cheminée.

Qu'on est folle de faire des rêves ! ils ne se réalisent jamais. Pourquoi cet attrait, ce charme invincible qui nous fait caresser une idée ? Pourquoi tant de plaisir à la suivre, à l'exécuter en secret ? À quoi bon tout cela ? À pleurer ensuite. Que demande donc l'impitoyable hasard ? Quelles précautions, quelles prières faut-il donc pour mener à bien le souhait le plus simple, la plus chétive espérance ? Vous avez bien dit, monsieur le comte, j'insiste sur un enfantillage, mais il m'était doux d'y insister ; et vous, si fier ou si infidèle, il ne vous eût pas coûté beaucoup de vous prêter à cet enfantillage. Ah ! il ne m'aime plus, il ne m'aime plus. Il vous aime, madame de Blainville !

Elle pleure.

Allons ! il n'y faut plus penser. Jetons au feu ce hochet d'enfant qui n'a pas su arriver assez vite ; si je le lui avais donné ce soir, il l'aurait peut-être perdu demain. Ah ! sans nul doute, il l'aurait fait ! il laisserait ma bourse traîner sur la table, je ne sais où, dans ses rebuts, tandis que l'autre le suivra partout, tandis qu'en jouant, à l'heure qu'il est, il la tire avec orgueil ; je le vois l'étaler sur le tapis, et faire résonner l'or qu'elle renferme. Malheureuse ! je suis jalouse ; il me manquait cela pour me faire haïr !

Elle va jeter sa bourse au feu, et s'arrête.

Mais qu'as-tu fait ! Pourquoi te détruire, triste ouvrage de mes mains ? Il n'y a pas de ta faute ; tu attendais, tu espérais aussi ! Tes fraîches couleurs n'ont point pâli durant cet entretien cruel ; tu me plais, je sens que je t'aime ; dans ce petit réseau fragile, il y a quinze jours de ma vie ; ah ! non, non, la main qui t'a faite ne te tuera pas ; je veux te conserver, je veux t'achever ; tu seras pour moi une relique, je te porterai sur mon cœur ; tu m'y feras en même temps du bien et du mal ; tu me rappelleras mon amour pour lui, son oubli, ses caprices ; et qui sait ? cachée à cette place, il reviendra peut-être t'y chercher.

Elle s'assoit et attache le gland qui manquait.

SCÈNE VI.

MATHILDE, MADAME DE LÉRY.

MADAME DE LÉRY, derrière la scène.

Personne nulle part ! qu'est-ce que cela veut dire ? on entre ici comme dans un moulin.

Elle ouvre la porte et crie en riant.

Madame de Léry !

Elle entre. Mathilde se lève.

Rebonsoir,[9] chère ; pas de domestiques chez vous ; je cours partout pour trouver quelqu'un. Ah ! je suis rompue !

Elle s'assoit.

MATHILDE.

Débarrassez-vous de vos fourrures.

MADAME DE LÉRY.

Tout à l'heure ; je suis gelée. Aimez-vous ce renard-là ? on dit que c'est de la martre d'Éthiopie, je ne sais quoi ; c'est M. de Léry qui me l'a apporté de Hollande. Moi, je trouve cela laid, franchement : je le porterai trois fois, par politesse, et puis je le donnerai à Ursule.

MATHILDE.

Une femme de chambre ne peut pas mettre cela.

MADAME DE LÉRY.

C'est vrai ; je m'en ferai un petit tapis.

MATHILDE.

Eh bien ! ce bal était-il beau ?

MADAME DE LÉRY.

Ah ! mon Dieu, ce bal ! mais je n'en viens pas. Vous ne croiriez jamais ce qui m'arrive.

MATHILDE.

Vous n'y êtes donc pas allée ?

MADAME DE LÉRY.

Si fait, j'y suis allée, mais je n'y suis pas entrée. C'est à mourir de rire. Figurez-vous une queue[10] . . . une queue . . .

Elle éclate de rire.

Ces choses-là vous font-elles peur, à vous ?

MATHILDE.

Mais oui ; je n'aime pas les embarras de voitures.

MADAME DE LÉRY.

C'est désolant quand on est seule. J'avais beau crier au cocher d'avancer, il ne bougeait pas ; j'étais d'une colère ! j'avais envie de monter sur le siège ; je vous réponds bien que j'aurais coupé leur queue. Mais c'est si bête d'être là, en toilette, vis-à-vis d'un carreau mouillé ; car, avec cela, il pleut à verse. Je me suis divertie une demi-heure à voir patauger les passants, et puis j'ai dit de retourner. Voilà mon bal. — Ce feu me fait un plaisir ! je me sens renaître !

Elle ôte sa fourrure. Mathilde sonne, et un domestique entre.

MATHILDE.

Le thé.

Le domestique sort.

MADAME DE LÉRY.

M. de Chavigny est donc parti?

MATHILDE.

Oui; je pense qu'il va à ce bal, et il sera plus obstiné que vous.

MADAME DE LÉRY.

Je crois qu'il ne m'aime guère, soit dit entre nous.

MATHILDE.

Vous vous trompez, je vous assure; il m'a dit cent fois qu'à ses yeux vous étiez une des plus jolies femmes de Paris.

MADAME DE LÉRY.

Vraiment? c'est très poli de sa part; mais je le mérite, car je le trouve fort bien. Voulez-vous me prêter une épingle?

MATHILDE.

Vous en avez à côté de vous.

MADAME DE LÉRY.

Cette Palmire vous fait des robes, on ne se sent pas des épaules; on croit toujours que tout va tomber. Est-ce elle qui vous fait ces manches-là?

MATHILDE.

Oui.

MADAME DE LÉRY.

Très jolies, très bien, très jolies. Décidément il n'y a que les manches plates; mais j'ai été longtemps à m'y faire; et puis je trouve qu'il ne faut pas être trop grasse pour les porter, parce que sans cela on a l'air d'une cigale, avec un gros corps et de petites pattes.

MATHILDE.

J'aime assez la comparaison.

On apporte le thé.

MADAME DE LÉRY.

N'est-ce pas? Regardez mademoiselle Saint-Ange. Il ne faut pourtant pas être trop maigre non plus, parce qu'alors il ne reste plus rien. On se récrie sur la marquise d'Ermont ; moi, je trouve qu'elle a l'air d'une potence. C'est une belle tête, si vous voulez, mais c'est une madone au bout d'un bâton.

MATHILDE, riant.

Voulez-vous que je vous serve, ma chère?

MADAME DE LÉRY.

Rien que de l'eau chaude, avec un soupçon de thé et un nuage de lait.

MATHILDE, versant le thé.

Allez-vous demain chez madame d'Égly? Je vous prendrai, si vous voulez.

MADAME DE LÉRY.

Ah ! Madame d'Égly ! en voilà une autre ! avec sa frisure et ses jambes, elle me fait l'effet de ces balais pour épousseter les araignées. Elle boit.

Mais, certainement, j'irai demain. Non, je ne peux pas ; je vais au concert.

MATHILDE.

Il est vrai qu'elle est un peu drôle.

MADAME DE LÉRY.

Regardez-moi donc, je vous en prie.

MATHILDE.

Pourquoi?

MADAME DE LÉRY.

Regardez-moi en face, là, franchement.

MATHILDE.

Que me trouvez-vous d'extraordinaire?

MADAME DE LÉRY.

Eh ! certainement, vous avez les yeux rouges, vous venez de pleurer, c'est clair comme le jour. Qu'est-ce qui se passe donc, ma chère Mathilde ?

MATHILDE.

Rien, je vous jure. Que voulez-vous qu'il se passe ?

MADAME DE LÉRY.

Je n'en sais rien, mais vous venez de pleurer ; je vous dérange, je m'en vais.

MATHILDE.

Au contraire, je vous supplie de rester.

MADAME DE LÉRY.

Est-ce bien franc ? Je reste, si vous voulez ; mais vous me direz vos peines. Mathilde secoue la tête.

Non ? Alors je m'en vais, car vous comprenez que du moment que je ne suis bonne à rien, je ne peux que nuire involontairement.

MATHILDE.

Restez, votre présence m'est précieuse, votre esprit m'amuse, et s'il était vrai que j'eusse quelque souci, votre gaieté le chasserait.

MADAME DE LÉRY.

Tenez, je vous aime. Vous me croyez peut-être légère ; personne n'est si sérieux que moi pour les choses sérieuses. Je ne comprends pas qu'on joue avec le cœur, et c'est pour cela que j'ai l'air d'en manquer. Je sais ce que c'est que de souffrir, on me l'a appris bien jeune encore. Je sais aussi ce que c'est que de dire ses chagrins. Si ce qui vous afflige peut se confier, parlez hardiment : ce n'est pas la curiosité qui me pousse.

MATHILDE.

Je vous crois bonne, et surtout très sincère ; mais dispensez-moi de vous obéir.

MADAME DE LÉRY.

Ah, mon Dieu ! j'y suis ! c'est la bourse bleue. J'ai fait une sottise affreuse en nommant Madame de Blainville. J'y ai pensé en vous quittant ; est-ce que Monsieur de Chavigny lui fait la cour ?

Mathilde se lève, ne pouvant répondre, se détourne et porte son mouchoir à ses yeux.

MADAME DE LÉRY.

Est-il possible ?

Un long silence. Mathilde se promène quelque temps, puis va s'asseoir à l'autre bout de la chambre. Madame de Léry semble réfléchir. Elle se lève et s'approche de Mathilde ; celle-ci lui tend la main.

MADAME DE LÉRY.

Vous savez, ma chère, que les dentistes vous disent de crier quand ils vous font mal. Moi, je vous dis : Pleurez, pleurez ! Douces ou amères, les larmes soulagent toujours.[11]

MATHILDE.

Ah ! mon Dieu !

MADAME DE LÉRY.

Mais c'est incroyable, une chose pareille ! On ne peut pas aimer Madame de Blainville ; c'est une coquette à moitié perdue, qui n'a ni esprit ni beauté. Elle ne vaut pas votre petit doigt ; on ne quitte pas un ange pour un diable.

MATHILDE, sanglotant.

Je suis sûre qu'il l'aime, j'en suis sûre.

MADAME DE LÉRY.

Non, mon enfant, ça ne se peut pas ; c'est un caprice, une fantaisie. Je connais Monsieur de Chavigny plus qu'il ne pense ; il est méchant, mais il n'est pas mauvais. Il aura agi par boutade ; avez-vous pleuré devant lui ?

MATHILDE.

Oh ! non, jamais.

MADAME DE LÉRY.

Vous avez bien fait ; il ne m'étonnerait pas qu'il en fût bien aise.

MATHILDE.

Bien aise ? bien aise de me voir pleurer ?

MADAME DE LÉRY.

Eh ! mon Dieu, oui. J'ai vingt-cinq ans d'hier, mais je sais ce qui en est sur bien des choses. Comment tout cela est-il venu ?

MATHILDE.

Mais . . . je ne sais . . .

MADAME DE LÉRY.

Parlez. Avez-vous peur de moi ? je vais vous rassurer tout de suite ; si, pour vous mettre à votre aise, il faut m'engager de mon côté, je vais vous prouver que j'ai confiance en vous et vous forcer à l'avoir en moi ; est-ce nécessaire ? je le ferai. Qu'est-ce qu'il vous plaît de savoir sur mon compte ?

MATHILDE.

Vous êtes ma meilleure amie ; je vous dirai tout, je me fie à vous. Il ne s'agit de rien de bien grave ; mais j'ai une folle tête qui m'entraîne. J'avais fait à Monsieur de Chavigny une petite bourse en cachette que je comptais lui offrir aujourd'hui ; depuis quinze jours, je le vois à peine ; il passe ses journées chez Madame de Blainville. Lui offrir ce petit cadeau, c'était lui faire un doux reproche de son absence et lui montrer qu'il me laissait seule. Au moment où j'allais lui donner ma bourse, il a tiré l'autre.

MADAME DE LÉRY.

Il n'y a pas là de quoi pleurer.

MATHILDE.

Oh ! si, il y a de quoi pleurer, car j'ai fait une grande folie ; je lui ai demandé l'autre bourse.

MADAME DE LÉRY.

Aïe ! ce n'est pas diplomatique.

MATHILDE.

Non, Ernestine, et il m'a refusée . . . Et alors . . . Ah ! j'ai honte . . .

MADAME DE LÉRY.

Eh bien ?

MATHILDE.

Eh bien ! je l'ai demandée à genoux. Je voulais qu'il me fît ce petit sacrifice, et je lui aurais donné ma bourse en échange de la sienne. Je l'ai prié . . . je l'ai supplié . . .

MADAME DE LÉRY.

Et il n'en a rien fait ; cela va sans dire. Pauvre innocente ! il n'est pas digne de vous.

MATHILDE.

Ah ! malgré tout, je ne le croirai jamais !

MADAME DE LÉRY.

Vous avez raison, je m'exprime mal. Il est digne de vous et vous aime, mais il est homme, et orgueilleux. Quelle pitié ! Et où est donc votre bourse ?

MATHILDE.

La voilà ici sur la table.

MADAME DE LÉRY, prenant la bourse.

Cette bourse-là ? Eh bien ! ma chère, elle est quatre fois plus jolie que la sienne. D'abord elle n'est pas bleue, ensuite elle est charmante. Prêtez-la-moi, je me charge bien de la lui faire trouver de son goût.

MATHILDE.

Tâchez. Vous me rendrez la vie.

MADAME DE LÉRY.

En être là après un an de mariage, c'est inouï. Il faut qu'il y ait de la sorcellerie là dedans. Cette Blainville, avec son indigo, je la déteste des pieds à la tête. Elle a les yeux battus [12] jusqu'au menton. Mathilde, voulez-vous faire une chose? Il ne nous en coûte rien d'essayer. Votre mari viendra-t-il ce soir?

MATHILDE.

Je n'en sais rien, mais il me l'a dit.

MADAME DE LÉRY.

Comment étiez-vous quand il est sorti?

MATHILDE.

Ah! j'étais bien triste, et lui bien sévère.

MADAME DE LÉRY.

Il viendra. Avez-vous du courage? Quand j'ai une idée, je vous en avertis, il faut que je me saisisse au vol; je me connais, je réussirai.

MATHILDE.

Ordonnez donc, je me soumets.

MADAME DE LÉRY.

Passez dans ce cabinet, habillez-vous à la hâte et jetez-vous dans ma voiture. Je ne veux pas vous envoyer au bal, mais il faut qu'en rentrant vous ayez l'air d'y être allée. Vous vous ferez mener où vous voudrez, aux Invalides [13] ou à la Bastille, [14] ce ne sera peut-être pas très divertissant, mais vous serez aussi bien là qu'ici pour ne pas dormir. Est-ce convenu? Maintenant prenez votre bourse, et enveloppez-la dans ce papier, je vais mettre l'adresse. Bien, voilà qui est fait. Au coin de la rue, vous ferez arrêter ; vous direz à mon groom[15] d'apporter ici ce petit paquet, de le remettre au premier domestique qu'il rencontrera, et de s'en aller sans autre explication.

MATHILDE.

Dites-moi du moins ce que vous voulez faire.

MADAME DE LÉRY.

Ce que je veux faire, enfant, est impossible à dire, et je vais voir si c'est possible à faire. Une fois pour toutes, vous fiez-vous à moi?

MATHILDE.

Oui, tout au monde pour l'amour de lui.

MADAME DE LÉRY.

Allons ! preste ! Voilà une voiture.

MATHILDE.

C'est lui ; j'entends sa voix dans la cour.

MADAME DE LÉRY.

Sauvez-vous ! Y a-t-il un escalier dérobé par là?

MATHILDE.

Oui, heureusement. Mais je ne suis pas coiffée, comment croira-t-on à ce bal?

MADAME DE LÉRY, ôtant la guirlande qu'elle a sur la tête et la donnant à Mathilde.

Tenez, vous arrangerez cela en route.

Mathilde sort.

SCÈNE VII.

MADAME DE LÉRY, seule.

À genoux! une telle femme à genoux! Et ce monsieur-là qui la refuse! Une femme de vingt ans, belle comme un ange et fidèle comme un lévrier! Pauvre enfant, qui demande en grâce qu'on daigne accepter une bourse faite par elle, en échange d'un cadeau de madame de Blainville! Mais quel abîme est donc le cœur de l'homme! Ah, ma foi! nous valons mieux qu'eux.

Elle s'assoit et prend une brochure sur la table. Un instant après, on frappe à la porte.

Entrez.

SCÈNE VIII.

MADAME DE LÉRY, CHAVIGNY.

MADAME DE LÉRY, lisant d'un air distrait.

Bonsoir, comte. Voulez-vous du thé?

CHAVIGNY.

Je vous rends grâces, je n'en prends jamais.

Il s'assoit et regarde autour de lui.

MADAME DE LÉRY.

Était-il amusant, ce bal?

CHAVIGNY.

Comment cela? N'y étiez-vous pas?

MADAME DE LÉRY.

Voilà une question qui n'est pas galante. Non, je n'y étais pas; mais j'y ai envoyé Mathilde, que vos regards semblent chercher.

CHAVIGNY.

Vous plaisantez, à ce que je vois?

MADAME DE LÉRY.

Plaît-il? je vous demande pardon, je tiens un article d'une *Revue* qui m'intéresse beaucoup.

Un silence. Chavigny, inquiet, se lève et se promène.

CHAVIGNY.

Est-ce que vraiment Mathilde est à ce bal?

MADAME DE LÉRY.

Mais oui; vous voyez que je l'attends.

CHAVIGNY.

C'est singulier; elle ne voulait pas sortir lorsque vous le lui avez proposé.

MADAME DE LÉRY.

Apparemment qu'elle a changé d'idée.

CHAVIGNY.

Pourquoi n'y est-elle pas allée avec vous?

MADAME DE LÉRY.

Parce que je ne m'en suis plus souciée.

CHAVIGNY.

Elle s'est donc passée de voiture?

MADAME DE LÉRY.

Non, je lui ai prêté la mienne. Avez-vous lu ça, monsieur de Chavigny?

CHAVIGNY.

Quoi?

MADAME DE LÉRY.

C'est la *Revue des Deux-Mondes;*[16] un article très joli de madame Sand[17] sur les orangs-outangs.

CHAVIGNY.

Sur les? . . .

MADAME DE LÉRY.

Sur les orangs-outangs. Ah ! je me trompe, ce n'est pas d'elle, c'est celui d'à côté ; c'est très amusant.

CHAVIGNY.

Je ne comprends rien à cette idée d'aller au bal sans m'en prévenir. J'aurais pu du moins la ramener.

MADAME DE LÉRY.

Aimez-vous les romans de madame Sand?

CHAVIGNY.

Non, pas du tout. Mais si elle y est, comment se fait-il que je ne l'aie pas trouvée?

MADAME DE LÉRY.

Quoi? la *Revue?* Elle était là-dessus.[18]

CHAVIGNY.

Vous moquez-vous de moi, madame?

MADAME DE LÉRY.

Peut-être ; c'est selon à propos de quoi.

CHAVIGNY.

C'est de ma femme que je vous parle.

MADAME DE LÉRY.

Est-ce que vous me l'avez donnée à garder?

CHAVIGNY.

Vous avez raison ; je suis très ridicule ; je vais de ce pas la chercher.

MADAME DE LÉRY.

Bah ! vous allez tomber dans la queue.

CHAVIGNY.

C'est vrai ; je ferai aussi bien d'attendre, et j'attendrai.

Il s'approche du feu et s'assoit.

MADAME DE LÉRY, quittant sa lecture.

Savez-vous, monsieur de Chavigny, que vous m'étonnez beaucoup? Je croyais vous avoir entendu dire que vous laissiez Mathilde parfaitement libre, et qu'elle allait où bon lui semblait.

CHAVIGNY.

Certainement; vous en voyez la preuve.

MADAME DE LÉRY.

Pas tant; vous avez l'air furieux.

CHAVIGNY.

Moi? par exemple! pas le moins du monde.

MADAME DE LÉRY.

Vous ne tenez pas sur votre fauteuil. Je vous croyais un tout autre homme, je l'avoue, et pour parler sérieusement, je n'aurais pas prêté ma voiture à Mathilde si j'avais su ce qui en est.

CHAVIGNY.

Mais je vous assure que je le trouve tout simple, et je vous remercie de l'avoir fait.

MADAME DE LÉRY.

Non, non, vous ne me remerciez pas; je vous assure, moi, que vous êtes fâché. À vous dire vrai, je crois que, si elle est sortie, c'était un peu pour vous rejoindre.

CHAVIGNY.

J'aime beaucoup cela! Que ne m'accompagnait-elle?

MADAME DE LÉRY.

Eh oui! c'est ce que je lui ai dit. Mais voilà comme nous sommes, nous autres: nous ne voulons pas, et puis nous voulons. Décidément, vous ne prenez pas de thé?

CHAVIGNY.

Non, il me fait mal.

MADAME DE LÉRY.

Eh bien ! donnez-m'en.

CHAVIGNY.

Plaît-il, madame?

MADAME DE LÉRY.

Donnez m'en.

Chavigny se lève et remplit une tasse qu'il offre à madame de Léry.

MADAME DE LÉRY.

C'est bon ; mettez ça là. Avons-nous un ministère ce soir?

CHAVIGNY.

Je n'en sais rien.

MADAME DE LÉRY.

Ce sont de drôles d'auberges que ces ministères. On y entre et on en sort sans savoir pourquoi ; c'est une procession de marionnettes.

CHAVIGNY.

Prenez donc ce thé à votre tour ; il est déjà à moitié froid.

MADAME DE LÉRY.

Vous n'y avez pas mis assez de sucre. Mettez-m'en un ou deux morceaux.

CHAVIGNY.

Comme vous voudrez ; il ne vaudra rien.

MADAME DE LÉRY.

Bien ; maintenant, encore un peu de lait.

CHAVIGNY.

Êtes-vous satisfaite ?

MADAME DE LÉRY.

Une goutte d'eau chaude à présent. Est-ce fait? Donnez-moi la tasse.

CHAVIGNY, lui présentant la tasse.

La voilà ; mais il ne vaudra rien.

MADAME DE LÉRY.

Vour croyez ? En êtes-vous sûr ?

CHAVIGNY.

Il n'y a pas le moindre doute.

MADAME DE LÉRY.

Et pourquoi ne vaudra-t-il rien ?

CHAVIGNY.

Parce qu'il est froid et trop sucré.

MADAME DE LÉRY.

Eh bien ! s'il ne vaut rien, ce thé, jetez-le.

Chavigny est debout, tenant la tasse ; Madame de Léry le regarde en riant.

MADAME DE LÉRY.

Ah, mon Dieu ! que vous m'amusez ! Je n'ai jamais rien vu de si maussade.

CHAVIGNY, impatienté, vide la tasse dans le feu, puis il se promène à grands pas, et dit avec humeur :

Ma foi, c'est vrai, je ne suis qu'un sot.

MADAME DE LÉRY.

Je ne vous avais jamais vu jaloux, mais vous l'êtes comme un Othello.

CHAVIGNY.

Pas le moins du monde ; je ne peux pas souffrir qu'on se gêne, ni qu'on gêne les autres en rien. Comment voulez-vous que je sois jaloux ?

MADAME DE LÉRY.

Par amour-propre, comme tous les maris.

CHAVIGNY.

Bah ! propos de femme. On dit : "Jaloux par amour-propre," parce que c'est une phrase toute faite, comme on dit : "Votre très humble serviteur." Le monde est bien sévère pour ces pauvres maris.

MADAME DE LÉRY.

Pas tant que pour ces pauvres femmes.

CHAVIGNY.

Oh, mon Dieu, si. Tout est relatif. Peut-on permettre aux femmes de vivre sur le même pied que nous? C'est une absurdité qui saute aux yeux. Il y a mille choses très graves pour elles, qui n'ont aucune importance pour un homme.

MADAME DE LÉRY.

Oui, les caprices, par exemple.

CHAVIGNY.

Pourquoi pas? Eh bien ! oui les caprices. Il est certain qu'un homme peut en avoir, et qu'une femme . . .

MADAME DE LÉRY.

En a quelquefois. Est-ce que vous croyez qu'une robe est un talisman qui en préserve?

CHAVIGNY.

C'est une barrière qui doit les arrêter.

MADAME DE LÉRY.

À moins que ce ne soit une voile qui les couvre. J'entends marcher. C'est Mathilde qui rentre.

CHAVIGNY.

Oh ! que non ; il n'est pas minuit.

Un domestique entre, et remet un petit paquet à Monsieur de Chavigny.

CHAVIGNY.

Qu'est-ce que c'est? Que me veut-on?

LE DOMESTIQUE.

On vient d'apporter cela pour Monsieur le comte.

Il sort. Chavigny défait le paquet, qui renferme la bourse de Mathilde.

MADAME DE LÉRY.

Est-ce encore un cadeau qui vous arrive ! À cette heure-ci, c'est un peu fort.

CHAVIGNY.

Que diable est-ce que ça veut dire? Hé! François, hé! qui est-ce qui a apporté ce paquet?

LE DOMESTIQUE, rentrant.

Monsieur?

CHAVIGNY.

Qui est-ce qui a apporté ce paquet?

LE DOMESTIQUE.

Monsieur, c'est le portier qui vient de monter.

CHAVIGNY.

Il n'y a rien avec? pas de lettre?

LE DOMESTIQUE.

Non, Monsieur.

CHAVIGNY.

Est-ce qu'il avait ça depuis longtemps, ce portier?

LE DOMESTIQUE.

Non, monsieur; on vient de le lui remettre.

CHAVIGNY.

Qui le lui a remis?

LE DOMESTIQUE.

Monsieur, il ne sait pas.

CHAVIGNY.

Il ne sait pas! Perdez-vous la tête? Est-ce un homme ou une femme?

LE DOMESTIQUE.

C'est un domestique en livrée, mais il ne le connaît pas.

CHAVIGNY.

Est-ce qu'il est en bas ce domestique?

LE DOMESTIQUE.

Non, Monsieur: il est parti sur-le-champ.

CHAVIGNY.

Il n'a rien dit?

LE DOMESTIQUE.

Non, Monsieur.

CHAVIGNY.

C'est bon.

Le domestique sort.

MADAME DE LÉRY.

J'espère qu'on vous gâte, monsieur de Chavigny. Si vous laissez tomber votre argent, ce ne sera pas la faute de ces dames.

CHAVIGNY.

Je veux être pendu si j'y comprends rien.

MADAME DE LÉRY.

Laissez donc! vous faites l'enfant.

CHAVIGNY.

Non; je vous donne ma parole d'honneur que je ne devine pas. Ce ne peut être qu'une méprise.

MADAME DE LÉRY.

Est-ce que l'adresse n'est pas dessus?

CHAVIGNY.

Ma foi! si, vous avez raison. C'est singulier; je connais l'écriture.

MADAME DE LÉRY.

Peut-on voir?

CHAVIGNY.

C'est peut-être une indiscrétion à moi de vous la montrer ; mais tant pis pour qui s'y expose. Tenez. J'ai certainement vu cette écriture-là quelque part.

MADAME DE LÉRY.

Et moi aussi très certainement.

CHAVIGNY.

Attendez donc . . . Non, je me trompe. Est-ce en bâtarde ou en coulée ?[19]

MADAME DE LÉRY.

Fi donc ! c'est une anglaise pur sang. Regardez-moi comme ces lettres-là sont fines ! Oh ! la dame est bien élevée.

CHAVIGNY.

Vous avez l'air de la reconnaître.

MADAME DE LÉRY, avec une confusion feinte.

Moi ! pas du tout.

Chavigny, étonné, la regarde, puis continue à se promener.

MADAME DE LÉRY.

Où en étions-nous donc de notre conversation ? — Eh ! mais il me semble que nous parlions caprice. Ce petit poulet[20] rouge arrive à propos.

CHAVIGNY.

Vous êtes dans le secret, convenez-en.

MADAME DE LÉRY.

Il y a des gens qui ne savent rien faire ; si j'étais de vous, j'aurais déjà deviné.

CHAVIGNY.

Voyons ! soyez franche ; dites-moi qui c'est.

MADAME DE LÉRY.

Je croirais assez que c'est madame de Blainville.

CHAVIGNY.

Vous êtes impitoyable, madame; savez-vous bien que nous nous brouillerons!

MADAME DE LÉRY.

Je l'espère bien, mais pas cette fois-ci.

CHAVIGNY.

Vous ne voulez pas m'aider à trouver l'énigme?

MADAME DE LÉRY.

Belle occupation! Laissez donc cela; on dirait que vous n'y êtes pas fait. Vous ruminerez lorsque vous serez couché, quand ce ne serait que par politesse.

CHAVIGNY.

Il n'y a donc plus de thé? J'ai envie d'en prendre.

MADAME DE LÉRY.

Je vais vous en faire; dites donc que je ne suis pas bonne! Un silence.

CHAVIGNY, se promenant toujours.

Plus je cherche, moins je trouve.

MADAME DE LÉRY.

Ah çà! dites donc, est-ce un parti pris de ne penser qu'à cette bourse? Je vais vous laisser à vos rêveries.

CHAVIGNY.

C'est qu'en vérité je tombe des nues.

MADAME DE LÉRY.

Je vous dis que c'est madame de Blainville. Elle a réfléchi sur la couleur de sa bourse, et elle vous en envoie une autre par repentir. Ou mieux encore : elle veut vous tenter, et voir si vous porterez celle-ci ou la sienne.

CHAVIGNY.

Je porterai celle-ci sans aucun doute. C'est le seul moyen de savoir qui l'a faite.

MADAME DE LÉRY.

Je ne comprends pas ; c'est trop profond pour moi.

CHAVIGNY.

Je suppose que la personne qui me l'a envoyée me la voie demain entre les mains ; croyez-vous que je m'y tromperais ?

MADAME DE LÉRY, *éclatant de rire.*

Ah ! c'est trop fort ; je n'y tiens pas.

CHAVIGNY.

Est-ce que ce serait vous, par hasard ? *Un silence.*

MADAME DE LÉRY.

Voilà votre thé, fait de ma blanche main, et il sera meilleur que celui que vous m'avez fabriqué tout à l'heure. Mais finissez donc de me regarder. Est-ce que vous me prenez pour une lettre anonyme ?

CHAVIGNY.

C'est vous, c'est quelque plaisanterie. Il y a un complot là-dessous.

MADAME DE LÉRY.

C'est un petit complot assez bien tricoté.

CHAVIGNY.

Avouez donc que vous en êtes.

MADAME DE LÉRY.

Non.

CHAVIGNY.

Je vous en prie.

MADAME DE LÉRY.

Pas davantage.

CHAVIGNY.

Je vous en supplie.

MADAME DE LÉRY.

Demandez-le à genoux, je vous le dirai.

CHAVIGNY.

À genoux? tant que vous voudrez.

MADAME DE LÉRY.

Allons! voyons!

CHAVIGNY.

Sérieusement?

Il se met à genoux en riant devant madame de Léry.

MADAME DE LÉRY, sèchement.

J'aime cette posture, elle vous va à merveille; mais je vous conseille de vous relever, afin de ne pas trop m'attendrir.

CHAVIGNY, se relevant.

Ainsi, vous ne direz rien, n'est-ce pas?

MADAME DE LÉRY.

Avez-vous là votre bourse bleue?

CHAVIGNY.

Je n'en sais rien, je crois que oui.

MADAME DE LÉRY.

Je crois que oui aussi. Donnez-la-moi, je vous dirai qui a fait l'autre.

CHAVIGNY.

Vous le savez donc?

MADAME DE LÉRY.

Oui, je le sais.

CHAVIGNY.

Est-ce une femme?

MADAME DE LÉRY.

À moins que ce ne soit un homme, je ne vois pas . . .

CHAVIGNY.

Je veux dire : est-ce une jolie femme?

MADAME DE LÉRY.

C'est une femme qui, à vos yeux, passe pour une des plus jolies femmes de Paris.

CHAVIGNY.

Brune ou blonde?

MADAME DE LÉRY.

Bleue.

CHAVIGNY.

Par quelle lettre commence son nom?

MADAME DE LÉRY.

Vous ne voulez pas de mon marché? Donnez-moi la bourse de madame de Blainville.

CHAVIGNY.

Est-elle petite ou grande?

MADAME DE LÉRY.

Donnez-moi la bourse.

CHAVIGNY.

Dites-moi seulement si elle a le pied petit.

MADAME DE LÉRY.

La bourse ou la vie!

CHAVIGNY.

Me direz-vous le nom si je vous donne la bourse?

MADAME DE LÉRY.

Oui.

CHAVIGNY, tirant la bourse bleue.

Votre parole d'honneur !

MADAME DE LÉRY.

Ma parole d'honneur.

CHAVIGNY semble hésiter ; madame de Léry tend la main, il la regarde attentivement. Tout à coup il s'assoit à côté d'elle, et dit gaiement :

Parlons caprice. Vous convenez donc qu'une femme peut en avoir ?

MADAME DE LÉRY.

Est-ce que vous en êtes à le demander ?

CHAVIGNY.

Pas tout à fait ; mais il peut arriver qu'un homme marié ait deux façons de parler, et, jusqu'à un certain point, deux façons d'agir.

MADAME DE LÉRY.

Eh bien ! et ce marché, est-ce qu'il s'envole ? je croyais qu'il était conclu.

CHAVIGNY.

Un homme marié n'en reste pas moins un homme ; la bénédiction ne le métamorphose pas,[21] mais elle l'oblige quelquefois à prendre un rôle et à en donner les répliques. Il ne s'agit que de savoir, dans ce monde, à qui les gens s'adressent quand ils vous parlent, si c'est au réel ou au convenu, à la personne ou au personnage.

MADAME DE LÉRY.

J'entends, c'est un choix qu'on peut faire ; mais où s'y reconnaît le public ?

CHAVIGNY.

Je ne crois pas que, pour un public d'esprit, ce soit long ni bien difficile.

MADAME DE LÉRY.

Vous renoncez donc à ce fameux nom? Allons! voyons! donnez-moi cette bourse.

CHAVIGNY.

Une femme d'esprit, par exemple (une femme d'esprit sait tant de choses!), ne doit pas se tromper, à ce que je crois, sur le vrai caractère des gens : elle doit bien voir au premier coup d'œil.

MADAME DE LÉRY.

Décidément vous gardez la bourse?

CHAVIGNY.

Il me semble que vous y tenez beaucoup. Une femme d'esprit, n'est-il pas vrai, Madame, doit savoir faire la part du mari, et celle de l'homme par conséquent. Comment êtes-vous donc coiffée? Vous étiez tout en fleurs ce matin.

MADAME DE LÉRY.

Oui; ça me gênait, je me suis mise à mon aise. Ah! mon Dieu! mes cheveux sont défaits d'un côté.

Elle se lève et s'ajuste devant la glace.

CHAVIGNY.

Vous avez la plus jolie taille qu'on puisse voir. Une femme d'esprit comme vous . . .

MADAME DE LÉRY.

Une femme d'esprit comme moi se donne au diable quand elle a affaire à un homme d'esprit comme vous.

CHAVIGNY.

Qu'à cela ne tienne; je suis assez bon diable.

MADAME DE LÉRY.

Pas pour moi, du moins, à ce que je pense.

CHAVIGNY.

C'est qu'apparemment quelque autre me fait tort.

MADAME DE LÉRY.

Qu'est-ce que ce propos-là veut dire?

CHAVIGNY.

Il veut dire que, si je vous déplais, c'est que quelqu'un m'empêche de vous plaire.

MADAME DE LÉRY.

C'est modeste et poli ; mais vous vous trompez : personne ne me plaît, et je ne veux plaire à personne.

CHAVIGNY.

Avec votre âge et ces yeux-là, je vous en défie.

MADAME DE LÉRY.

C'est cependant la vérité pure.

CHAVIGNY.

Si je le croyais, vous me donneriez bien mauvaise opinion des hommes.

MADAME DE LÉRY.

Je vous le ferai croire bien aisément. J'ai une vanité qui ne veut pas de maître.

CHAVIGNY.

Ne peut-elle souffrir un serviteur?

MADAME DE LÉRY.

Bah! serviteurs ou maîtres, vous n'êtes que des tyrans.

CHAVIGNY, se levant.

C'est assez vrai, et je vous avoue que là-dessus j'ai toujours détesté la conduite des hommes. Je ne sais d'où leur vient cette manie de s'imposer, qui ne sert qu'à se faire haïr.

MADAME DE LÉRY.

Est-ce votre opinion sincère ?

CHAVIGNY.

Très sincère ; je ne conçois pas comment on peut se figurer que, parce qu'on a plu ce soir, on est en droit d'en abuser demain.

MADAME DE LÉRY.

C'est pourtant le chapitre premier de l'histoire universelle.

CHAVIGNY.

Oui, et si les hommes avaient le sens commun là-dessus, les femmes ne seraient pas si prudentes.

MADAME DE LÉRY.

C'est possible ; les liaisons d'aujourd'hui sont des mariages, et, quand il s'agit d'un jour de noce, cela vaut la peine d'y penser.

CHAVIGNY.

Vous avez mille fois raison ; et, dites-moi, pourquoi en est-il ainsi ? pourquoi tant de comédie et si peu de franchise ? Une jolie femme qui se fie à un galant homme ne saurait-elle le distinguer ? il n'y a pas que des sots sur la terre.

MADAME DE LÉRY.

C'est une question en pareille circonstance.

CHAVIGNY.

Mais je suppose que, par hasard, il se trouve un homme qui, sur ce point, ne soit pas de l'avis des sots ; et je suppose qu'une occasion se présente où l'on puisse être franc sans danger, sans arrière-pensée, sans crainte des indiscrétions.

Il lui prend la main.

Je suppose qu'on dise à une femme : Nous sommes seuls, vous êtes jeune et belle, et je fais de votre esprit et de votre cœur tout le cas qu'on en doit faire. Mille obstacles nous séparent, mille chagrins nous attendent si nous essayons de nous revoir demain. Votre fierté ne veut pas d'un joug, et votre prudence ne veut pas d'un lien ; vous n'avez à redouter ni l'un ni l'autre. On ne vous demande ni protestation, ni engagement ni sacrifice, rien qu'un sourire de ces lèvres de rose et un regard de ces beaux yeux. Souriez pendant que cette porte est fermée : votre liberté est sur le seuil ; vous la retrouverez en quittant cette chambre ; ce qui s'offre à vous n'est pas le plaisir sans amour, c'est l'amour sans peine et sans amertume ; c'est le caprice, puisque nous en parlons, non l'aveugle caprice des sens, mais celui du cœur, qu'un moment fait naître et dont le souvenir est éternel.

MADAME DE LÉRY.

Vous me parliez de comédie ; mais il paraît qu'à l'occasion vous en joueriez d'assez dangereuses. J'ai quelque envie d'avoir un caprice, avant de répondre à ce discours-là. Il me semble que c'en est l'instant, puisque vous en plaidez la thèse. Avez-vous là un jeu de cartes ?

CHAVIGNY.

Oui, dans cette table ; qu'en voulez-vous faire ?

MADAME DE LÉRY.

Donnez-le-moi, j'ai ma fantaisie, et vous êtes forcé d'obéir si vous ne voulez vous contredire.

Elle prend une carte dans le jeu.

Allons, comte, dites rouge ou noir.

CHAVIGNY.

Voulez-vous me dire quel est l'enjeu ?

MADAME DE LÉRY.

L'enjeu est une discrétion.*

* On appelle *discrétion* un pari dans lequel le perdant s'oblige à donner au gagnant ce que celui-ci lui demande, à sa discrétion. — *Note de l'auteur.*

CHAVIGNY.

Soit. — J'appelle rouge.

MADAME DE LÉRY.

C'est le valet de pique ; vous avez perdu. Donnez-moi cette bourse bleue.

CHAVIGNY.

De tout mon cœur ; mais je garde la rouge, et, quoïque sa couleur m'ait fait perdre, je ne le lui reprocherai jamais ; car je sais aussi bien que vous quelle est la main qui me l'a faite.

MADAME DE LÉRY.

Est-elle petite ou grande, cette main ?

CHAVIGNY.

Elle est charmante et douce comme le satin.

MADAME DE LÉRY.

Lui permettez-vous de satisfaire un petit mouvement de jalousie ? Elle jette au feu la bourse bleue.

CHAVIGNY.

Ernestine, je vous adore !

MADAME DE LÉRY regarde brûler la bourse. Elle s'approche de Chavigny, et lui dit tendrement :

Vous n'aimez donc plus madame de Blainville ?

CHAVIGNY.

Ah ! grand Dieu ! je ne l'ai jamais aimée.

MADAME DE LÉRY.

Ni moi non plus, monsieur de Chavigny.

CHAVIGNY.

Mais qui a pu vous dire que je pensais à cette femme-là ? Ah ! ce n'est pas elle à qui je demanderai jamais un instant de bonheur ; ce n'est pas elle qui me le donnera !

MADAME DE LÉRY.

Ni moi non plus, monsieur de Chavigny. Vous venez de me faire un petit sacrifice, c'est très galant de votre part; mais je ne veux pas vous tromper: la bourse rouge n'est pas de ma façon.

CHAVIGNY.

Est-il possible? Qui est-ce donc qui l'a faite?

MADAME DE LÉRY.

C'est une main plus belle que la mienne. Faites-moi la grâce de réfléchir une minute et de m'expliquer cette énigme à mon tour. Vous m'avez fait, en bon français, une déclaration très aimable; vous vous êtes mis à deux genoux par terre, et remarquez qu'il n'y a pas de tapis; je vous ai demandé votre bourse bleue, et vous me l'avez laissée brûler. Qui suis-je donc, dites-moi, pour mériter tout cela? Que me trouvez-vous de si extraordinaire? Je ne suis pas mal, c'est vrai; je suis jeune; il est certain que j'ai le pied petit. Mais enfin ce n'est pas si rare. Quand nous nous serons prouvé l'un à l'autre que je suis une coquette et vous un libertin, uniquement parce qu'il est minuit et que nous sommes en tête-à-tête, voilà un beau fait d'armes que nous aurons à écrire dans nos Mémoires! C'est pourtant là tout, n'est-ce pas? Et ce que vous m'accordez en riant, ce qui ne vous coûte pas même un regret, ce sacrifice insignifiant que vous faites à un caprice plus insignifiant encore, vous le refusez à la seule femme qui vous aime, à la seule femme que vous aimiez! On entend le bruit d'une voiture.

CHAVIGNY.

Mais, Madame, qui a pu vous instruire?

MADAME DE LÉRY.

Parlez plus bas, Monsieur, la voilà qui rentre, et cette voiture vient me chercher. Je n'ai pas le temps de vous faire ma morale ; vous êtes homme de cœur, et votre cœur vous la fera. Si vous trouvez que Mathilde a les yeux rouges, essuyez-les avec cette petite bourse que ses larmes reconnaîtront, car c'est votre bonne, brave et fidèle femme qui a passé quinze jours à la faire. Adieu ; vous m'en voudrez aujourd'hui, mais vous aurez demain quelque amitié pour moi, et croyez-moi, cela vaut mieux qu'un caprice. Mais s'il vous en faut un absolument, tenez, voilà Mathilde, vous en avez un beau à vous passer ce soir. Il vous en fera, j'espère, oublier un autre que personne au monde, pas même elle, ne saura jamais.

Mathilde entre, madame de Léry va à sa rencontre et l'embrasse ; M. de Chavigny les regarde, il s'approche d'elles, prend sur la tête de sa femme la guirlande de fleurs de madame de Léry, et dit à celle-ci en la lui rendant :

Je vous demande pardon, Madame, elle le saura, et je n'oublierai jamais qu'un jeune curé fait les meilleurs sermons.

NOTES.

NOTES.

(*The smaller figures refer not to the lines but to the notes, which are numbered consecutively in each selection.*)

ROLLA.

This remarkable poem appeared in the *Revue des Deux Mondes* August 15, 1833. It is powerful and full of passages of extreme beauty, but owing to the fatal taint of immorality which *in ipsis floribus angat*, cannot be given in its entirety.

The introductory lines, which are here given, show the reaction against the atheism of the 18th century. This reaction led Chateaubriand and Lamartine to a religion based entirely on the emotions. Alfred de Musset still remains a skeptic, but laments bitterly the faith that is lost to him forever. He regrets the golden age of classical antiquity, the simple and naïve faith of mediaeval Christianity, and curses Voltaire as the author of that wretched unbelief and disgust for life, — the *Maladie du Siècle*, as he himself calls it elsewhere, — which swept like a wave over France after the downfall of the Napoleonic empire. The same theme is treated in Musset's longest prose work *La Confession d'un Enfant du Siècle*. Lindau, *Alfred de Musset*, p. 105, says: "Es ist dieselbe Stimme, die aus den 'Göttern Griechenlands' (by Schiller) zu uns dringt."

Page 3. 1. **Vénus Astarté.** Astarte was the principal female divinity of the Phoenicians; the goddess of the moon or of the heavens.

Mooned Ashtaroth,
Heaven's queen and mother both.

Milton, *Nativity*.

"With the goddess Venus, as worshiped at Paphos in Cyprus, Astarte had in common the character of a deity of the sky (Urania) and perhaps, also, the patronage of immorality ('Astaroth, the abomination of the Zidonians,' 2 Kings xxiii: 13)." Encyc. Brit. ii, 735. Musset in the expression *fille de l'onde amère* alludes to the birth of Venus from the foam of the sea. Cf. Aphrodite from ἀφρός = foam, and see Hesiod, *Theog.* 187–206. Tasso, *Ger. Lib.* xv, 60, has some beautiful lines on the birth of Venus :

Qual mattutina stella esce dall' onde
Rugiadosa, e stillante : o come fuore
Spuntò nascendo già dalle feconde
Spume dell' ocean la Dea d' amore, etc.

As when the morning star with gentle ray,
From seas emerging leads the purple day :
As when ascending from the genial flood,
The queen of love on Ocean's bosom stood.

Hoole's Translation.

Page 4. 2. Narcisse. In Greek mythology the son of the river-god Cephissus and the nymph Liriope. He was remarkable for his beauty, but inaccessible to love. The nymph Echo died of love for him. He was punished by Nemesis, who caused him to fall in love with the reflection of his own figure in a spring. He pined away and after his death was changed into the flower which bears his name. Ovid, *Met.* iii, 407 sq. Dante, *Inferno*, xxx, 128, calls water *lo specchio di Narcisso*, and in the *Roman de la Rose*, lines 1447–1518, Guillaume de Lorris tells

Comment Narcisus se mira
A la fontaine et soupira
Par amour, tant qu'il fist partir
S'ame du corps sans departir.

3. Hercule. The most renowned of the mythological heroes of antiquity. His twelve labors are well-known. Musset alludes to the first of these labors, the slaying of the Nemean lion. Hercules is commonly represented as clothed in a lion's skin and carrying a club.

4. Sylvains. Deities of the forest in the Roman polytheism ; in Latin, *Silvani*.

5. Prométhée. (Προμηθεύς = Forethinker) Inventor of fire, brother of Epimetheus and father of Deucalion. He formed men of clay and animated them by means of fire brought from heaven. As a punishment for this he was fastened to Mount Caucasus, where a vulture or, — as some say, — an eagle fed upon his entrails, until at last it was slain by Hercules. Cf. Ovid, *Met.* i, 82, and Horace, *Carmina*, i, 16, 13.

6. Le berceau du monde. Rome.

7. L'ouragan du Nord. Allusion to the invasion of the Northern barbarians, the fall of Rome and the birth of the modern world.

8. Cologne, etc. Allusion to the cathedrals of these four cities, which are the most famous architectural expressions of the religious spirit of the Middle Ages.

Page 5. 9. Ô Christ! etc. Cf. these lines with *La Confession d'un Enfant du Siècle*, cinquième partie, ch. 6. "Ni au collège, ni enfant, ni homme, je n'avais hanté les églises; ma religion, si j'en avais une, n'avait ni rite ni symbole, et je ne croyais qu'à un Dieu sans forme, sans culte et sans révélation. Empoisonné dès d'adolescence de tous les écrits du dernier siècle, j'y avais sucé de bonne heure le lait stérile de l'impiété."

10. Je suis venu trop tard. Cf. St. Paul: "As of one born out of due time," 1 Cor. xv:8.

11. D'un siècle sans espoir naît un siècle sans crainte. The *siècle sans espoir* = the 18th century, the characteristic of which is skepticism, and the *siècle sans crainte* = the 19th century.

12. Au moins crédule enfant = Musset himself.

Page 6. 13. Vieillards. Old in disillusions.

14. Lazare. Stands here for the dead faith of man in modern times. Cf. John ix. A few lines above we have a similar metaphorical use of Lazarus, — "Où le vieil univers fendit avec Lazare," etc.

15. Cénacle. From the Latin *cenaculum*, a dining-room, usually in an upper story; hence an upper room. It is especially applied to the room where the Last Supper was eaten, and the Holy Spirit came to the disciples. Mark xiv: 14–15, and Acts ii: 1 ff. Cf. Massillon, *Car. Conf.*: "Ce souffle ébranla le cénacle et consterna les disciples."

16. Catacombes. Subterranean places near Rome, ancient quarries of stone. They served as a place of refuge for Christians during the persecutions. Here thousands worshiped, died, and were buried.

17. Auréole de feu. Alludes to the "cloven tongues like as of fire" of the day of Pentecost. Acts ii: 3.

18. Parfums de Madeleine. See St. Luke vii: 37, 38.

19. Jean. Cf. Revelation xii: 1. "And I stood upon the sand of the sea," etc.

20. La moribonde = la terre.

21. Claude. The name of two Roman emperors. Here refers to the grandson of Tiberius, and the fourth emperor of Rome (10 B.C.–54 A.D.).

22. Tibère (42 B.C.–37 A.D.). Second emperor of Rome. He was adopted by Augustus and ascended the throne at the latter's death, A.D. 14.

23. **Saturne.** Son of Heaven and Earth and father of Juno, Jupiter, Neptune and Pluto. It had been foretold him that he would be deposed by one of his children, and so he swallowed them one after another as soon as they were born. But Rhea, his wife, saved the youngest child, Zeus or Jupiter. The reign of Saturn was supposed to have been the happiest of the world, the golden age. Cf. Ovid, *F.* i, 235 and vi, 29, and Vergil, *Aeneid*, vi, 792–795. Dante alludes to Saturn's devouring his children in *Inferno*, vi, 100 ff. Musset makes Saturn here synonymous with time. Cf. Greek Κρόνος, identified in later times with Χρόνος.

24. **Dors-tu content,** etc. In the following lines Musset throws the blame of the blighting skepticism of the times on Voltaire.

25. **Voltaire,** Arouet de (1694–1778). French poet, historian, philosopher. So wide-reaching was his influence that the whole 18th century is called after him "the age of Voltaire." Cf. *Les Trois Marches de Marbre Rose:* "Du Christ ce terrible adversaire." The *hideux sourire* refers to the well-known ugliness of Voltaire, especially in his later years. His statue at Ferney resembles that of a grinning monkey. Victor Hugo in the *Rayons et Ombres* calls him a "singe de génie."

Page 7. 26. **Dans les vers du tombeau.** Cf. Shakspere:

> With worms that are thy chambermaids.
>
> *Romeo and Juliet*, v. 3.

27. **Commandeur.** Allusion to the statue of the Commandeur in Molière's *Le Festin de Pierre*, who invites Don Juan to sup with him and then destroys him. See Act iv, sc. 12, and Act v, sc. 6 of *Le Festin de Pierre.* Musset also undoubtedly had in mind Mozart's opera of *Don Giovanni* which had been rearranged for the French stage by Castil-Blaze, and given for the first time at the *Odéon*, Dec. 24, 1827. He seems to have looked on Don Juan as the type of man's aspirations after love and happiness. In *Namouna* he treats of him at length. For a discussion of the Don Juan legend see Encyc. Brit. vii, 357.

28. **Brutus,** Marcus Junius (85–42 B.C.). One of the slayers of Julius Caesar. With Cassius he met the forces of Antony and Octavius at Philippi, and being defeated in battle, threw himself on his sword and died. Cassius and Portia (wife of Brutus) also killed themselves, the latter by holding burning coals in her mouth.

29. **Vertu, tu n'es qu'un nom.** Cf. Lamartine, *Le Désespoir:*

> Un Brutus qui mourant pour la vertu qu'il aime,
> Doute au dernier moment de cette vertu même,
> Et dit: "Tu n'es qu'un nom."

Plutarch gives the last words of Brutus as follows: "Myself I esteem more happy than the conquerors; not only in respect to the past, but in my present situation. I shall leave behind me that reputation for virtue which they with all their wealth and power will never acquire. For posterity will not scruple to believe and declare that they were an abandoned set of men, who destroyed the virtuous for the sake of that empire to which they had no right." Perhaps Musset also had in mind Byron's words in *Childe Harold*, iii, 114:

I would also deem
That goodness is no name.

Page 8. 30. **En songeant à la mort, il regarda les cieux.** This is a favorite expression with Musset. Cf. the dying pelican in the *Nuit de Mai:*

Pécheur mélancolique, il regarde les cieux.

Souvenir:

Et je laissai passer cette froide statue
En regardant les cieux.

Lettre à Lamartine:

J'ai regardé les cieux.

Rolla:

Sortaient de la montagne en regardant les cieux.

L'Espoir en Dieu:

Et regarder les cieux sans m'en inquiéter.

31. **Déicides.** The atheists.

32. **Trappiste.** Monk of the order of *La Trappe*, so-called from its headquarters at La Trappe in France. Founded 1140. The rule of the order is very austere: protracted fasts, laborious manual occupations, hard beds, etc. The monks are also obliged to keep perpetual silence save at prayers (to which eleven hours daily are — or were — devoted) and save also the *memento mori* with which the Trappists greet each other on meeting.

33. **Mais on fait comme Escousse, on allume un réchaud.** Allusion to the death of Victor Escousse (1813–1832), poet and dramatist, who, together with a friend (Lebras), committed suicide. He left the following letter: "Je désire que les journaux qui annoncent ma mort ajoutent cette déclaration à leur article: Escousse s'est tué parce qu'il ne se sentait pas à sa place ici-bas, parce que la force lui manquait. . . . Je désire que l'épigraphe de mon livre soit:

Adieu, trop inféconde terre,
Fléaux humains, soleil glacé.
Comme un fantôme solitaire
Inaperçu, j'aurai passé.
Adieu les palmes immortelles,
Vrai songe d'un âme de feu;
L'air manquant, j'ai fermé mes ailes,
Adieu!"

LA COUPE ET LES LÈVRES.

DÉDICACE.

Early in 1833 Musset published a volume under the title of *Le Spectacle dans un Fauteuil*, containing among other works *La Coupe et les Lèvres*, a dramatic poem which shows plainly the influence of Byron's *Manfred* and Goethe's *Faust*. The scene is laid in the Tyrol, and like Schiller in his *Wilhelm Tell*, Musset describes a country he never saw. We give here the dedication, which is a sort of literary confession of faith of the author.

Page 9. 1. **Alfred T(attet).** The most intimate friend of Alfred de Musset, who remained faithful to him to his last day. The poet has addressed many verses to him. He was about Musset's own age, and a man of the world, wealthy and cultured.

2. **Baste.** Italian *basta:* enough! Littré says this word *marque le dédain*. It is here equivalent to the English *bah!*

3. **Au moment du travail,** etc. This description of the pains and pleasures of literary composition is full of truth. Cf. Du Bellay: "Qui veult voler par les mains et bouches des hommes doit longuement demourer en sa chambre: et qui desire vivre en la memoire de la posterité, doit, comme mort en soy-mesme, suer et trembler mainte fois." *La Defense et Illustration de la Langue Françoise*, livre ii, ch. 3.

4. **Comme on se sent boiteux.** Cf. Cicero, "Si quid in nostrâ oratione claudicat." *De Orat.* iii, 51, 198. Also Shakspere, "The blank verse shall halt for it," *Hamlet*, ii, 2.

5. **Vulcain.** God of fire, son of Jupiter and Juno. He was thrown from Heaven by Jupiter for interfering in behalf of his mother, and had

his leg broken by the fall. He was all day falling to earth and at evening fell on Lemnos.

From morn
To noon he fell, from noon to dewy eve,
A summer's day; and with the setting sun
Dropt from the zenith like a falling star,
On Lemnos th' Aegean isle.

Milton, *Par. Lost*, book i, 742–746.

Cf. also Ovid, *Met.* vii, 437, and Horace, *C.* i, 4, 8; iii, 4, 59.

6. Flamme invisible = halo.

Page 10. 7. **Pharisien.** Luke xi: 37.

8. Pommes d'Hespérides. The Hesperides were the daughters of Hesperus, who on an island beyond Mt. Atlas guarded in a garden the golden apples given by Terra to Juno as a wedding gift. Ovid, *Met.* xi, 114, and Ariosto, *O. F.* xxxvii, 6. To slay the guarding dragon and get some of these apples was one of the labors of Hercules. Cf. Shakspere, *Love's Labor Lost*, iv, 3, 341:

Is not love a Hercules,
Still climbing trees in the Hesperides?

9. Auto-da-fés. (Portuguese = acts of faith; the Spanish form is *auto de fé.*) A judgment of the Inquisition of Spain and Portugal, condemning or acquitting persons accused of religious offenses; also the execution of such sentences by the civil power, especially the burning of heretics. Here used figuratively of an author's burning his productions.

10. Salamandre. A kind of lizard or other reptile, formerly supposed to live in or to endure fire.

La salamandre est une beste,
Qui de la cue e de la teste
E del cors resemble lesarde,
Si n'a poor, que nul feu l'arde:
Del feu ne dote la chalor.

Le Bestiaire de Guillaume le Clerc, lines 2823–27.

Also: "The more hit (gold) is ine uere (fire) the more hit is clene and clyer and tretable, ase the salamandre thet liveth in the uere." *Ayenbite of Inwyt*, p. 167 (E. E. T. S.).

11. On garde le parfum, etc. Cf. Moore:

You may break, you may shatter the vase, if you will,
But the scent of the roses will hang round it still.

12. Lorsque la jeune fille, etc. In the following lines Musset defends himself against the charge of plagiarism. André Chénier, a poet who exerted some influence over Musset, makes a similar defense in the iii. épître:

> Ami, Phébus ainsi me verse ses largesses.
> Souvent des vieux auteurs j'envahis les richesses,
> Plus souvent leurs écrits, aiguillons généreux,
> M'embrasent de leur flamme, et je crée avec eux.
> Un juge sourcilleux épiant mes ouvrages,
> Tout à coup à grands cris dénonce vingt pages, etc.

Page 11. **13. Rochers de Borghèse.** May refer to the *Acqua Paola*, on the Janiculum, in Rome, built in 1611 by Paul V (Borghese); or more probably refers to the celebrated fountains in the Villa Borghese, outside the Porta del Popolo.

14. Toute mouche qu'elle est. Cf. Boileau:

> Gardez-vous, dira l'un, de cet esprit critique;
> On ne sait bien souvent quelle mouche le pique.
>
> *Sat.* ix.

Cf. also, Lafontaine, *Le coche et la mouche*, Fables, vii, 9.

15. Je ne me suis pas fait écrivain politique. Whatever reproach may be made to Musset for his indifference to the political events of his time must be shared by Gautier, and to a still greater degree by Goethe, who at the time when Germany was crushed with shame and weakness busied himself with the trifles of the *West-Oestlicher Divan*. Cf. von Loeper's *Vorbemerkung* to Hempel's edition of the *Divan*. In his *Sonnet au Lecteur*, Musset says:

> La politique, hélas! voilà notre misère.
> Mes meilleurs ennemis me conseillent d'en faire.
> Être rouge ce soir, blanc demain; ma foi, non.

16. C'est un triste métier, etc. This may refer to Victor Hugo or to Lamartine whom Musset satirizes more at length in the *Merle Blanc*, ch. iv. "Je suis, répondit l'inconnu, le grand poète Kacatogan. J'ai fait de puissants voyages, monsieur, des traversées arides et de cruelles pérégrinations. Ce n'est pas d'hier que je rime, et ma muse a eu des malheurs. J'ai fredonné sous Louis XVI, monsieur, j'ai braillé pour la République, j'ai noblement chanté l'Empire, j'ai discrètement loué la Restauration, j'ai même fait un effort dans ces derniers temps, et je me suis soumis, non sans peine, aux exigences de ce siècle sans goût." Cf. also *ibid.* ch. vi and vii.

17. **L'homme de brumaire** = Napoleon ; *brumaire* is the second month of the Republican calendar (from October 22, inclusive, to November 21, exclusive). The 18th Brumaire (November 9, 1799) is the day on which began the movement which resulted in the overthrow of the Directory and the establishment of the Consulate. Napoleon, who led the *coup d'état*, was made one of the three provisional consuls. In the *Nuit de Mai* Napoleon is called *l'homme de Waterloo.* Napoleon III is often called the Man of December, because he was made president December 11, 1848, made the *coup d'état* December 2, 1851, and became emperor December 2, 1852.

Page 12. 18. **J'aime fort aussi les dieux Lath,** etc. The names of the following divinities, with the exception of Vishnou and Mahomet, are obscure and not to be found in the ordinary books of reference. Musset probably invented them and simply uses them to indicate his indifference to religion, — one creed is as good as another to him.

19. **Robins** = buffoons, fools. Proper name used so frequently as to become a common noun. At first it meant any one, as "Tom, Dick, and Harry" in English, "Heinz und Kunz" in German, and "Monna Berta e ser Martino" in the Divine Comedy (*Par.* xiii, 139). Cf. Jean de Meung, *Roman de la Rose,* where Faux Semblant says, "Or sire Robers, or sire Robins." Later a degradation in meaning took place. Cf. "Oh ! les plaisants Robins qui pensent me surprendre," Molière, *L'Ét* iii, 11.

20. **Tartufes.** Tartufe is the chief character of one of Molière's most famous comedies, in which the poet has painted so well the character of a hypocrite that the proper name has become synonymous with hypocrisy. A similar fate has attended another of Molière's plays in which Amphitryon has come to be used as synonymous with host. Sterne has "tartufish aunt," in the *Sentimental Journey.*

Page 13. 21. **La Vénus.** Probably the Venus de Milo in the Louvre.

22. **Mais je hais les pleurards,** etc. Allusion to the sentimental school of poetry founded by Lamartine and rendered ridiculous by his imitators. Lamartine himself may come in for his share of the poet's contempt, although in the *Lettre à Lamartine* Musset speaks of him in a far different tone.

23. **Pieds plats.** Figurative and contemptuous for a man who merits no consideration. Comes from different styles of shoes ; gentlemen wore high heels, the common people flat heels. Cf. Molière, *Misanthrope,* i, 1, line 129, "ce pied plat, digne qu'on le confonde."

24. Doutez, Ophélia, etc. Translated or rather paraphrased from *Hamlet*, Act ii, sc. 2:

Doubt thou the stars are fire,
Doubt that the sun doth move;
Doubt truth to be a liar
But never doubt I love.

Page 14. **25. Héliotrope** (ἥλιος = sun, τρέπειν = to turn), so called because the flowers were supposed to turn toward the sun. "'Tis an observation of flatterers that they are like the heliotrope; they open only toward the sun," *Government of the Tongue.*

26. Astre chéri = sun.

27. Le Misanthrope. Molière's masterpiece. The song referred to is as follows:

Si le roi m'avoit donné
Paris, sa grand' ville,
Et qu'il me fallût quitter
L'amour de ma mie,

Je dirois au roi Henri.
Reprenez votre Paris;
J'aime mieux ma mie, ô gué!
J'aime mieux ma mie.

Act i, sc. 3.

28. Qu'importe le flacon, etc. Cf.:

What reck I if my sands run out
In Balkh or Babylon,
If sweet or bitter be the draught
So once the draught be done.

Omar Khayyâm.

29. Songe sans réveil. One of the commonest of metaphors of life. "Life is a kind of sleep," La Bruyère.

We are such stuff
As dreams are made on.

Shakspere's *Tempest*, Act iv, sc. 1.

And Musset himself in *À quoi rêvent les jeunes filles*, i, 1. Examples could be multiplied.

30. Amélie. Amalia von Edelreich, a character in Schiller's *Räuber*. Karl Moor is her lover, and Amalia laments his loss in a well-known song, Act iii, sc. 1, which is also published in Schiller's *Gedichte, Erste Periode.*

31. Marguerite. The heroine of Goethe's *Faust.*

32. **Julie.** The heroine of *La Nouvelle Héloïse*, a novel by Rousseau, written in letters, describing the loves of a man of low position and a girl of rank, and her subsequent marriage to a respectable freethinker of her own station. The book is too long, the sentiment is overstrained, but it is full of pathos and knowledge of the human heart.

33. **Que la terre leur soit légère.** Latin *sit tibi terra levis*, often abbreviated on tombstones to S. T. T. L. Cf. Martial, Ep. v, 34.

Green be the turf above thee,
Friend of my better days!
Fitz-Greene Halleck, *On the death of Joseph R. Drake.*

Also Ben Jonson, *On my first daughter:*

This grave partakes the fleshly birth,
Which cover lightly, gentle earth.

And Beaumont and Fletcher, *Aspatia's Song:*

My love was false, but I was firm
From my hour of birth;
Upon my buried body lie
Lightly, gentle earth.

34. **Ils ont aimé.** Cf. Lamartine, *Le Lac:*

Que tout ce qu'on entend, l'on voit, ou l'on respire,
Tout dise: "Ils ont aimé."

35. **Je suis un réformé.** Alludes to his desertion of the Romantic school.

36. **Cheviller.** "Cheviller des vers" = to introduce useless words.

37. **Un long cri,** etc. Cf. *L'Espoir en Dieu:*

Une immense espérance a traversé la terre.

And

La prière est un cri d'espérance.

38. **Michel-Ange** (1475–1564). The famous Italian painter, sculptor, architect. He painted the Last Judgment in the Sistine chapel, built the dome of St. Peter's, and carved the statues of Moses, David, etc.

Page 15. 39. **Ce fut le dernier nom Dont le peuple toscan,** etc. Michel Angelo was a native of Florence. Italian art reached its apogee with Michel Angelo, Raphael, and Titian. After them it began that downward course which has left it to-day but a weak imitation of French art.

40. **Régnier,** Maturin (1573–1613). French satiric poet.

41. **Trépied.** Sort of stool on three feet (Greek τρίπους) on which the priestess of Apollo sat in the temple of Delphi when she delivered the oracles of the god.

42. **Calderon,** de la Barca (1601–1681). Spanish dramatic poet, author of *La Vida es Sueño, El Mágico prodigioso,* etc.

43. **Mérimée,** Prosper (1803–1870). Author of *Lettres à une Inconnue* and a series of novels, among them *Carmen* and *Colomba.* He is remarkable for the purity and clearness of his style. These two are taken as types of realism in literature, while Shakspere and Racine typify the ideal side of life. Sainte-Beuve remarks that this comparison between Calderon and Mérimée "passe toutes les bornes de la licence poétique en pareille matière," *Port. Cont.* ii, p. 196.

Page 16. 44. **Et de sa plume d'or.** Cf. the beautiful lines of Keats's sonnet:

> Give me a golden pen and let me lean
> On heaped up flowers, in regions clear, and far.

To open the human heart with a pen is a mixed metaphor.

45. **Hamlet tuera Clodius.** Musset means Claudius, who murdered Hamlet's father, usurped the throne, and was killed by Hamlet himself. See Act v, sc. 2.

46. **Joad.** Joad is the high-priest in Racine's *Athalie.* Mathan is an apostate priest, who is slain when Joas is proclaimed king.

47. **Petit-Jean.** A character in Racine's *Plaideurs.*

48. **Man delights me not, sir, nor woman neither.** *Hamlet,* Act ii, sc. 2.

49. **Je ne sais trop,** etc. The substance of the whole dedication is that Musset says he has followed no system, is not the poet of nature, or art, or politics. The only thing he is sure of is love. He prefers the ideal school to the realistic school, and finds in Racine and Shakspere the poets he admires most.

LUCIE.

Published May, 1835, in the same month as the *Nuit de Mai.* In this elegy Musset has taken the finest lines from an earlier poem called *Le Saule,* published in 1830. The latter is nearly twelve times the length of *Lucie* and is quite in the Byronic mood.

Page 17. 1. **Mes chers amis,** etc. These touching lines are inscribed on Musset's modest tomb in the cemetery of Père Lachaise, in Paris. Cf. Ronsard, *De l'élection de son sépulchre:*

> Mais bien je veux qu'un arbre,
> M'ombrage en lieu d'un marbre,
> Arbre qui soit couvert
> Tousjours de verd.

2. **Nous écoutions la nuit,** etc. Cf. these and the preceding lines, describing the subtle charm of a spring night, with the opening lines of the *Nuit de Mai.*

Page 18. 3. **Je n'aimais qu'elle au monde.** Cf. *La Nuit d'Octobre,* p. 58, line 5.

4. **Desdemona.** Cf. *Sonnet à George Sand:*

> Comme Desdemona, t'inclinant sur ta lyre.

Musset often refers to Desdemona; *Othello* seems to have been his favorite play of Shakspere. In *Le Saule* we learn that Georgina Smolen, the Lucie of the present piece, sang the *Willow Song* (apparently) from Rossini's opera *Otello,* first produced at Naples in 1816. Desdemona was one of the great parts of La Pasta and Malibran. See Musset's poem, *À la Malibran.*

Page 19. 5. **Qui fis hésiter Faust.** Cf. *Faust,* Erster Theil, line 2329 ff. The pathetic story of Marguerite seems to have deeply impressed Musset. He often refers to her although it is doubtful if he ever read the original. The story was known to him probably from translations and pictures. He was very fond of Ary Scheffer's picture of Marguerite, and had an engraving of it in his bed-room. Cf. De Janzé, *Études et Récits sur A. de Musset,* p. 181.

LA NUIT DE MAI.

Published in May, 1835. One of the group of poems which show the disastrous effect of Musset's relations with George Sand. See pp. 144–145 of Paul de Musset's *Biographie* for an interesting account of the composition of this beautiful poem.

Page 19. 1. **Luth.** Musical instrument something like the guitar. Used figuratively for poetic inspiration.

Prends ton luth, cher Orphée, et montre à la déesse
Combien ce doux espoir charme notre tristesse.

Corneille, *Toison d'Or*, i, 5.

2. **Le printemps naît ce soir,** etc. These lines, so fraught with the charm of awakening spring, are worthy to be compared with the best of Keats's.

Page 21. 3. **Poète, prends ton luth,** etc. The muse here endeavors to rouse the poet from the listlessness into which his sorrow has thrown him. She urges him to sing, and goes over all the subjects of poetry, — epic, lyric, pastoral, etc.

4. **Comme un oiseau que sa couvée appelle.** Cf. the exquisite lines of Dante:

Quali colombe dal disio chiamate,
Con l' ali alzate e ferme, al dolce nido
Volan. *Inf.* v, 82–84.

As doves called by desire,
With wings lifted and outspread,
Fly to the sweet nest.

Dante evidently found the suggestion for these lines in Vergil, *Aeneid*, v, 213–217:

Qualis spelunca subito commota columba,
Cui domus et dulces latebroso in pumice nidi,
Fertur in arva volans plausumque exterrita pennis
Dat tecto ingentem; mox aëre lapsa quieto
Radit iter liquidum, celeris neque commovet alas.

Page 22. 5. **Quelque amour,** etc. Cf. Keats:

human passion . . .
That leaves a heart high sorrowful and cloyed.

Ode on a Grecian Urn.

6. **Semblant de bonheur.** Cf. *La Nuit d'Octobre:*

Qui m'ont appris à maudire
Jusqu'au semblant du bonheur.

And *L'Espoir en Dieu:*

Une apparence de bonheur.

7. L'univers est à nous.

For me their tributary streams combine,
Creation's heir, the world, the world is mine.

Goldsmith, *The Traveller.*

And,

He looks abroad into the varied fields
Of nature . . .
Calls the delightful scenery all his own.
His are the mountains and the valleys his,
And the resplendent rivers.

Cowper.

8. Argos. City and district of ancient Greece.

9. Ptéléon. 1. A place in Elis Triphylia, *Il.* ii, 594. 2. A city of Thessaly, *Il.* ii. 697.

10. Messa. City and harbor of Laconia, *Il.* ii, 582. Homer applies to it the epithet πολυτρήρωνα = abounding in doves, which Musset translates *agréable aux colombes.*

11. Pélion. A mountain in Thessaly, *Il.* ii, 757. The expression, *le front chevelu*, is taken from the Homeric epithet, εἰνοσίφυλλον, *i.e.*, quivering with leaves.

12. Titarèse. A river of Thessaly, a branch of the Peneus, *Il.* ii, 751. Homer calls it ἱμερτὸν = lovely.

13. Oloossone. A city in Thessaly, *Il.* ii, 739; *blanche* is a translation of Homer's λεύκην.

14. Camyre. Greek Κάμειρος, a city in the island of Rhodes, *Il.* ii, 656, called ἀργινόεντα, *i.e.*, bright-shining, from its lying on chalky hills. Cf. Horace, *Rhodos clara.* All the above names are quoted from the second Book of the *Iliad.* The influence of André Chénier is manifest.

15. Dans les lampes sans nombre. Cf. Longfellow:

As in the skies,
The tender stars their clouded lamps relume.

Sonnet on Dante.

Also Milton:

The stars
That nature hung in heaven, and filled their lamps
With everlasting oil.

Comus, line 195.

16. Crierons-nous à Tarquin. Allusion to the *Rape of Lucrece.* See Shakspere's poem, Ariosto, *O. F.*, canto xxix, 28, and the *Roman de la Rose*, lines 9361 ff.

17. **Mènerons-nous la chèvre,** etc. The reference is to pastoral poetry.

Page 23. 18. **Montrerons-nous le ciel,** etc. Elegiac poetry. Cf. Milton, *Il Penseroso:*

And looks commercing with the skies.

Musset probably refers to Albert Dürer's highly poetic *Melancholia,* published in 1514, and one of the most perfect engravings of this master.

19. **Sa bruyère l'attend,** etc. These lines remind us of Ossian, whose influence was so great over Lamartine, Chateaubriand, and the other Romanticists.

20. **Peindrons-nous une vierge,** etc. Musset here refers to Romantic poetry. His earlier poetry, *Don Paez, Portia,* etc., are quite in this strain. Cf.:

Le quatrième jour Suzon vint à confesse;
Et derrière un pilier, caché dans l'ombre épaisse,
Cassius de son amour surprit l'aveu fatal.

Suzon.

21. **Dirons-nous aux héros,** etc. Reference to old epic poetry of France. In his youth Alfred de Musset had read deep in these old stories of Roland, Amadis, Huon de Bordeaux, etc.

22. **Troubadours.** One of the school of poets who flourished from the 11th to the end of the 13th century, chiefly in Provence. They invented and cultivated a kind of lyrical poetry characterized by intricacy of metre and rhyme, and usually of a romantic, amorous strain.

23. **L'homme de Waterloo.** Napoleon. Musset calls him "homme de Brumaire" in the *Dédicace* to *La Coupe et les Lèvres.* The 18th Brumaire marks Napoleon's rise to power and glory; Waterloo marks his fall. Cf. note 17, page 11.

24. **Sur son tertre vert.** St. Helena, where Napoleon died.

25. **Satire.** Musset has shown no mean powers in this direction in the *Merle Blanc* and the *Ballade à la Lune.*

Page 24. 26. **Les plus désespérés,** etc. Cf. Shelley:

Our sweetest songs are those that tell of saddest thought.

Also Justinus Kerner:

Poesie ist tiefes Schmerzen
Und es kommt das echte Lied
Einzig aus dem Menschenherzen,
Das ein tiefes Leid durchglüht.

Goethe, however, in his dislike for what to him was mawkish sentiment, says (*Zahme Xenien*, i):

Mir will das kranke Zeug nicht munden,
Autoren sollen erst gesunden.

And in a conversation with Eckermann, September 24, 1827: "Die Poeten schreiben alle als wären sie krank und die ganze Welt ein Lazarett. Alle sprechen sie von den Leiden und dem Jammer der Erde. . . . Das ist ein wahrer Missbrauch der Poesie, die uns doch eigentlich dazu gegeben ist, um die kleinen Zwiste des Lebens auszugleichen und den Menschen mit der Welt und seinem Zustande zufrieden zu machen. Aber die jetzige Generation fürchtet sich vor aller echten Kraft, und nur bei der Schwäche ist es ihr gemütlich und poetisch zu Sinne."

27. **Lorsque le pélican,** etc. This passage is one of the most beautiful that Musset ever wrote, and is deservedly famous. The fable of the pelican giving his blood for his young dates from ancient times.

Tant les aime d'amor parfite,
Que donc revent, si les visite.
Od son bec perce son coste,
Tant qu'il en a del sanc oste.
De cel sanc, qui de lui ist fors,
Lors remeine la vie es cors
De ses pulcins, n'en dotez mie,
E en tel sens les vivifie.

Bestiaire de Guillaume le Clerc, lines 555–562.

Dante in *Par.* xxv. 113, calls the Saviour *nostro Pellicano*, probably having in mind Psalms cii: 6. Cf. also Clement Marot, *Ballade XIII*, "De la Passion de Nostre Seigneur Jesuchrist," and Thomas Aquinas:

Pie pelicane, Jesu Domine,
Me immundum munda tuo sanguine.

As to the general idea of suffering being necessary to the poet when he sings, cf. Chateaubriand, *Atala:* "Le cœur, ô Chactas! est comme ces sortes d'arbres qui ne donnent leur baume pour les blessures des hommes que lorsque le fer les a blessés eux-mêmes," and Peire Raimon de Toulouse:

Atressi cum la candela
Que si meteyssa destruy,
Per far clardat ad autruy,
Chant.

Mahn, *Werke der Troubadours*, i, 137.

(Like the candle which destroys itself to give light to others, so I sing.)

Page 26. 28. **Mais j'ai souffert,** etc. Cf. Justinus Kerner:

Doch die höchsten Poesien
Schweigen wie der höchste Schmerz,
Nur wie Geisterschatten ziehen
Stumm sie durch's gebrochene Herz.

LA NUIT DE DÉCEMBRE.

In this poem Musset laments the state of solitude which, even in the midst of the "great, sinful" city of Paris, hung like a shadow over his whole life. It was composed in November, 1835. Paul de Musset says, *Biographie*, p. 155: "Un soir, en rentrant vers minuit, par un temps affreux, j'aperçus dans la chambre de mon frère tant de lumières que je le crus en nombreuse compagnie. Il écrivait *La Nuit de Décembre*." Sainte-Beuve has criticised the last lines of the poem as partly spoiling the effect of the air of mystery, which is very poetic and ought to have been maintained to the end.

Page 27. 1. **À l'âge où l'on croit à l'amour.** Twenty years. See p. 30, line 17. This is the conventional age with the Romanticists; so in *Hernani*. Cf. *La Lyre Française*, p. 295:

À vingt ans, mon cœur
Crut l'amour un Dieu.

La Mère Bontemps.

2. **Glaive.** Poetic for *épée*. Here it stands for sorrow. Cf. Massillon:

De quel glaive de douleur son âme ne fut-elle pas percée?

Panég. Magd.

Also Luke ii:35, and *Stabat Mater*, "pertransivit gladius."

3. **Un haillon de pourpre en lambeau.** Allusion to the fallen dignity and loss of poetic power of the poet in his hours of debauchery.

Page 28. 4. **J'étais à genoux,** etc. Musset describes the death of his father in *La Confession*, troisième partie, ch. i.

Page 29. 5. **Brigues.** At the head of the Rhone Valley, and the starting point over the Simplon Pass.

6. **Vevay.** On Lake Geneva. The other names are too well-known to need explanation.

7. **L'affreux Lido.** An island forming the outer bulwark of Venice

against the sea. Hither the people of Venice resort to ride on the sands or bathe in the sea. Musset calls the Lido *affreux* because here occurred the tragedy that separated him from George Sand.

8. **Saignant d'une éternelle plaie.** Cf. Tennyson :

> And like a wounded life . . .
> Bearing a life-long burden in his heart.
>
> *Enoch Arden.*

9. **Le boiteux Ennui.** Cf. Horace, iii, 2, 32: Deseruit pede Poena claudo.

Page 31. 10. **Bure.** Coarse woolen stuff, drugget. Often used as the contrary of purple to express poverty, etc. See note 3. "Quelquefois la mort se pare des lambeaux de la pourpre ou de la bure dont elle a depouillé le riche et l'indigent." Chateaubriand, *Mart.* 263.

11. **Ah! faible femme,** etc. We are told by Paul de Musset and also by Sécrétan that these words do not refer to George Sand, but to a new love experience. How explain then the reference to the *affreux Lido?* Paul de Musset, perhaps sincerely, is trying to belittle George Sand's influence. Cf. note on p. xiv of the Introduction.

Page 32. 12. **Triste oiseau de passage.** See note 11 on page 49.

LETTRE À LAMARTINE.

"Alfred de Musset professait hautement pour M. de Lamartine autant de sympathie que d'admiration. Un soir du mois de février 1836, à la suite d'un accès de mélancolie, je le trouvai relisant les *Méditations*. Cette poésie dont il venait d'éprouver les vertus calmantes lui avait inspiré l'envie d'adresser, par reconnaissance, quelques vers à l'auteur du *Lac*. Il me récita tout le début de l'épître à Lamartine, jusqu'à ce vers où il dit que Lord Byron, dans les derniers temps de sa vie,

> Sur terre autour de lui, cherchait pour qui mourir."

P. de Musset, *Biog. de A. de Musset*, p. 165.

The poem appeared in the *Revue des Deux Mondes* the 1st of March, 1836. Some time after Alfred received an invitation to call on Lamartine, who promised to answer his poem, but said gracefully that it would take him a long while to do so properly. The answer came in 1849, just thirteen years after. Musset who was then almost forty years old was addressed in the following fashion :

> Enfant aux blonds cheveux, jeune homme au cœur de cire
> Dont la lèvre a le pli des larmes ou du rire,
> Selon que la beauté qui règne sur tes yeux
> Eut un regard hier sévère ou gracieux;
> Poétique jouet de molle poésie,
> Qui prends pour passion ta vague fantaisie,
> Bulle d'air coloré dans une bulle d'eau.

He was deeply wounded by this neglect and still more by the above lines in which he was treated as a child. Lamartine afterwards had the grace to regret his treatment of the poet, whom, indeed, he never appreciated at his full worth. He once said to the publisher Charpentier: "Ce pauvre Alfred, c'est un aimable garçon et un homme du monde charmant; mais entre nous, il n'a jamais su et ne saura jamais faire un vers."

Page 33. 1. **Lorsque le grand Byron,** etc. This paragraph refers to the sojourn made by Byron at Ravenna in the years 1820–21. He had followed thither the countess Guiccioli, the sixteen-year old wife of an old man of sixty. She had fallen violently in love with him and to her he gave what remnants of affection still remained in his heart.

2. **Où en finir en héros,** etc. Refers to Byron's death at Missolonghi, 18th April, 1824. He had gone to Greece to help the Greeks in their struggle for liberty against the Turks.

3. **Ouvrit un soir un livre,** etc. This book was the *Méditations* of Lamartine, published in 1819; the poem in which he spoke of Byron is *L'Homme*. Lamartine was then unknown, had seen Byron at Geneva, had read his works, and was deeply influenced by him. It is doubtful if Byron ever read these lines of Lamartine. In Thomas Moore's *Life of Byron* we find the following words in a letter dated from Ravenna, June 1, 1821: "He asks me if I have heard of *my* laureate at Paris — somebody who has written 'a most sanguinary *épître*' against me; but whether in French or Dutch, or on what score, I know not, and he don't say, except that (for my satisfaction) he says it is the best thing in the fellow's book . . . I suppose it to be something of the usual sort; he says he don't remember the author's name."

4. **Prince des proscrits.** Allusion to *Childe Harold's Pilgrimage.*

Page 34. 5. **Vous étiez jeune alors.** Lamartine was 29 at this time. He was born in 1790.

6. **Pour la première fois.** The *Méditations* was the first volume of Lamartine's works published.

7. **Ce beau luth éploré.** Describes well the melancholy and somewhat lachrymose strain of Lamartine's poetry.

8. Noble fils de la France. The reference here is to the *noble poésie.*

9. De quel droit, etc. Lamartine calls Byron,

> Esprit mystérieux, mortel, ange ou démon,

says that

> La nuit est ton séjour, l'horreur ton domaine,

compares him to the eagle, "ce brigand des airs," etc. He tells him that he too has suffered and doubted, but that God has given him faith, and finally exhorts the English poet to return to God. We can imagine what sardonic remarks such language would call forth from Byron.

10. Ganymède. Cup-bearer of Zeus. Originally a beautiful Trojan youth carried to Olympus by the eagle of Zeus.

> Or else flushed Ganymede, his rosy thigh
> Half-buried in the eagle's down,
> Sole as a flying star shot thro' the sky.
>
> Tennyson, *Palace of Art.*

> Ed esser mi parea là, dove fôro
> Abbandonati i suoi da Ganimede,
> Quando fu ratto al sommo consistoro.
>
> Dante, *Purg.* ix, 23–25.

(It seemed to me that I was there where Ganymede abandoned his friends when he was caught up to the lofty consistory.) Cf. also Lamartine, *L'Enthousiasme.*

11. Non, vous aviez vingt ans. Lamartine was really twenty-nine. Musset always takes twenty as typical of youth. See note 1, page 27.

12. Lara. The hero of Byron's poem of the same name; a gloomy and mysterious outlaw chief, similar in character to Conrad in the *Corsair.* Victor Hugo's *Hernani* is the French representative of the same type.

13. Manfred. The hero of the drama of the same name; represented as being estranged from all human creatures, indifferent to all human sympathies, and dwelling in the solitudes of the Central Alps, where he holds communion only with the spirits he invokes by his sorceries, and with the memory of the being he has loved and destroyed. The relationship between Manfred and Faust is very evident.

14. Corsaire. See note 12 above.

15. Cette âme désolée. Cf. Lamartine:

> Ton œil, comme Satan, a mesuré l'abîme,
> Et ton âme, y plongeant loin du jour et de Dieu,
> A dit à l'espérance un éternel adieu.
>
> *L'Homme.*

Byron is the most famous exponent of the *homme fatal*, and of the *maladie du siècle* or *Weltschmerz.* In literature the same spirit is shown in *René*, *Werther*, *Obermann*, *Childe Harold*, *Manfred*, etc.

16. **Encore tout armée.** War had ceased in France, but the Greek war for independence was still in progress, and the Holy Alliance which the continental courts had formed for the repression of revolutionary movements in their kingdoms had driven Naples, Spain, and Portugal into revolt in 1820.

17. **Le grand inspiré de la Mélancolie.** See note 15 above.

18. **Se changeait en martyr.** Allusion to Byron's death at Missolonghi.

19. **Le dernier amant de la pauvre Italie.** Byron's love for Italy is well-known. See Moore's *Life of Byron* and also *Childe Harold*, canto iv, especially 26, 42, 73.

20. **Rassasié de la grandeur humaine.** Cf. *Childe Harold*, canto iii, 113–114.

21. **Comme un cygne.** Alludes to the well-known myth which attributed melodious song to swans about to die. Cf.:

I will play the swan and die in music.

Othello, v, 2, 247.

And when the swans begin singing,
They presently must die.

Heine.

Ce sera là que ma lyre
Faisant son dernier effort,
Entreprendra de mieux dire
Qu'un cygne près de sa mort.

Malherbe, ii, 2.

Page 35. 22. **Il écouta ces vers,** etc. This scene is merely a poetic fancy invented by Musset.

23. **Verveine.** Latin *verbena.* "Verbenas vocamus omnes frondes sacratas, ut est laurus, oliva, vel myrtus." Serv. ad Verg. *A.* xii, 120. Used by the Greeks and Romans in their sacrifices and sacred rites, and by the Druids in their incantations. Drayton says, "A wreath of vervain heralds wear," *i.e.*, as a badge of truth.

24. **De t'égaler,** etc. These words are spoken sincerely. Musset was ever modest. "One would do me an ill turn to persuade me that I am a great man," he said once.

25. **Je ne songe point,** etc. And yet Musset was deeply wounded at Lamartine's silence.

26. Ne sait par cœur ce chant, etc. *Le Lac*, the most beautiful and best known of Lamartine's poems; written in 1817.

Page 36. 27. Quiconque aima jamais porte une cicatrice. Cf. Shakspere:

He jests at scars that never felt a wound.
Romeo and Juliet, ii, 2.

Also Byron:

What deep wounds ever closed without a scar.
Childe Harold, iii, 84.

28. J'ai cru sentir le temps s'arrêter dans mon cœur.

O temps! suspends ton vol! et vous, heures propices,
Suspendez votre cours!
Lamartine, *Le Lac.*

29. Ce ne sont pas des chants, etc. Cf. *La Nuit de Mai:*

J'en sais d'immortels qui sont de purs sanglots.

30. Lorsque le laboureur, etc. Cf. for similar figure, *La Confession d'un enfant du siècle*, cinquième partie, ch. vi: "Comme un laboureur, après un orage, compte les épis d'un champ dévasté," etc. Also Ariosto, *O. F.* i, 65.

Qual istordito e stupido aratore,
Poi ch'è passato il fulmine, si leva
Di là dove l'altissimo fragore
Presso alli morti buoi steso l'aveva.

(As the stunned and stupefied ploughman, after the thunderbolt has passed, rises from the place where the profound crash had hurled him beside his dead oxen.)

Page 37. 31. Sans force et sans pensée. Cf. Chateaubriand's *Atala*, p. 56: "Dans les grandes douleurs, au contraire, je ne sais quoi de pesant nous endort."

32. Infidèle amante. Paul de Musset says this does not refer to George Sand. I am inclined to believe it does. See note 11, p. 31, and p. xiv of the Introduction.

33. Ce n'était pas au bord d'un lac, etc. These lines show the difference between the melancholy of Lamartine and Musset. The former in his sorrow went to nature and there found calm and peace. The latter plunged headlong into a life of dissipation at Paris.

Page 39. 34. Où j'ai posé deux fois le fer sur mon sein nu. Musset actually tried to commit suicide once, but not for love. See Paul de Musset, *Biog. de A. de Musset*, p. 220.

35. **Chaste et noble poète.** Lamartine deserves these terms. Though sentimental and monotonous at times he is never coarse or immoral.

36. **Elvire.** Name given by Lamartine in his *Méditations* to a young woman married to a man much older than herself, a Dr. Charles. She is the same as *Julie* in *Raphaël.* Her beauty, sadness, and delicate charm inspired the poet with an interest in her. "C'était un charme désintéressé, pur, calme, immatériel," he says himself. See *Lamartine*, par E. Rod; *Collection des class. pop.*, p. 33.

37. **Qui marche à pas comptés vers une fin certaine.** Cf.:

Del viver ch' è un correre alla morte.

Dante, *Purg.* xxxiii, 54.

(Of life which is a running to death.)

38. **Mourir plus d'une fois.**

Yet in this life
Lie hid more thousand deaths.

Shakspere, *Measure for Measure*, iii, 1.

And St. Paul: "I die daily."

Page 40. 39. **Si bien que notre temps,** etc. Cf. Shelley:

We look before and after,
And pine for what is not.

Also Shakspere:

Happy thou art not;
For what thou hast not, still thou striv'st to get,
And what thou hast forgett'st.
. . . What's in this
That bears the name of life?

Measure for Measure, iii, 1.

40. **Et comment se fait-il,** etc. The next ten or a dozen lines remind us irresistibly of the powerful picture of human life in Leopardi's *Canto di un pastore errante dell' Asia*, where we see a

Vecchierel bianco, infermo,
Mezzo vestito e scalzo,
Con gravissimo fascio in su le spalle.

(A white-haired old man, infirm, half-clothed and bare-footed, with a heavy burden on his back), ever marching on over hill and valley, in tempest, cold, and heat, falling, rising, torn and bleeding, yet ever rushing onward till an awful abyss yawns before him; and plunging in, he disappears forever. Musset had read Leopardi and may have had this poem in his mind. Cf. also La Fontaine, Fables, *La Mort et le Bucheron*, Bk I, 16, and V. Hugo, *Hernani*, iii, sc. 4:

Mais je me sens poussé
D'un souffle impétueux, d'un destin insensé, etc.

41. Il ne reste de nous qu'un cadavre vivant. In similar manner Dante says, (*Inf.* xxxiii, 129 ff.), that as soon as a man becomes a traitor:

lo corpo suo l' è tolto
Da un demonio, che poscia il governa.
. . . .
Ella (the soul) ruina in sì fatta cisterna.

(His body is taken from him, by a demon, who afterwards rules it; while the soul is hurled into this cistern, *i.e.* Hell.) Cf. also John xiii: 27 and after the sop Satan entered into him (Judas).

Page 41. 42. Puisque tu sais chanter, etc. Cf. *La Nuit de Mai*, p. 24, lines 24 and 25.

43. Tu respectes le mal, etc. Alludes to *La Providence à l'Homme*, a poem by Lamartine, in which he reiterates his belief in God in spite of the chaos of evil he sees around him.

LA NUIT D'AOÛT.

Written in August, 1836. "La Nuit d'Août fut réellement pour l'auteur une nuit de délices. Il avait orné sa chambre et ouvert les fenêtres. La lumière des bougies se jouait parmi les fleurs qui emplissaient quatre grands vases disposés symétriquement. La muse arriva comme une jeune mariée. . . . Et comme, cette fois, les pensées du poète étaient sereines, son cœur guéri, son esprit ferme et son imagination pleine de sève, il goûta un bonheur que le vulgaire ne soupçonne pas." Paul de Musset, *Biog. de A. de M.*, p. 177.

Page 42. 1. Cancer. The zodiacal sign which by the annual revolution of the earth seems traveled over by the sun from about the 20th of June to the 20th of July. In the times of Hipparchus this sign coincided with the constellation of Cancer. To-day, owing to the precession of the equinoxes, it is far from it. Thus it is necessary to distinguish between the sign and the constellation.

Page 43. 2. Verveine. See note 23 on page 35.

Page 45. 3. Les passions funestes L'auront rendu de pierre. Cf. Dante:

Venga Medusa, e sì 'l farem di smalto,
Inf. ix, 52.

(Let Medusa come and we will turn him to stone), and see the note of Fraticelli in loc.: "Per il volto di Medusa, che avea virtù d' impietrare la gente, si vuol rappresentare il piacer de' sensi, il quale, indurando il cuore dell' uomo, ne oscura l' intelletto." (By the face of Medusa, which had the power to petrify people, is represented the pleasure of the senses, which by hardening the heart of man obscures his intellect.) Did Musset have this passage in his mind?

4. **Auteuil.** A suburb of Paris, beyond Passy.

> Auteuil, lieu favori, lieu fait pour les poètes,
> Que de rivaux de gloire unis sous tes berceaux.
>
> Chénier, *Promenade.*

In the spring of 1828 Alfred's mother hired a small apartment at Auteuil. Alfred used to go early in the morning on foot to Paris, there to study in an artist's studio. He would return to dinner by way of the Bois de Boulogne, with no companion but a book. Chénier was his favorite poet in these promenades, and Alfred's first effort in poetry was inspired by this graceful and unfortunate poet.

5. **Qui m'a cueilli mon fruit,** etc. Reference to the golden apples of the Hesperides (?).

6. **La déesse Qui porte,** etc. Goddess of health, Hygeia, daughter of Aesculapius.

Page 46. 7. **J'aime, et pour un baiser je donne mon génie.** Cf. Tennyson:

> She looked so lovely, as she swayed
> The rein with dainty finger-tips,
> A man had given all other bliss,
> And all his worldly worth for this,
> To waste his whole heart in one kiss
> Upon her perfect lips.
>
> *Sir Launcelot and Queen Guinevere.*

Also Victor Hugo:

> Le roi disait en la voyant si belle,
> À son neveu,
> Pour un baiser, pour un sourire d'elle,
> Pour un cheveu,
> Infant Don Ruy, je donnerais l'Espagne
> Et le Pérou.
>
> *Rayons et Ombres,* xxii.

À LA MALIBRAN.

This beautiful elegy, worthy of a place beside the great English threnodies, *Lycidas*, *Adonais*, and *Thyrsis*, was published the 15th of October, 1836. Musset passionately admired the great singer, although he never had an opportunity of speaking to her.

Maria Félicité Malibran, one of the most distinguished singers the world has ever seen, was born March 24, 1808, at Paris, where her father, Manuel Garcia, had arrived from Italy only two months before. Her whole career was one of triumph. In April, 1836, she had a fall from her horse, and received serious injuries to her head, which finally caused her death, September 23, 1836.

Page 47. 1. **Celui-là sur l'airain,** etc. Probably alludes to the engraver.

2. **Raphaël.** Musset here speaks as if the last picture of the great painter was a Madonna. In reality it was the Transfiguration; and the colors were hardly dry when it was carried in the artist's own funeral procession.

3. **Parthénon.** The famous temple of Athena in the Acropolis of Athens, completed 438 B.C.; it was built under the direction of Phidias, the most famous of Greek sculptors, born 500 B.C. Inside the temple was a colossal statue of Athena in gold and ivory made by Phidias himself.

4. **Praxitèle.** A Greek sculptor, son, and apparently, also pupil of the Athenian Cephisodotus. His most celebrated work was the marble statue of Aphrodite of Cnidus, of which the Venus of the Capitoline Museum and the Venus de Medicis are more or less modified copies. Originally commissioned by Cos, but declined on account of its nudity, this statue was replaced by another of Aphrodite, with which the marble statue in the Louvre, found in Melos in 1820, has frequently been compared.

Page 48. 5. **Mais celui d'un époux.** Her maiden name was Garcia; she was married against her will to M. Malibran, an elderly and seemingly wealthy French merchant, March 25, 1826. She was divorced later and married again March 26, 1836, to M. de Bériot.

Page 49. 6. **Corilla.** Character in which Malibran often appeared.

7. **Rosina.** The sprightly heroine of Rossini's *Il Barbiere di Seviglia.* Malibran made her début in this part.

8. **Le Saule.** The "willow-song" of *Otello*. See also *Lucie*.

9. **Desdemona.** In Rossini's opera based on Shakspere's *Othello*. Desdemona was one of the great parts of both La Pasta and Malibran.

10. **Tarantelle.** A rapid and delirious sort of Neapolitan dance in 6–8 time, which moves in whirling couplets; so called from a popular notion of its being a remedy against the poisonous bite of the tarantula.

11. **Oiseau de passage.** Bird that emigrates every year. The reference is to Malibran's short life, or possibly to her travels. Wordsworth, in a beautiful sonnet, compares life to a bird which flies across a lighted chamber and then disappears in the darkness without. We find the same figure in *La Nuit de Décembre*, p. 32, line 18, and in *Au Lecteur*, p. 3, line 7.

12. **Espiègle.** From Till Eulenspiegel, the hero of a German comic story; frolicsome.

13. **Londre.** The *s* is omitted on account of the metre. Malibran had made tours in Spain, England, Italy, and even in America.

14. **Faucheur aveugle.** Cf. Longfellow:

> There is a reaper whose name is Death,
> And with his sickle keen,
> He reaps the bearded grain at a breath,
> And the flowers that grow between.
>
> *The Reaper and the Flowers.*

Page 50. 15. **Géricault.** French painter (1790–1824). Author of the famous realistic picture *Le Radeau de la Méduse* in the Louvre. This picture is as famous in the history of modern painting as *Hernani* is in the history of French literature.

16. **Cuvier,** Georges. Famous naturalist (1769–1832). Creator of the science of comparative anatomy. The other names are too well known to need any remark. Napoleon died May 5, 1821, at St. Helena.

17. **Lorsqu'on meurt si jeune,** etc. Cf. Byron:

> "Whom the gods love die young," was said of yore.
>
> *Don Juan*, iv, st. 12.
>
> ὃν οἱ θεοὶ φιλοῦσιν ἀποθνήσκει νέος.
>
> *Menander.*

So also:

> Quem dî diligunt, adolescens moritur.
>
> Plautus, *Bacch.* 4, 7, 18.

18. **Robert,** Léopold (1794–1835). Celebrated painter, born at Chaux-de-fonds. His chief work is the *Moissonneurs des Marais Pontins*, in the Louvre.

19. **Bellini,** Vincent (1802–1835). Italian composer, author of *La Somnambula*, *Norma*, etc.

20. Carrel, Armand (1800–1836). French publicist, fought a duel with Émile de Girardin, May 22, 1836, and was wounded in the stomach. He died after two days of suffering.

Page 51. 21. Marietta. Diminutive of Maria.

22. C'est cette voix du cœur, etc. Cf. Goethe:

> Doch werdet ihr nie Herz zu Herzen schaffen,
> Wenn es euch nicht von Herzen geht.
>
> *Faust*, 1. Theil, 191–192.

Page 52. 23. Le Saule. See note 8 on p. 49.

24. La Pasta. Giuditta Pasta, born in 1798 at Como, near Milan. Bellini wrote for her *La Somnambula* (1831) and *Norma* (1832).

LA NUIT D'OCTOBRE.

This is the last of the series of the *Nuits*. A fifth one, the *Nuit de Juin*, was started later, in which the poet intended to sing gayety and love. Unhappily, as he was finishing the first four lines, a friend came in and carried him off to a night of pleasure, and the *June Night* was never completed.

The *October Night* was published in the *Revue des Deux Mondes*, October 15, 1837. In it Musset goes over again the story of his love and suffering, and declares his purpose to have done with it forever. Paul calls it "la suite nécessaire de la *Nuit de Mai*, le dernier mot d'une grande douleur et la plus légitime comme la plus accablante des vengeances, le pardon."

This poem marks a new period of literary activity. Musset began to work steadily and with a heart more free and joyous than he had had for years. During the two years, 1837–1838, he wrote a long list of poems, comedies, novels, etc. Pity this mood was not lasting!

Page 55. 1. Comme une mère vigilante, etc. Cf. Dante:

> Come madre a suo figlio, benigna.
>
> *Par.* xvi, 60.

Page 56. 2. Sur le sable argentin. Refers to the Lido, near Venice.

3. Tremble. *Populus tremula*, the aspen.

Page 57. **4. Noir souci.** The *atra cura* of Horace, *Carm.* iii, 1, 40. The lines beginning *c'était, il m'en souvient,* recall the lines of Poe's *Raven:*

> Ah! distinctly I remember, it was in the bleak December,
> And each separate dying ember wrought its ghost upon the floor.
> Eagerly I wished the morrow, vainly I had sought to borrow
> From my books surcease of sorrow, etc.

5. J'étais à la fenêtre, etc. The true story of what Musset calls George Sand's infidelity, and to which he alludes in these lines, can never be known to a certainty. George Sand in her *Elle et Lui,* and P. de Musset in his *Lui et Elle,* put the whole affair in entirely different lights. Who is right need not be discussed here.

Page 58. **6. Hélas! au souvenir,** etc. In the *Lettre à Lamartine,* p. 36, lines 8 and 9, we have the same general idea of the joys and sorrows of love.

Page 59. **7. Chasse le nom de cette femme.** George Sand is never mentioned by Paul de Musset when discussing this affair.

8. Ta jeunesse. She was thirty years old at this time, having been born in 1804.

Page 60. **9. Si tu veux être aimé, respecte ton amour.** Cf. *À quoi rêvent les jeunes filles,* Respectez votre femme, ii, 1.

10. Est-ce donc sans motif, etc. Cf. Lamartine:

> Peux-tu craindre que je t'oublie,
> Homme, roi de cet univers?
>
> *La Providence à l'Homme.*

11. Et nul ne se connaît, etc. These lines remind us of the famous words of Goethe:

> Wer nie sein Brod mit Thränen ass,
> Wer nie die kummervollen Nächte
> Auf seinem Bette weinend sass,
> Der kennt euch nicht, ihr himmlischen Mächte.
>
> *Wilhelm Meister's Lehrjahre,* Buch ii, 13.

They are simply an expansion of the Greek motto to *Wahrheit und Dichtung:*

> ὁ μὴ δαρεὶς ἄνθρωπος οὐ παιδεύεται.
>
> *Menander.*

Cf. also Tennyson:

> 'Tis held that sorrow makes us wise.
>
> *In Memoriam,* cvii.

and Seneca, "Melius in malis sapimus."

Page 61. **12. Pétrarque.** Francesco Petrarca, Italian poet born at Arezzo (1304–1374). Lived at Avignon and in the retreat at Vaucluse.

Wrote sonnets and canzoni in honor of Laura de Noves, who died of the Black Death.

Page 62. 13. Vipère assoupie. Cf. La Fontaine's fable of the *Villageois et le Serpent*, vi, 13, and Racine:

> Et que dans votre sein ce serpent élevé,
> Ne vous punisse un jour de l'avoir conservé.
>
> *Andromaque*, i, sc. 2.

Page 63. 14. De l'astre cher au voyageur. Spenser says of the moon shining forth from dark clouds:

> Of the poore traveller that went astray,
> With thousand blessings she is heried (honored).
>
> *Faery Queene*, iii, 1, 43.

So also Milton:

> And thou, fair Moon,
> That wont'st to love the travailer's benison.
>
> *Comus*, 331–332.

15. Par la sève de l'univers. Cf. "dans la sève du monde," *On ne badine pas avec l'amour*, iii, 3.

L'ESPOIR EN DIEU.

Published in 1838. Just before writing the *Espoir en Dieu* Musset had finished the best of his *nouvelles, Frédéric et Bernerette*, in which the gay, light-hearted heroine, a true grisette, dies under very pathetic circumstances. "Mais le jour même," says Paul de Musset, "où il coucha son héroïne dans la tombe, comme les larmes lui étaient venues aux yeux en écrivant la dernière page, sa défaillance avait cessé. Il me dit ce mot que je n'ai jamais oublié : 'J'ai assez lu, assez cherché, assez regardé. Les larmes et la prière sont d'essence divine. C'est un Dieu qui nous a donné la faculté de pleurer, et, puisque les larmes viennent de lui, la prière retourne à lui.' Dès la nuit suivante, il commença l'*Espoir en Dieu*." *Biog. de A. de Musset*, p. 194.

Just as the *Lettre à Lamartine* can be compared to Lamartine's epistle to Byron, so the *Espoir en Dieu* can be compared to his *Providence*. Doubts assail Musset as they had assailed Lamartine, but the triumphant faith is wanting here. *L'Espoir en Dieu* is the cry of a soul which has lost all capacity for belief, and yet clings with passionate insistence to the hope of a God. "Lord, I believe, help thou my unbelief," is the cry of the poet. The following remarks of Paul de Musset sum up admirably the substance of the poem: "L'auteur était tourmenté depuis longtemps par le problème insoluble de la destinée de l'homme et du but final de la vie. Je le voyais souvent la tête dans ses mains, voulant à toute force pénétrer le mystère impénétrable, cherchant un trait de lumière dans l'immensité, dans le spectacle de la nature, dans son propre cœur, demandant des preuves, des indices à la science, à la philosophie, à toute la création, et ne trouvant que des systèmes, des rêveries, des négations, des conjectures, et au bout de tout cela, le doute." (*Biog. de A. de Musset*, p. 193.) A. de Musset has similar thoughts in *La confession d'un enfant du siècle*, première partie, ch. x. It is interesting to recall that Tennyson's *In Memoriam*, published in 1850, was probably being composed at this time, since Hallam died in 1833.

Page 64. 1. **Encor plein de jeunesse.** Musset was only 28 when he wrote this.

2. **Épicure.** Celebrated Greek philosopher, born 341 B.C., seven years after the death of Plato. He was a native of the island of Samos. He was frugal and chaste in his life and required the same virtues in his followers.

3. **Je voudrais vivre,** etc. Cf. these four lines with *Faust*, 1. Theil, lines 1411–1421.

4. **Malgré moi l'infini me tourmente.** G. Sand says somewhere, "J'ai toujours été tourmentée par l'infini."

5. **Passer comme un troupeau.** Cf. Dante:

> Uomini siate, e non pecore matte.
>
> *Par.* v, 80.

(Be men and not senseless animals.) And Longfellow:

> Be not like dumb, driven cattle.
>
> *A Psalm of Life.*

Also Butler:

> Like mortal cattle in a penfold.
>
> *Hudibras*, Pt. ii, canto 3, 197.

Musset probably remembered G. Salusti Crispi, *Catilina*, i: "Omnes homines, qui sese student praestare ceteris animalibus, summa ope niti decet, ne vitam silentio transeant veluti pecora, quae natura prona atque obedientia ventri finxit." This work is always read in French classes.

6. **Et je ne puis m'enfuir,** etc. Cf. Goethe:

> Die schlechteste Gesellschaft lässt dich fühlen,
> Dass du ein Mensch mit Menschen bist.
>
> *Faust*, 1. Theil, 1283–1284.

Also,

> Homo sum, humani nil a me alienum puto.
>
> *Terence*, Heaut. i, 1, 25.

7. **Jouis et meurs.** Cf. St. Paul: "If after the manner of men I have fought with beasts at Ephesus, what advantageth it me, if the dead

rise not? Let us eat and drink; for to-morrow we die." 1 Cor. xv: 32. Cf. also Isaiah xxii: 13. Similar sentiments abound in the Latin poets.

8. **Espère seulement.** "Why art thou cast down, O my soul? And why art thou disquieted within me? Hope thou in God." Psalms xlii: 5.

9. **Le ciel veille sans cesse.** Cf. "He that keepeth thee will not slumber." Psalms cxxi: 2.

Page 65. 10. **Sous les yeux d'un témoin.** Cf. Proverbs v: 21: "For the ways of man are before the eyes of the Lord."

Page 66. 11. **Au fond des vains plaisirs,** etc.

Medio de fonte leporum
Surgit amari aliquid, quod in ipsis floribus angat.

Lucretius, lib. 4, verses 1133–1134.

12. **Je trouve un tel dégoût.** This is very characteristic of Musset's whole life, — reckless dissipation and remorse. "Can you see a worse sight," he once said, "than a libertine who repents?"

13. **L'amour, le seul bien d'ici-bas.** This sentiment is repeated scores of times by Musset. It is the key-note of his life as well as his poetry. Cf. also Browning:

Shut them in
With their triumphs and their glories and the rest,
Love is best!

Love among the Ruins.

14. **Astarté.** See note 1, page 3.

15. **Horace.** Famous Augustan poet (65–8 B.C.).

16. **Lucrèce.** Latin poet, author of *De Natura Rerum* (99–54 B.C.).

17. **Épicure.** See note 2, page 64.

18. **Une immense espérance a traversé la terre.** A fine line.

Page 67. 19. **Où sont-ils, ces faiseurs de systèmes?** In the following lines Musset runs over the various systems of philosophy, ancient and modern. Just before writing *L'Espoir en Dieu,* he had read a number of philosophical works. His knowledge of philosophy, however, was not very deep, his brother Paul to the contrary notwithstanding. Cf. what he says below, for instance, of the great German philosopher Kant.

20. **L'un me montre,** etc. The two opposing principles of Good and Evil among the ancient Persians.

21. **Platon . . . Aristote.** The former represents the poetic or ideal thinker, the latter the purely intellectual and scientific thinker.

22. **Pythagore et Leibnitz.** The poet alludes here probably to the doctrine of the transmigration of souls. In thus placing the German philosopher in connection with Pythagoras, Musset probably had in

mind Leibnitz's doctrine of Monadology, *i.e.*, the universe is composed of an infinite number of soul-like units.

23. **Descartes,** René (1596–1650). Mathematician, geometrician, and especially philosopher; regarded as the father of modern philosophy on account of his *Discours sur la Méthode*. The allusion here is to his famous vortex theory of the movements of the universe and its origin from chaos.

24. **Montaigne.** French skeptic (1533–1592). The motto of his *Essais* is "Que sçais-je?"

25. **Pascal,** Blaise (1623–1662). French scientist, philosopher, and theologian.

26. **Pyrrhon.** A philosopher of Elis, contemporary with Aristotle, and founder of the skeptical school.

27. **Zénon.** The founder of the Stoic school, a native of Citium in Cyprus.

28. **Voltaire.** See note 25, page 6.

29. **Spinosa** (1632–1677), born at Amsterdam. The poet here alludes to the pantheistic doctrines of Spinoza, "der Gott-betrunkene Mensch," as the Germans call him.

30. **Sophiste anglais.** Allusion to the materialistic psychology of English empiricism.

31. **Rhéteur allemand.** Musset refers here to Kant, though he could hardly have understood him, to speak of him in such terms. Kant by no means can be said to "conclure au néant."

Page 68. 32. **Ô toi que nul n'a pu connaître, Et n'a renié sans mentir.** Cf. Tennyson:

> Believing where we cannot prove.
>
> *In Memoriam.*

Compare this whole prayer with Pope, *The Universal Prayer*, and Lamartine, *La Prière*.

Page 69. 33. **La création . . . N'est qu'un vast temple à ses yeux.** Cf. Pope:

> To Thee whose temple is all space.
>
> *The Universal Prayer.*

And Lamartine:

> L'univers est le temple et la terre est l'autel.
>
> *La Prière.*

34. **De quelque façon,** etc. Cf. Pope:

> Father of all! in every Age,
> In every clime adored,
> By Saint, by Savage, and by Sage,
> Jehovah, Jove, or Lord.
>
> *The Universal Prayer.*

SOUVENIR.

In general sentiment this poem may be classed with Gray's *Elegy Written in a Country Churchyard*, Lamartine's *Le Lac*, and Musset's own *Nuit d'Octobre*. It was published in the *Revue des Deux Mondes*, the 15th of February, 1841, and the scene described is the forest of Fontainebleau, which the poet had visited in 1833. For the circumstances of its composition see Paul de Musset, *Biographie de Alfred de Musset*, pp. 261–262.

Page 72. 1. **Les voilà,** etc. Compare the following three stanzas with the opening lines of Wordsworth's *Tintern Abbey*.

2. **Et ces pas argentins sur le sable muet.** Cf. *Nuit d'Octobre:*

> Quand nous marchions ensemble
> Le soir sur le sable argentin.

Page 73. 3. **Voyez! la lune monte à travers ces ombrages.** Lamartine, whom Musset, consciously or unconsciously, imitates in this poem, almost always describes nature at the melancholy hour of twilight. As one cynical critic remarks of the *Méditations*, "Cela représente huit heures du soir en été."

4. **Aussi calme, aussi pur, de mon âme attendrie Sort mon ancien amour.** Cf. *Nuit d'Octobre:*

> Le mal dont j'ai souffert s'est enfui comme un rêve,
> Je n'en puis comparer le lointain souvenir
> Qu'à ces brouillards légers que l'aurore soulève,
> Et qu'avec la rosée on voit s'évanouir.

5. **Que sont-ils devenus, les chagrins de ma vie?** Cf. *Biographie*, p. 256: "Pendant le trajet de Fontainebleau à Malesherbes, mon frère devint rêveur et sa mélancolie me gagna. . . . Alfred sentait à chaque pas ses souvenirs de jeunesse se réveiller plus et plus vivaces. Le peu de mots qu'il m'en dit, je le retrouvai cinq mois après dans ces vers aujourd'hui si connus."

6. **Ô puissance du temps! ô légères années!** Cf.:

> Eheu! fugaces, . . .
> Labuntur anni.
>
> Horace, *Carm.* ii, 14, 1.

Page 74. 7. **Dante, pourquoi dis-tu qu'il n'est pire misère,** etc. These lines refer to the famous passage in the fifth canto of the *Inferno*, where the unfortunate Francesca da Rimini prefaces her sad story with the following words :

> Nessun maggior dolore,
> Che ricordarsi del tempo felice
> Nella miseria ; e ciò sa 'l tuo dottore.

(No greater grief than to remember the happy time in wretchedness ; and that knoweth thy master.) The *dottore* alluded to is Boëtius, who in his *Consolatio Philosophiae* wrote : "In omni adversitate fortunae infelicissimum genus infortunii est, fuisse felicem." Tennyson likewise refers to this passage in his *Locksley Hall* :

> Comfort ? Comfort scorned of devils ! This is truth the poet sings,
> That a sorrow's crown of sorrow is remembering happier things.

8. **Françoise.** Francesca da Rimini, the heroine of the famous passage in Dante alluded to above.

Page 76. 9. **Mes yeux ont contemplé,** etc. "J'ai prononcé ces mots-là seul, au milieu du silence de la nuit, et les voilà jetés en pâture aux badauds ! Est-ce qu'il n'aurait pas été temps après ma mort ?" *Biographie*, p. 262.

10. **Le toast à l'ange des ténèbres.**

> Here's to my love ! O true apothecary !
> Thy drugs are quick. — Thus with a kiss I die.
>
> *Romeo and Juliet*, v, 3.

Page 77. 11. **Un sépulcre blanchi.** Cf. Matthew xxiii : 27 : "For ye are like unto whited sepulchres." The poet's allusion is to George Sand.

Page 78. 12. **Je me dis seulement : à cette heure, en ce lieu, Un jour je fus aimé.** Cf. Lamartine:

> Que tout ce qu'on entend, l'on voit ou l'on respire,
> Tout dise : "Ils ont aimé."
>
> *Le Lac.*

À QUOI RÊVENT LES JEUNES FILLES.

This charming comedy formed part of the *Spectacle dans un Fauteuil*, published in 1833. It has been produced on the stage only three times, — at the *Comédie-Française* November 29, 1880, at the *Théâtre des Variétés*, April 29, 1881, and at the *Odéon*, November 3, 1881. There are many reminiscential Shaksperian touches in it. Especially the character of Irus, who has something of Osric, something of Sir Andrew

Aguecheek in him. The scene, "où l'on voudra," is evidently copied from Shakspere's *Twelfth Night, or What you will.*

Page 82. 1. **O Christe!** etc. The last four lines of the beautiful evening hymn used in Catholic service, of which the first four lines are as follows:

Labente jam solis rota,
Inclinat in noctem dies;
Sic vita supremam cito
Festinat ad metam gradu.

Page 84. 2. **Ninon, Ninon, que fais-tu de la vie?** This exquisite song calls up many similar fancies. Cf. Herrick's:

Gather ye rose-buds while ye may.

Also Milton:

If you let slip time, like a neglected rose
It (beauty) withers on the stalk with languished head.

Also *Midsummer Night's Dream*, i, 1, and Spenser, ii, 12, 74, the German:

Pflücket die Rose
Eh' sie verblüht.

and Ronsard's:

Cueillez, cueillez vostre jeunesse;
Comme à cette fleur, la vieillesse
Fera ternir vostre beauté.

À Cassandre.

Page 87. 3. **Spadille a l'air d'une oie,** etc. The day after the *Spectacle dans un fauteuil* had been put on sale, Musset heard two young men who were walking in front of him on the *Boulevard de Gand* repeat with a laugh this verse of Irus. This little circumstance made him bear with more equanimity the coldness with which the critics and newspapers received his new work.

Page 88. 4. **Bonnes fortunes.** Love adventures. Homme à bonnes fortunes = lady-killer. *Une bonne fortune* is the title of one of Musset's poems.

Page 89. 5. **Comme en soupirant l'hirondelle s'envole.** Cf. the beautiful sonnet of Wordsworth, "Man's life is like a swallow, Mighty King," the original of which is found in Bede.

Page 90. 6. **Un jeune rossignol chante au fond de mon cœur.** An exquisite line equal to Keats in his best moments. There is a similar line in the opera of *Faust*, iii:

Odo una voce che canta nel mio cor.

7. **Deux corps,** etc. Cf. Shakspere:

So, with two seeming bodies, but one heart.
Midsummer Night's Dream, iii, 2.

8. **Je sors d'hier de l'université.** Perdican in *On ne badine pas avec l'amour* and Perillo in *Carmosine* likewise have just left the university. So also the heroes of several of Shakspere's early comedies.

Page 92. 9. **Temps perdu.** Days of idleness.

Page 93. 10. **Imbroglios.** Italian word, meaning intricate, complicated plots.

11. **Avez-vous jamais vu les courses d'Angleterre?** The steeplechase, a race across country between a number of horsemen to see which can first reach some distant object, as a church steeple.

Page 94. 12. **Clocher.** Steeple, see above note.

13. **Parabole** and **parole** are both from the Greek παραβολή; the former is a *mot savant*, while the latter has followed the usual laws of phonetic change.

14. **Recevoir un mari,** etc. Cf. the following lines with Lydia Languish in Sheridan's *Rivals*, v, 1.

15. **Une enfant de quinze ans.** Juliet is only fourteen, also — and rather strangely — Mildred in Browning's *Blot on the 'Scutcheon.*

Page 95. 16. **Poupée.** Literally "doll"; also a plaster of Paris figure, which is used for a target in shooting-matches.

17. **Le prince Galaor.** Brother of the famous Amadis de Gaula, concerning whom has been written what Cervantes calls an *inumerable linaje* of romances. See *Don Quijote*, Pt. ii, ch. 2, and Chateaubriand, *Le dernier Abencerage:* "Comme ces fées charmantes qui apparaissaient à Tristan et à Galaor dans les forêts." In *Fantasio*, ii, 1, Musset speaks of Amadis in the same sense: "On dit que c'est un Amadis."

18. **Arcadie.** A mountainous and picturesque district of Greece in the heart of the Peloponnesus, whose people were distinguished for contentment and rural happiness. Cf. Keats:

In Tempe or the dales of Arcady.
Ode on a Grecian Urn.

One of Poussin's best known pictures in the Louvre is the "Et Ego in Arcadia."

19. **Lara.** See note 12, page 34.

20. **Tombez du ciel.** Arrive unexpectedly.

Page 96. 21. **Semblable au commandeur,** etc. See note 27, page 7.

Page 99. 22. **C'est le meilleur des maux.** Cf. Rogers:

> There's such a charm in melancholy,
> I would not, if I could, be gay.

And Victor Hugo, "La mélancolie, c'est le bonheur d'être triste." *Les travailleurs de la mer.*

23. **Pierre de touche.** Lydian stone, basanite. So called because used to test the purity of gold and silver, by the streak which remains on the stone when it is rubbed by the metal. Boileau alludes to this in his *Art Poétique*, chant iv, l. 233:

> Quelquefois du bon or je sépare le faux.

24. **Cassandre.** Daughter of Priam, gifted with the power of prophecy; but Apollo whom she had offended, laid upon her the curse "that no one should believe her predictions." *Il.* xiii, 366. After the fall of Troy she became the slave of Agamemnon and was slain by Clytemnestra.

Page 100. 25. **Ce n'est jamais un bien que l'on soit plus vieux qu'elle.** But Shakspere says:

> Let still the woman take
> An elder than herself; so wears she to him,
> So sways she level in her husband's heart.
>
> *Twelfth Night*, ii, sc. 4.

Page 105. 26. **Mousquetaire.** Formerly a foot-soldier who bore a musket; later, a soldier of one of the two *compagnies à cheval* of the king's palace.

Page 108. 27. **Cordieu!** English = S'body!

28. **Relever les gants.** Accept a challenge.

29. **Palsambleu!** = par le sang de Dieu. S'blood!

30. **Ventrebleu!** = ventre de Dieu.

Page 114. 31. **Niémen.** River of European Russia, flowing into the Baltic Sea.

32. **Toute votre nature est comme une harmonie.** Cf. Longfellow:

> When she had passed, it seemed like the ceasing of exquisite music.
>
> *Evangeline*, Pt. 1, i.

Page 116. 33. **Angélique.** Allusion to Angelica in Ariosto's *Orlando Furioso*, or perhaps to Angélique in Molière's *Le Malade imaginaire.*

ON NE BADINE PAS AVEC L'AMOUR.

Published in 1834, shortly after Musset's return from the Italian journey, this comedy shows many traces of recent events. It was produced at the *Comédie-Française* in November, 1861, and in 1883 had been played 168 times. Henry James calls it the "most beautiful of his comedies," and Paul Lindau says: "Unter allen den Musset'schen Bühnendichtungen stelle ich diese obenan." Paul de Musset says: "Il règne d'un bout à l'autre de cet ouvrage une passion et une chaleur de cœur, devant lesquelles pâlit le *Dépit Amoureux* de Molière, dont le sujet offre quelque analogie avec la guerre amoureuse de Camille et Perdican." There is not, however, a very striking resemblance with the play of Molière. The plot of the *Dépit Amoureux* is much more complicated, and only here and there — as, for example, in Act ii, sc. 2 — are we reminded of Musset's comedy. Undoubtedly Métaphraste has influenced to some extent both Blazius and Bridaine, who are really different phases of the same character, although they resemble also Shakspere's Dogberry. Where Musset found the name Blazius I do not know. He certainly was not interested in German philology, and yet the etymology given by Wackernagel, *Germania*, vol. 4, p. 132 ("wenn der Wind und ein Räuschlein scherzweise *Blasius* oder *Blasi* genannt werden"), seems very appropriate. Bridaine was probably suggested by Judge Bridoye, iu Rabelais' *Pantagruel*, livre iii, ch. 39.

Page 117. 1. **Messer.** Italian, *Messere*, — an old word with the same meaning as *Messire*, which in the Middle Ages was reserved for the highest nobility, but later was applied to priests, physicians, lawyers, etc.

2. **Amphore.** Ancient vase with two handles, in which the ancients placed their oil and wine; allusion to the wine-bibbing character of Maître Blazius.

Page 118. 3. **Maître.** Title now given to lawyers and notaries. It is also used in common speech.

4. **Livre d'or.** A book in which, in some republics, especially in Venice where the custom began, were registered the names of the nobles. Here used for the good qualities of Perdican.

Page 120. 5. **Tibias.** Shin-bones.

6. **Docteur à quatre boules blanches.** In certain examinations *boule blanche* signifies "complete satisfaction"; *boule rouge*, "just passed";

boule noire, "not passed." "Il a passé son examen avec trois *boules blanches*." A similar expression to the English "black-balled."

Page 122. 7. **Écus.** Formerly *écu* was equal to three francs; to-day it is used of five-franc pieces. It was so called because formerly it had on one side three *fleurs-de-lis* as a "scutcheon."

Page 123. 8. **Ita ædepol.** Classical interjection, meaning literally "by Pollux": "Indeed, truly!" Cf. "Certe edepol scio, Plautus," *Amph.* i, 1, 115.

Page 124. 9. **Je connais ces êtres charmants.** Cf. *À quoi rêvent les jeunes filles*, J'ai connu ces êtres variables, i, 4.

10. **De la poudre dans les yeux.** Jeter de la poudre aux yeux = éblouir par des discours, par des apparences. Cf. Beaumarchais, *Le Barbier de Seville*, Act ii, sc. 14. Italian "dare, gettare la polvere, *or* della polvere negli occhi," and English "to throw dust in one's eyes."

Page 128. 11. **Cuistreries.** Pedantry.

Page 130. 12. **Je te plains sincèrement.** Cf. *Il faut qu'une porte soit ouverte ou fermée*, for the same expression under similar circumstances.

13. **Vive Henri IV.** This historic song consists of three couplets; the refrain is as follows:

> Vive Henri Quatre, vive ce roi vaillant,
> Ce diable à quatre a le triple talent
> De boire et de battre et d'être vert galant.

It has generally been attributed to Collé (1709–83). It was still popular in Musset's time, having been revived for political purposes by the followers of the Bourbons.

Page 131. 14. **Vous êtes une pécore.** Pécore = "goose," "flat." Cf. Molière, "Vous ne serez jamais qu'une pauvre pécore." *L'Ét.* iii, 5.

Page 139. 15. **Je suis bien aise,** etc. Cf. this scene with Molière, *Tartuffe*, Act ii, sc. 4.

Page 141. 16. **Malaga.** Name of a very good Spanish wine.

17. **Bénédicité.** Prayer made by Catholics before a repast, beginning with this word, the imperative of "to bless." "Quand l'abbé de Tonnerre eut dit le bénédicité, il lui dit de se mettre à table." St.-Simon 32, 120.

18. **J'aime mieux comme César,** etc. "It is said that when he came to a little town, in passing the Alps, his friends by way of mirth took occasion to say, 'Can there be any disputes for offices, any contentions for precedency, or such envy and ambition as we see among the great?' To which Caesar answered with great seriousness, 'I assure you, I had rather be the first man here than the second man in Rome.'" Plutarch, *J. Caesar*.

Page 146. 19. **Hic jacet lepus.** Littré, under the word *lièvre* quotes the expression, "C'est là que gît le lièvre," which, he says = c'est là le secret, le nœud de l'affaire. Cf. Pailleron, "Tu avais bien besoin de lever ce lièvre-la," *Le Monde où l'on s'ennuie*, ii, 7, and Musset, "Voilà le lièvre," *L'Ane et le Ruisseau*, sc. 4.

Page 147. 20. **Scène V.** This scene resembles *Il faut qu'une porte soit ouverte ou fermée*. In both we have a woman doubting, and a man defending, love. Camille's friend Louise is thirty years old, and love and youth for her have gone forever. So La Marquise says in *Il faut:* "Tu as quinze ans, je suppose; eh bien! mon enfant, cela ira ainsi jusqu'à trente, et ce sera toujours la même chose."

Page 152. 21. **Comme elle était assise,** etc. Cf. Hogarth's famous picture of *Mariage à la Mode*, Plate ii.

Page 154. 22. **Missel.** The book containing the service of the mass for the whole year.

23. **Locanda.** Italian for inn.

Page 158. 24. **Hostie.** The consecrated wafer believed to be the body of Christ, which in the mass is offered as a sacrifice.

Page 159. 25. **On est souvent trompé en amour,** etc.

I hold it true whate'er befall,
I feel it when I sorrow most;
'Tis better to have loved and lost,
Than never to have loved at all.

Tennyson, *In Memoriam*.

26. **J'ai souffert souvent,** etc. A German song the original text of which I cannot find runs as follows:

Yesterday I loved,
To-day I suffer,
To-morrow I die;
But I shall gladly
To-day and to-morrow
Think on yesterday.

The whole philosophy of this paragraph can be expressed in a paraphrase of Tennyson's well-known lines:

'Tis better to have loved and *been deceived,*
Than never to have loved at all.

Page 169. 27. **Mais tu comprends bien que tu pries,** etc. In *L'Espoir en Dieu* Musset says that prayer is a cry of hope.

28. **Dans la sève du monde.** See note 15, page 63.

Page 173. 29. **Agneau sans tache.** Usually applied to the Saviour. On page 140, Dame Pluche calls Camille a "colombe sans tache."

Page 174. 30. **Le plaisir des disputes, c'est de faire la paix.** Cf.:

And blessings on the fallings out
  That all the more endears,
When we fall out with those we love
  And kiss again with tears!

Tennyson, *Princess,* Canto i, song.

Terence (*And.* iii, 3, 23) has:

Amantium irae amoris integratio,

of which a well-known English translation runs as follows:

The falling out of faithful friends,
But the renewal is of love.

Page 175. 31. **Êtes-vous sûr de leur inconstance.** The fickleness of woman forms the subject of many famous remarks. Francis I. wrote with a diamond on a window of his palace:

Femme toujours varie,
Bien fou qui s'y fie.

Ariosto has the same thought:

Oh, infelice, oh miser chi ti crede!

O. F. xxvii, 117.

So Hamlet,

Frailty, thy name is woman.

And Vergil,

. . . varium et mutabile semper
Femina.

Page 177. 32. **Carnaval.** A festival observed in most Roman-Catholic countries, during a few days before Lent, ending with Shrove Tuesday.

Page 180. 33. **C'est trois mille écus de perdus.** Le Baron says, p. 122, that the education of Perdican and Camille has cost him 6000 écus.

34. **Ils me donneront en échange le royaume des cieux, car il est à eux.** Cf. Matthew v:3. Balzac in the *Curé de Tours* has a similar play on this passage: "Quoique le vicaire fût un de ceux auxquels le paradis doit un jour appartenir en vertu de l'arrêt : *Bienheureux les pauvres d'esprit.*"

Page 183. 35. **Le bonheur est une perle,** etc. Cf. Shakspere:

> . . . of one whose hand,
> Like the base Indian, threw a pearl away
> Richer than all his tribe.
>
> *Othello,* v, 2.

36. **Pêcheur céleste.** The Saviour (?). He himself calls his disciples fishers of men. Dante (*Purg.* xxii, 63,) calls S. Peter, *Pescatore.*

UN CAPRICE.

"Parmi les témoignages de sympathie qu'il recevait souvent, se trouva une bourse anonyme en filet, dont il ne put deviner l'auteur. Après avoir soupçonné toutes les femmes de sa connaissance, il puisa dans ses conjectures le sujet d'une peinture de la vie parisienne. C'est ainsi que lui vint l'idée du *Caprice.*" P. de Musset, *Biog.* p. 188. The hero of the *Fils du Titien* likewise receives a purse from some unknown person.

This comedy was published in the *Revue des Deux Mondes,* June 15, 1837, but was not put on the stage until ten years later. For the circumstances under which it was introduced to Parisian audiences, see p. xxvi of the Introduction. The day after its first representation, Théophile Gautier wrote in his *Feuilleton dramatique:* "Depuis Marivaux . . . il ne s'est rien produit à la Comédie-Française de si fin, de si délicat, de si doucement enjoué que ce chef-d'œuvre mignon." Up to 1883 it had been played 326 times. The posthumous *L'Âne et le Ruisseau* is a *rifacimento* of *Un Caprice.*

Page 186. 1. **Janisset.** Evidently the name of a well-known jeweler. Cf. Fossin at the end of *Il faut qu'une porte soit ouverte ou fermée.*

Page 189. 2. **Corvée.** Feudal term. Day's work which vassals owed their lords. Later, personal work in keeping the public roads in repair. Here means simply "a bore."

Page 190. 3. **Valses de Strauss.** Johann Strauss, born at Vienna, March 14, 1804, was a composer of dance-music of world-wide celebrity. He introduced the habit of giving names to waltzes. His sons Johann and Eduard are also well-known composers, the former having composed 400 waltzes and the latter 200 pieces of dance music.

Page 191. 4. **Comment dit-elle donc?** How does it go? *Elle* refers to *valse.*

Page 193. 5. **J'ai défendu ma porte en bas.** I have told the porter to say I am not at home.

Page 196. 6. **Au coin du feu.** The meaning here is equivalent to the German *vertraulich* or *gemütlich.*

Page 197. 7. **Une perse et une puce.** *Perse* is bluish, *puce* the [illegible] of a flea, — brown.

[illegible] **ne fais qu'une apparition.** Cf. *À quoi rêvent les jeunes filles,* [illegible]aut leur apparaître," where *apparaître* means to make a [illegible]earance.

[illegible]03. 9. **Rebonsoir.** An unusual form in literature, but [illegible]n familiar intercourse. "'*Rebonsoir, chère,* en quelle langue [illegible]?' disait Sampson suffoqué." Quoted by Barine, *Alfred de* [illegible], p. 148.

Page 204. 10. **Queue.** Here = line of carriages.

Page 208. 11. **Les larmes soulagent toujours.** Cf. Ovid:

> Est quaedam flere voluptas;
> Expletur lacrymis egeriturque dolor.

Page 211. 12. **Elle a les yeux battus,** etc. She has blue rings about the eyes; **jusqu'au menton** is an emphatic expression = frightful. Cf. German *bis an den Hals.*

13. **Invalides** (Hôtel des). One of the chief public monuments of Paris. Begun by Louis XIV as an asylum for maimed and wounded soldiers. It contains at present the mausoleum of Napoleon and his remains as they were brought from St. Helena.

14. **Bastille** (Place de la). The name Bastille formerly meant a strong fortress; it is now commonly given to the structure originally

a castle for the defense of Paris, but which afterwards became famous as a prison. It was attacked by the mob, July 14, 1789, and destroyed the next day.

Page 212. 15. **Groom.** There are a number of similar English words in French, such as "jockey," "sport," etc.

Page 214. 16. **Revue des Deux Mondes.** Established in 1829 by Ségur-Dupeyron and Mauroy, but it ceased to appear at the end of the year, and its actual existence dates from its acquisition in 1831 by François Buloz, a masterful editor, under whose energetic management it soon achieved a world-wide reputation. The most distinguished names in French literature have been among its contributors, for whom it has been styled "the vestibule of the Academy." See *Encyc. Brit.* xviii, 540.

17. **Madame Sand.** George Sand, pseudonym of Mme. Amandine Lucile Aurore Dudevant, born Dupin (1804–1876), the well-know French novelist and Musset's companion on his Italian trip. [illegible] Introduction.

Page 215. 18. This pretence of finding ambiguity i[illegible] remarks is paralleled in *Il faut qu'une porte soit ouvert*[illegible] "Vous vous embrouillez ; qu'est-ce qui est toujours vieux, [illegible] qui est toujours jeune ?" Cf. also *On ne badine pas avec l'a*[illegible] "Qui était rouge de colère, ma nièce ou dame Pluche ?"

Page 222. 19. **Est-ce en bâtarde ou en coulée ?** Bâtar[illegible] clined handwriting ; the letters are heavy and made most easily [illegible] stub-pen ; coulée = running hand. **Anglaise pur sang** = genu[illegible] English hand.

20. **Poulet.** Love letter.

Page 227. 21. **La bénédiction ne le métamorphose pas.** Cf. *On ne badine pas avec l'amour*, ii, 5. "Si le curé de votre paroisse soufflait sur vous, et me disait que vous m'aimerez toute votre vie, aurais-je raison de le croire ?" The Count here seems to confirm Camille's doubts as to the efficacy of the marriage sacrament.